1. **100 jeux pour toute la famille**
2. **Jeu de dames**
3. **Jeux scientifiques pour découvrir l'air et l'espace**
4. **L'album des nœuds**
5. **Le cinéma d'animation**
6. **Le grand livre des petits bricolages**

Edith Barker

JEUX ET FÊTES AUX COULEURS DU MONDE

A Pierre, Elise et Cécile
A Antoinette
et à mes amis du monde entier

Editions Fleurus, 11, rue Duguay-Trouin, 75006 Paris.

AU PROGRAMME DE LA FÊTE

Plus qu'une simple invitation au voyage, cet ouvrage est avant tout un livre de loisirs et d'activités manuelles inspirés du folklore de différentes régions du monde.
Inde, Japon, Brésil, Mexique, U.S.A., Afrique de l'Ouest (Burkina-Faso, Côte-d'Ivoire, Sénégal, Mali), France, Italie, Europe de l'Est (Yougoslavie, Hongrie, Tchécoslovaquie, Roumanie), les pays choisis offrent à tous ceux qui aiment voyager et faire la fête, petits et grands, un éventail large de traditions et de folklore.

Un tour du monde où tout sera éphémère, à l'image même de la fête : des repas, des déguisements et des jeux que vous apprécierez d'autant plus que vous les préparerez vous-mêmes. Chacun pourra y ajouter sa touche personnelle selon ses talents et sa créativité. Tout ce qu'il faut en somme pour découvrir et fêter un pays sans sortir de chez soi.

Toutes les réalisations proposées dans ce livre sont simples et d'exécution rapide. **Les matériaux** utilisés sont pour la plupart à la portée de tous et peu coûteux : papier, tissu, carton, pâte à modeler durcissante, peinture...

Les recettes permettront à chacun de se rendre utile selon son âge et ses capacités. Il est en effet important d'associer les jeunes enfants à la préparation de la fête : doser les ingrédients, faire quelques opérations simples. Ils aimeront connaître la provenance de produits exotiques devenus courants sur nos marchés : piments, avocats, goyaves, kiwis... L'adulte surveillera la bonne marche des opérations, donnera des conseils pratiques et se réservera les gestes les plus élaborés. Précisons enfin que ces recettes ont souvent été simplifiées pour que l'on puisse plus facilement en trouver les ingrédients*. Il faudra doser sagement épices et piments pour des palais peu habitués aux saveurs fortes.

* Epiceries fines, épiceries exotiques, grandes surfaces proposent maintenant un très grand choix d'épices et de produits venus des quatre coins du monde.

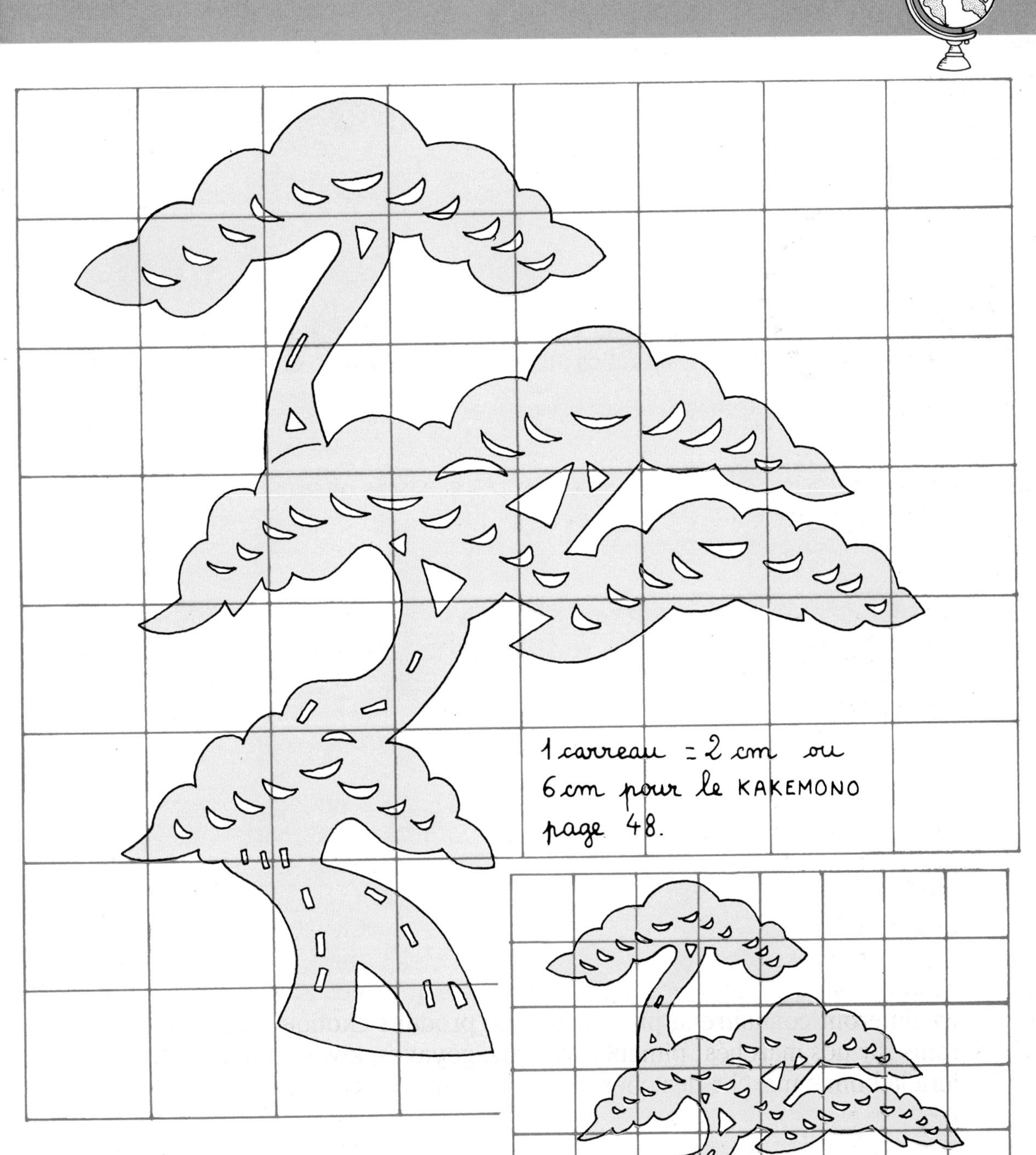

Les motifs et patrons sont donnés taille réelle chaque fois que c'est possible, ou sur grille pour pouvoir être agrandis facilement avec **la méthode de mise aux carreaux** (ou par photocopies successives, mais c'est en fait beaucoup plus compliqué). Ces patrons sur grille sont regroupés à la fin de chaque chapitre.
Pour agrandir un motif, il faut d'abord le qua-

driller (si ce n'est déjà fait) avec des carreaux de 1 cm de côté comme fait en bas à droite de la page 7.
Puis quadriller une feuille de calque au format du support (éventuellement plusieurs feuilles assemblées avec de l'adhésif), avec **le même nombre** de carreaux en largeur et en longueur (ces carreaux seront plus grands naturellement). Pour les réalisations dont nous donnons les dimensions, nous indiquons sur la grille la dimension des carreaux (par exemple : 1 carreau = 2 cm veut dire que le quadrillage sur le calque doit être fait avec des carreaux de 2 cm de côté comme fait en haut de la page 7).
Recopier le motif carreau par carreau. Repasser le contour sur l'envers du calque avec un crayon gras et le décalquer sur le support.

Décoration au pochoir

Matériaux : *Rhodoïd ou bristol, cutter, gouache indélébile (sur tissu) ou peinture adaptée au support à décorer (bois, papier ou carton, tissu)...), petits récipients, brosse à pochoir ou tampon d'éponge ; ruban adhésif repositionnable.*

Souvent utilisée dans les activités proposées pour décorer nappes et objets divers, cette technique est très simple.
Reproduire le motif choisi, en entier, sur une feuille de *Rhodoïd* ou de bristol.
Si l'on veut peindre le motif en plusieurs couleurs, il faut un *Rhodoïd* par couleur. Evider les parties à teindre dans cette couleur, avec un cutter pour avoir une découpe nette. Les parties non évidées correspondant aux autres couleurs permettront un bon repérage.
Fixer le pochoir ainsi réalisé en place sur l'objet à décorer avec de l'adhésif repositionnable. Commencer par la couleur la plus claire.
Préparer les teintes choisies dans de petits récipients en vérifiant que la peinture est suffisamment épaisse. Il est conseillé de s'exercer au préalable sur une chute de papier ou de tissu.
Tamponner les parties évidées avec la brosse ou le tampon d'éponge en les chargeant de peu de couleur à chaque fois pour éviter les bavures. Enlever le pochoir et laisser sécher.
Faire de même pour les couleurs successives.
Pour un tissu, repasser sur l'envers à fer chaud afin de fixer la couleur. On peut vernir un objet en bois.

Pour lancer la fête

Jeu d'observation aux couleurs du monde
Nombre de joueurs : 5 à 10
Durée de la partie : 5 à 8 minutes.

Chaque joueur, muni d'une feuille de papier et d'un crayon, trace trois colonnes sur le papier : en haut de chaque colonne, il inscrit le nom d'une couleur ou d'une forme du drapeau du pays (rond, rouge, blanc pour le Japon par exemple).

Règle du jeu : chaque joueur inscrit six noms d'objets correspondant à la couleur ou à la forme de chaque colonne, parmi les objets qui se trouvent dans la pièce. Le premier à avoir rempli ses colonnes lit à voix haute ses réponses. Chaque objet commun à plusieurs joueurs est éliminé. Les noms d'objets cités par un seul joueur valent un point.

INDE

Le pays

République complexe formée de vingt-deux états et neuf territoires, l'Inde s'étend sur deux mille kilomètres, du nord au sud. La plus haute chaîne de montagnes du monde, l'Himalaya, domine et protège l'extrême nord du pays. Si l'on ajoute que 762 millions d'habitants y parlent, outre l'anglais, quatorze dialectes, on aura compris que l'Inde est une terre aux contrastes saisissants. Sa capitale est New Delhi. Un grand nombre d'Indiens sont végétariens. Ils se nourrissent essentiellement de céréales : blé, riz, millet, fèves. Mais, pour d'autres, la viande, les volailles et le poisson sont des denrées quotidiennes. Il faut voir dans ces habitudes alimentaires la marque d'un grand respect des principes religieux. Car c'est l'hindouisme, la religion séculaire, qui rend l'Inde unique. Il transparaît dans le moindre geste, dans le moindre bruit, et donne toute leur originalité aux fêtes indiennes.

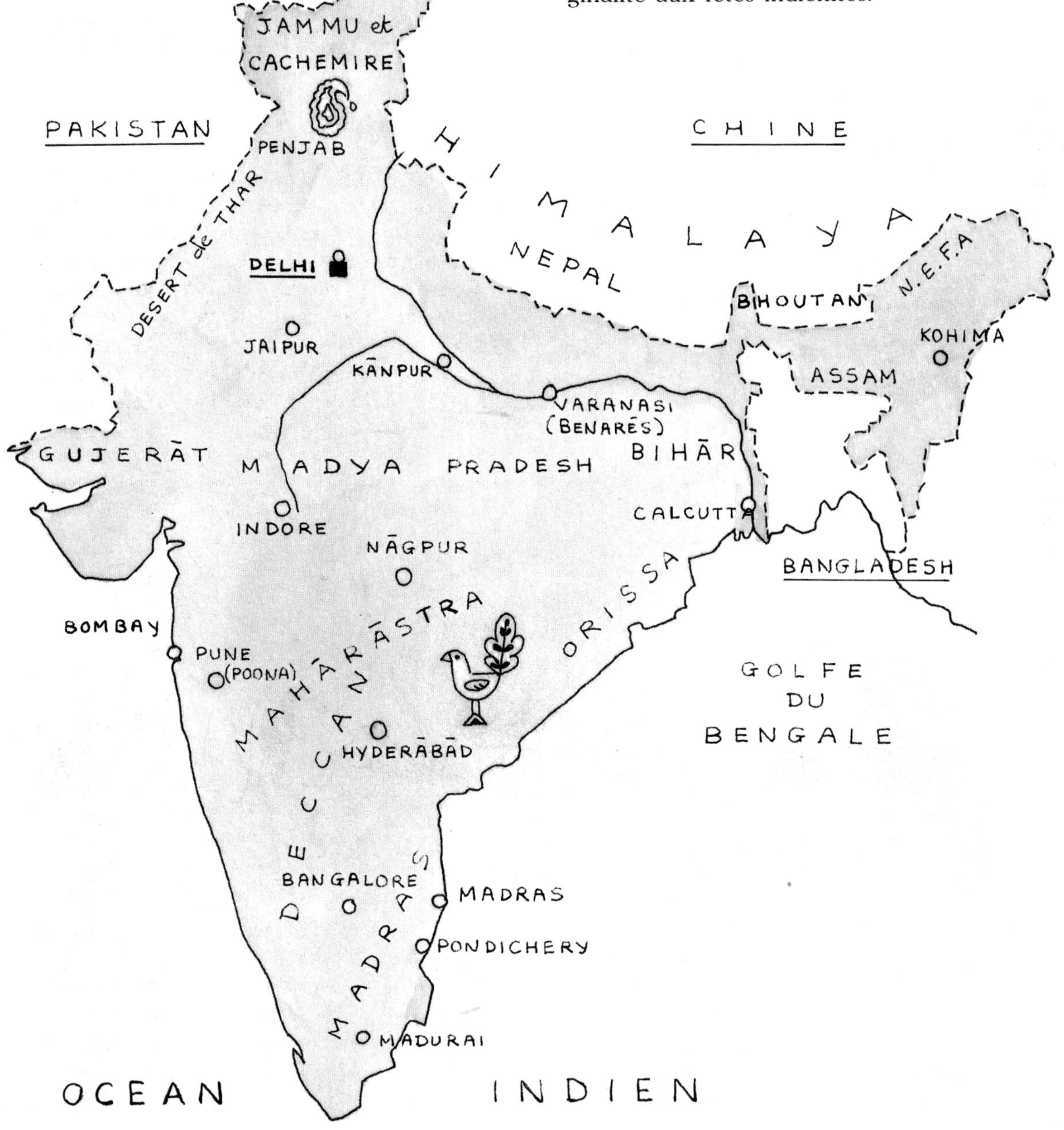

Les fêtes traditionnelles

INDE

Somptueuses fêtes villageoises, provinciales ou nationales, leur calendrier est si impressionnant que nous nous contenterons d'en évoquer quatre.

Janvier - *le Pongal* : célèbre fête tamoule du sud de l'Inde. Les façades des maisons sont ornées et les rues inondées d'une multitude de grains de riz, de fleurs de lotus et de fleurs rouges. Les Tamouls ornent leurs vaches et leurs bœufs de guirlandes de feuillage. La fête est scandée de danses, de jeux et de chants.

Février ou mars - *la fête de Holì (fête du printemps)* : le *holì* est un mélange liquide de poudre, de colorant et d'eau. L'une des réjouissances de la *Holì* consiste à se lancer ce mélange ou à s'en oindre le visage.

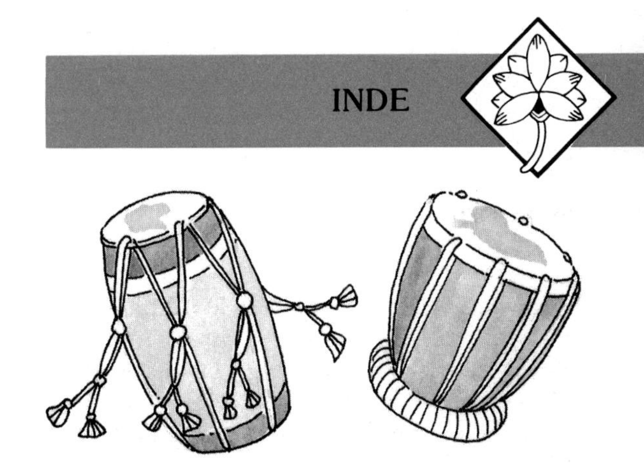

Septembre-octobre - *la fin de la mousson, la Durgà-Pujà* : jeûne suivi de grands repas, de danses, de musique et de récitation de poèmes.

Octobre-novembre - *La fête de la lumière : le Divàlì* est l'une des fêtes les plus populaires : pendant six jours, on célèbre la fin des moissons. Pour créer une féerie de lumière et de couleurs, les femmes dessinent au pochoir ou à la craie des motifs décoratifs multicolores et pendent des rideaux de fleurs de jasmin. Le soir, des lanternes de papier aux couleurs vives étincellent. Tout scintille, jusqu'aux saris et aux bijoux des femmes. Le quatrième jour, un grand carnaval a lieu : on y joue, on y danse, on y chante.

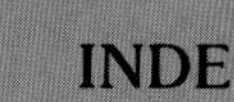

INDE

La rose et l'encens: l'ambiance du repas

Les convives s'asseyent sur des tapis, autour d'une table basse sur laquelle sont disposés le plat principal, les bols de légumes, de riz et la salade. La tradition veut en effet que tous les plats soient présentés en même temps sur un grand plat en métal ou sur un plateau. La galette de blé, appelée « chappati », et le riz accompagnent tous les mets et remplacent la fourchette, car il est d'usage de manger avec les doigts de la main droite.
Pour la nappe, choisir une étoffe très colorée. Si le tissu est uni, le décorer de motifs au pochoir (voir la technique d'impression au pochoir dans l'introduction).

Sur les murs, fixer de grandes étoffes colorées (en vente dans les boutiques d'objets exotiques). On peut les réaliser soi-même très rapidement au pochoir ou les colorier directement avec des feutres pour tissu. Rehausser l'ensemble avec des morceaux de Lumaline (Rhodoïd argent) cousus à grands points. La Lumaline évoquera les éclats de miroir décorant certaines étoffes indiennes.
Prévoir pour chaque convive plusieurs serviettes en papier décorées de pétales de fleurs, un grand verre pour les boissons glacées, une tasse pour le thé ou le café et une assiette. Garnir la table de fleurs fraîches, de pétales de rose et de quelques grandes feuilles d'arbre très propres.
Pour parfaire l'ambiance, faire brûler un bâton d'encens avant le repas.

Lotus à dessiner à main levée
ou à décalquer.
lumaline
trois motifs
pour pochoir
lotus
quart
de motif

L'ART CULINAIRE INDIEN

En Inde, tous les plats sont accompagnés de riz et de galettes de blé, appelés *chappatis*. Ce pain permet de manger avec les mains ; il absorbe les sauces et adoucit le palais.

Les chappatis au lait

Pour 8 à 10 chappatis
Ingrédients : *350 g de farine blanche, 50 g de beurre, 5 cuillers à soupe de lait, sel.*

Dans un grand saladier, mélanger la farine et le sel, puis incorporer le beurre fondu, le lait et un peu d'eau. Bien mélanger pour obtenir une pâte souple. Séparer en 8 ou 10 parties. Avec le rouleau à pâtisserie, former de fines galettes. Faire cuire doucement au four sur une plaque. Surveiller la cuisson. Les galettes sont cuites lorsque la pâte est bien dorée et croustillante.

Les chappatis au beurre

Pour une vingtaine de chappatis
Ingrédients : *250 g de farine complète, 250 g de farine blanche, 2 yaourts, 70 g de beurre, sel.*

Faire fondre le beurre dans une casserole, puis le mélanger aux yaourts.
Dans un grand saladier, mettre la farine et une pincée de sel, puis incorporer le beurre et les yaourts. Pétrir jusqu'à ce que la pâte soit bien régulière. Séparer la pâte en vingt portions égales. Les rouler en boules. Enduire le plan de travail d'un peu de farine et aplatir toutes les boules avec le rouleau à pâtisserie. Faire chauffer une poêle à fond émaillé à feu doux avec une noisette de beure. Faire cuire les galettes des deux côtés, comme des crêpes. Des cloques dorées apparaissent à la surface, mais l'intérieur reste moelleux. Une fois cuites, empiler les galettes dans un récipient à couvercle.

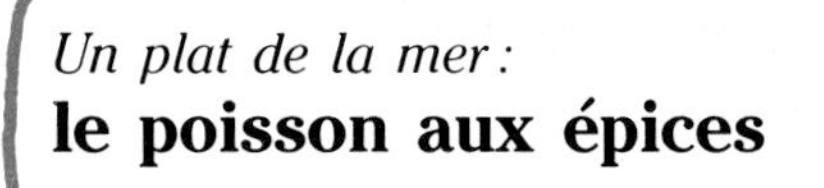

Un plat de volaille :
le curry de poulet

Pour 4 à 5 personnes
Préparation : 10 minutes
Cuisson en cocotte : 1 heure
Ingrédients : *un poulet de 1,5 kg coupé en huit morceaux, 3 gousses d'ail, 5 cuillers à soupe de noix de coco en poudre, quelques pincées de poudre de gingembre, 20 g de tamarin en gelée*, 3 oignons, clous de girofle, un peu de cannelle en poudre, une cuiller à café de paprika, curry, une cuiller à soupe de vinaigre, 40 g de beurre, sel, poivre*

Dissoudre pendant dix minutes le tamarin dans de l'eau chaude. Faire fondre le beurre dans une cocotte et y faire dorer les oignons émincés, les gousses d'ail écrasées et les morceaux de poulet.

Ajouter toutes les épices, une à une, puis verser 40 cl d'eau. Verser enfin la poudre de noix de coco, saler, poivrer. Couvrir la cocotte et laisser mijoter 45 minutes environ, en remuant de temps en temps.
Verser dans un grand plat. Le curry de poulet s'accompagne d'un plat de riz.
Variante : on peut ajouter un demi-kilo d'abricots frais et deux tomates. C'est délicieux.

* Tamarin : pulpe tirée des fruits du tamarinier, en vente dans les épiceries orientales.

** Cardamone : plante asiatique dont les graines ont une saveur poivrée. Vendue sous forme de poudre dans les épiceries orientales.

Un plat de la mer :
le poisson aux épices

Pour 4 personnes
Préparation : 15 minutes
Cuisson : 25 minutes
Ingrédients : *un poisson d'environ 1 kg à chair blanche (colinot, cabillaud), un demi-poivron vert, 2 oignons, grains de coriandre écrasés, 3 pincées de paprika, 4 pincées de cumin écrasé, 20 g de beurre, 2 cuillers à soupe de vinaigre, gingembre en poudre, sel, poivre.*

Hacher menu le poivron. Mélanger tous les ingrédients avec le vinaigre, puis en enduire copieusement l'intérieur et l'extérieur du poisson. Placer le poisson sur une feuille de papier aluminium beurrée, l'envelopper en papillote et le déposer dans un plat allant au four. Faire cuire à feu moyen.

Un entremets :
le Shrikhand

Pour 6 personnes
Préparation : 5 minutes
Ingrédients : *7 yaourts ou 1 kg de fromage blanc, une pincée de safran, cardamome verte**, 4 cuillers à soupe de sucre en poudre, 50 g de pistaches non salées, décortiquées et émincées, amandes effilées, 2 kiwis.*

Dans un grand saladier, verser les yaourts ou le fromage blanc, le safran, la cardamome et le sucre. Mélanger et parsemer de pistaches et d'amandes. Placer au réfrigérateur. Au moment de servir, décorer de pétales de rose et de rondelles de kiwis.

La salade de soja à la noix de coco

Pour 6 personnes
Préparation : 15 minutes
Ingrédients : *un sachet de noix de coco râpée, 250 g de germes de soja, 5 feuilles de chou blanc, une mangue bien mûre, un concombre, 100 g de cacahuètes non salées, une pomme douce, 100 g de noix de cajou non salées, poudre de gingembre, un petit piment vert, le jus d'un citron, sel, poivre, huile, cerfeuil.*

Dans un grand saladier, mélanger le soja, le chou coupé en fines lamelles, la pomme et le concombre râpés grossièrement, la mangue coupée en petits morceaux. Hacher les noix de cajou et les cacahuètes, couper le piment vert très finement et ajouter le reste des ingrédients. Remuer et verser le jus de citron. Saler et poivrer. On peut aussi ajouter un peu d'huile.
Décorer de brins de cerfeuil et placer 1 h au réfrigérateur.

Le Chutney aux bananes

Pour 4 à 5 personnes
Préparation : 10 minutes
Ingrédients : *3 bananes mûres, 100 g de raisins secs, 50 g de tamarin en gelée (voir p. 15), gingembre en poudre, une demi-cuiller à café de piment doux en poudre, grains de cumin, le jus de 2 citrons, 4 cuillers à soupe de sucre en poudre, feuilles de menthe et pétales de rose.*

La veille de la préparation, faire macérer les raisins secs dans de l'eau tiède.

Dissoudre la gelée de tamarin avec de l'eau dans un grand saladier, ajouter le gingembre, le piment doux, le cumin broyé, les raisins secs et le sucre. Bien mélanger. Ajouter les bananes en fines rondelles, le jus de citron et mélanger à nouveau.
Décorer de quelques feuilles de menthe et de pétales de rose.

Petits gâteaux à la noix de coco

Pour 4 personnes
Préparation : 5 minutes
Cuisson : 45 minutes environ, puis 12 heures au réfrigérateur
Ingrédients : *200 g de noix de coco en poudre, 35 cl de lait entier, 300 g de sucre en poudre, eau de fleur d'oranger, un jaune d'œuf, une cuiller à soupe de farine ou de fécule de pomme de terre.*

Dans une casserole à fond émaillé, faire fondre le sucre dans le lait, à feu doux, puis ajouter la noix de coco et la farine ou la fécule. Remuer et ajouter de l'eau parfumée.
Attention : il faut ajouter un jaune d'œuf et bien mélanger avant de continuer à solidifier le mélange à feu doux. Étaler la pâte sur un plat en porcelaine huilé. Placer au frais 12 heures. Découper la pâte en petits carrés. Servir.

Les boissons

Il est de tradition de siroter des boissons glacées, tout en grignotant des amuse-gueule, avant de commencer le repas.
Prévoir des jus de fruits, du lait parfumé à la noix de coco, du thé au jasmin, du café, de la bière (mais pas de vin) et divers sirops de fruits.

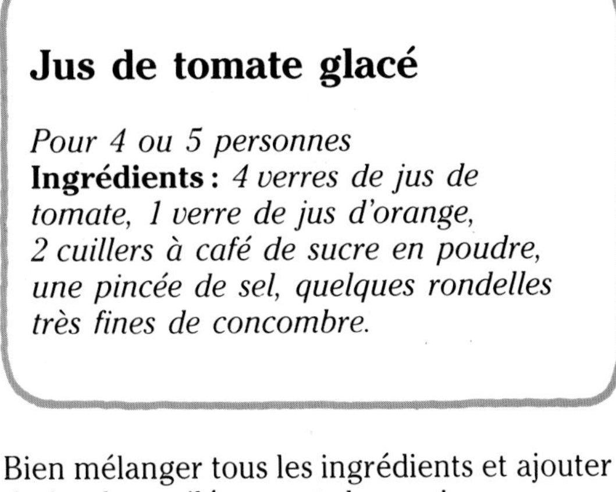

Jus de tomate glacé

Pour 4 ou 5 personnes
Ingrédients : *4 verres de jus de tomate, 1 verre de jus d'orange, 2 cuillers à café de sucre en poudre, une pincée de sel, quelques rondelles très fines de concombre.*

Bien mélanger tous les ingrédients et ajouter de la glace pilée avant de servir.

Boisson glacée au yaourt

Pour 1 litre environ
Ingrédients : *2 yaourts, 50 g de sucre en poudre, 50 cl d'eau glacée, zeste de citron, feuilles de menthe.*

Verser dans un grand bol les yaourts, l'eau, le sucre, le zeste de citron et une pincée de sel. Fouetter à la fourchette jusqu'à l'obtention d'une mousse. Verser dans de grands verres et décorer avec des feuilles de menthe.

Boisson glacée au raisin

Pour 1 litre environ
Ingrédients : *50 cl de jus de raisin, 50 cl d'eau glacée, 35 g de sucre en poudre, un demi-citron pressé, zeste de citron.*

Dans une grande cruche, mélanger l'eau, le jus de raisin, le sucre, le citron et le zeste. Placer au réfrigérateur.
Au moment de servir, ajouter quelques feuilles de menthe sur le rebord des verres, ainsi que de la glace pilée.

Boisson aux mangues

Pour 1 litre environ
Ingrédients : *2 grosses mangues bien juteuses, le jus d'un citron, 35 g de sucre en poudre, 1 litre d'eau fraîche.*

Couper les mangues en deux, les dénoyauter puis les éplucher. Mettre la pulpe dans l'eau fraîche. Ajouter le sucre, le citron, une pincée de sel et battre au fouet ou au mixer. Placer au réfrigérateur pendant deux heures.

DÉCORS ET DÉCORATIONS

Pour donner à une pièce l'allure d'un intérieur indien, choisir des papiers aux teintes harmonieuses, allant du jaune au rouge ou du rose tyrien au mauve : papier crépon, « pop set », papier de soie... Prévoir de la Lumaline (voir p. 12) ou des feuilles de papier aluminium. Ajouter également quelques nattes de plage en rabane, des guirlandes, des lampions cylindriques, de longs rubans de tissu ou de papier.

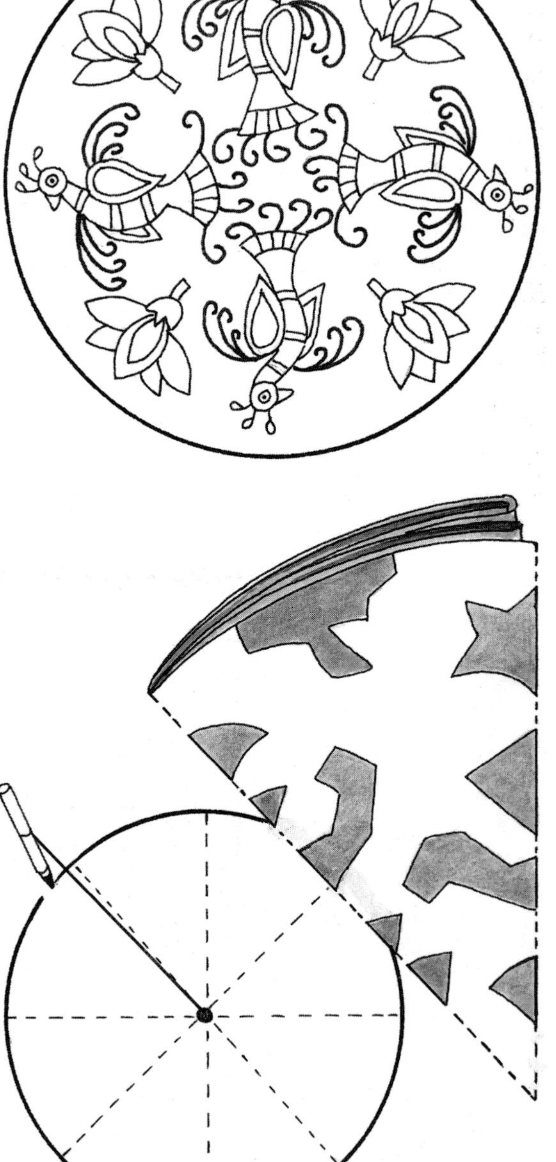

Le tapis de dentelle

Matériel : *rouleau de papier blanc ou de couleur, ou à défaut, grandes feuilles réunies avec du ruban adhésif, ciseaux, cutter.*

Découper un cercle de 1 à 1,30 m de diamètre et le plier en huit. Découper les motifs comme pour un napperon en dentelle de papier. Ouvrir, aplatir les plis.

Le tapis rond aux paons

Matériel : *papier blanc, gros feutres ou gouache indélébile, papier de couleur ou pastels gras, ficelle, punaise, crayon, calque.*

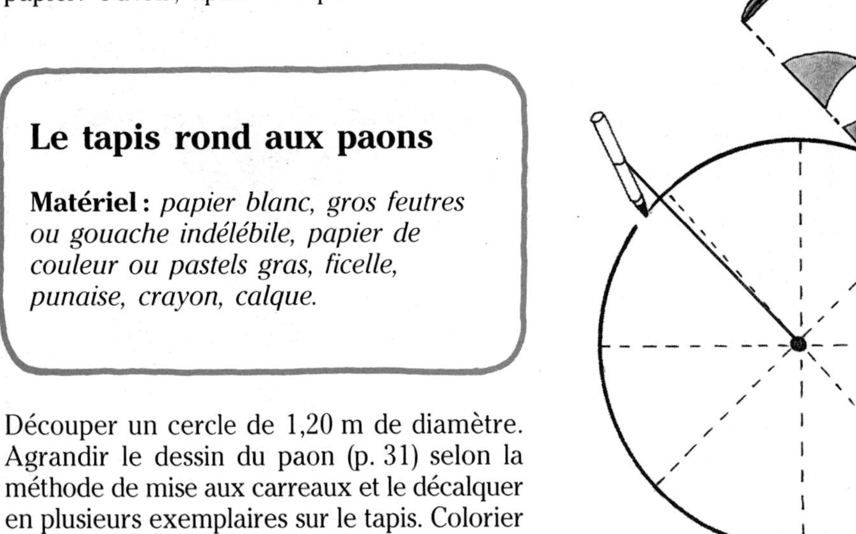

Découper un cercle de 1,20 m de diamètre. Agrandir le dessin du paon (p. 31) selon la méthode de mise aux carreaux et le décalquer en plusieurs exemplaires sur le tapis. Colorier de couleurs vives.

Le rideau de fleurs en papier

Matériel : *longs rubans de tissu ou de papier, papier de soie de couleur (jaune, rouge, vert, orange), ruban adhésif double face, ciseaux.*

Fabriquer la structure du rideau avec des rubans de tissu ou de papier.
Pour les fleurs, couper des bandes de papier de soie de 40×6 cm et les plier en huit. Couper le haut en arrondi. Déplier et froncer la base avec les doigts en ébouriffant le haut. Maintenir la base avec du fil.
Fixer les fleurs sur les rubans à l'aide de l'adhésif double face.
On peut réaliser de magnifiques **colliers de fleurs** en suivant cette même méthode. Il faut serrer les fleurs les unes contre les autres et les fixer sur des rubans de satin.

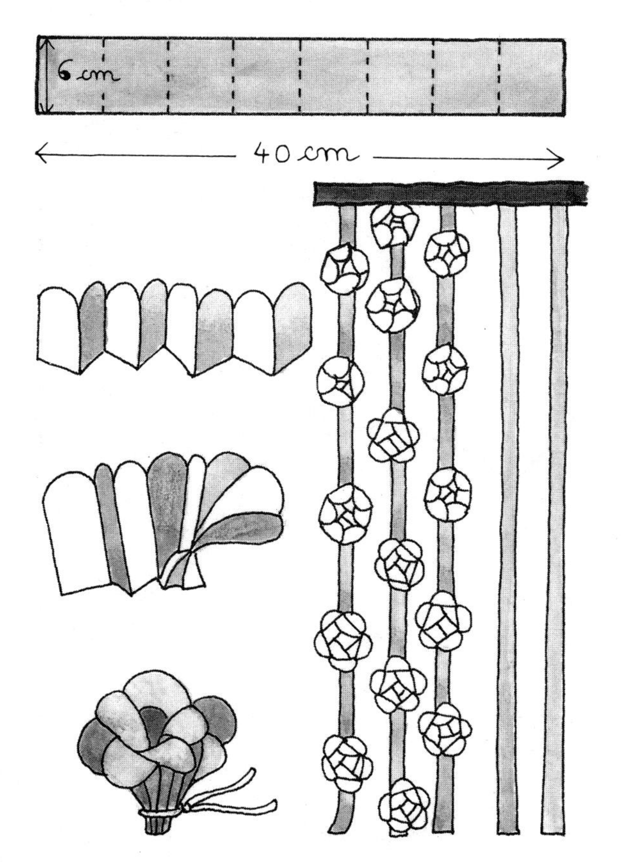

Tapis ou panneau mural

Matériel : *rabane (80×50 cm), bristol (75×45 cm) pour le pochoir, cutter, gouache indélébile (orange, rose, mauve), brosse à pochoir.*

Reproduire le dessin du lotus sur le bristol. Évider le motif au cutter.
Préparer des pots de peinture assez épaisse.
Appliquer le pochoir sur la rabane, l'agrafer aux quatre coins et passer les couleurs.
Tapis ou panneau mural, les dimensions peuvent varier à votre idée, mais doivent rester dans les mêmes proportions pour que le lotus occupe bien la surface.

La lanterne au lotus

Matériel : *papier à dessin de couleur (force 150 g minimum), 2 feuilles de papier de soie jaune, orange ou rose vif, papier calque, cutter, bougie pour chauffe-plat et carton fort si on veut qu'elle éclaire, ficelle ou fil de fer pour la suspendre.*

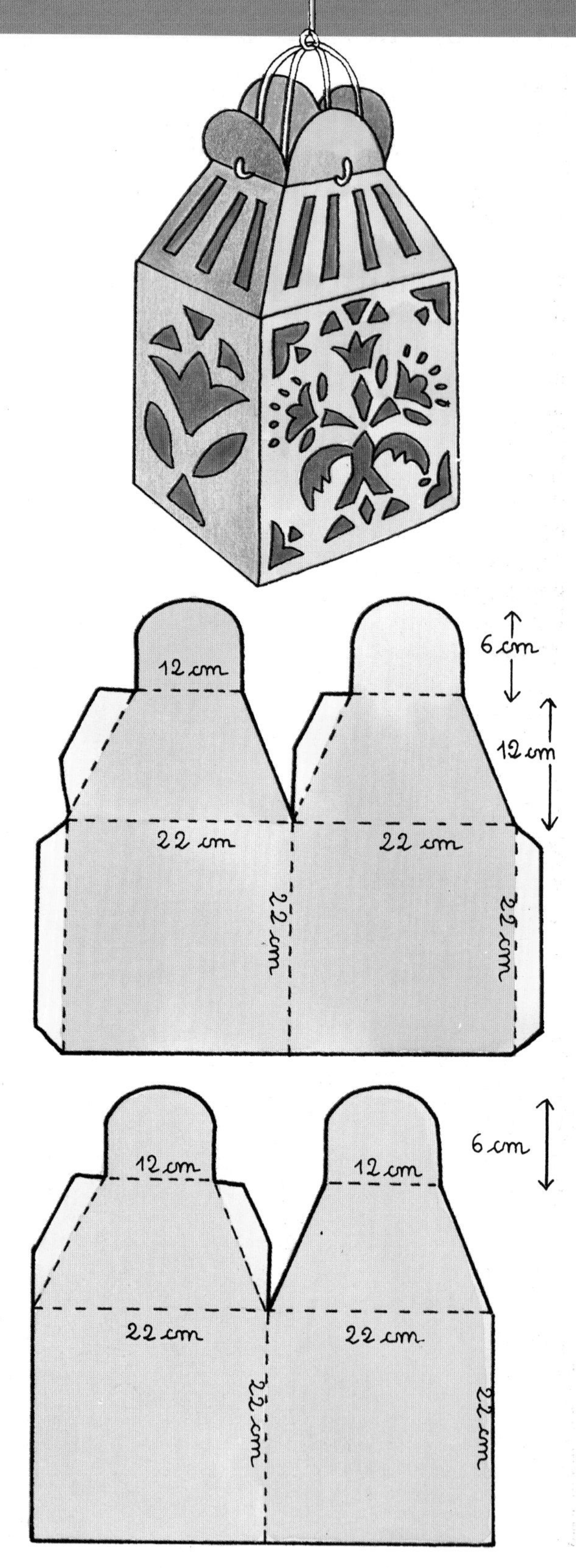

Il s'agit d'une lanterne de décoration. Mais pour une fête nocturne en plein air, on pourra y placer une bougie et la suspendre ou la poser au sol.
Reproduire les patrons sur le papier à dessin et découper.
Sur chaque face carrée (excepté le fond), reproduire le motif du lotus (voir p. 13 ou 19).

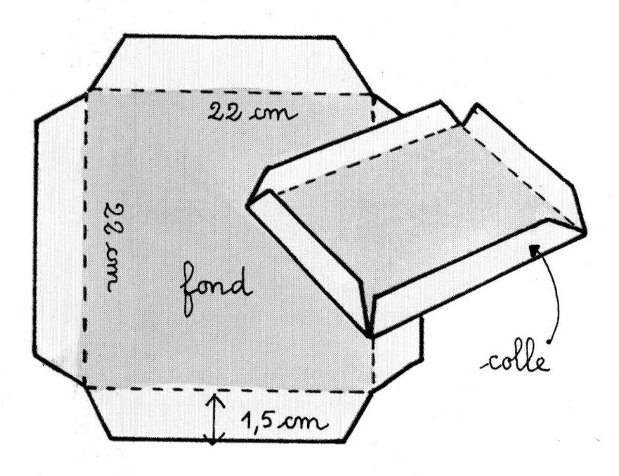

A l'aide du cutter, évider le motif.
Sur les parties évasées, découper des bandes très fines.
Sur l'envers, coller du papier de soie de couleur.
Marquer les pliures, encoller les languettes de fixation et assembler les parties entre elles.
Pour éclairer la lanterne, doubler le fond avec un carré de carton de 21 cm de côté. Au centre, fixer une bougie de chauffe-plat ou une demi-bougie de ménage.

La lanterne cachemire

Matériel : *papier à dessin jaune, orange ou rose vif, papier calque ou papier de soie de couleur, cutter.*

Reproduire les patrons sur le papier et les découper.

Agrandir le motif « cachemire » (p. 31) selon la méthode de mise aux carreaux et le reproduire en double exemplaire sur la lanterne. Découper les parties hachurées au cutter. Sur l'envers, coller du papier calque ou du papier de soie. Laisser sécher.

Former le cylindre et coller le fond en ayant soin de rabattre vers le haut toutes les languettes de collage.

Pour suspendre la lanterne, fixer deux arceaux de fil de fer.

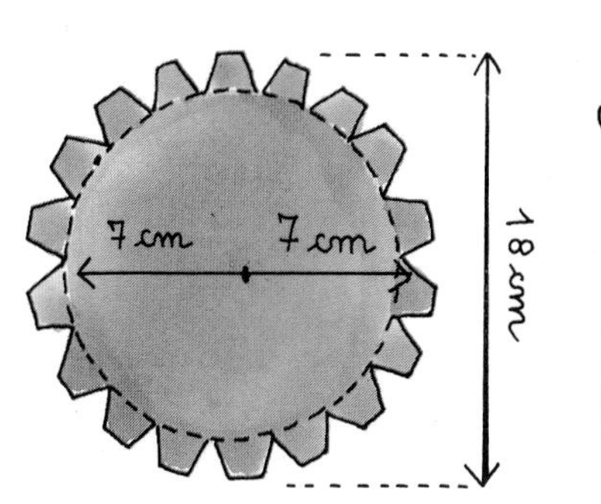

Les ribambelles géantes

Matériel : *grandes feuilles de papier affiche, feutres, ciseaux.*

Plier une très longue bande de papier en accordéon. Dessiner au recto la silhouette souhaitée, puis découper en prenant toutes les épaisseurs.

Rehausser les tracés et ajouter des détails aux feutres.

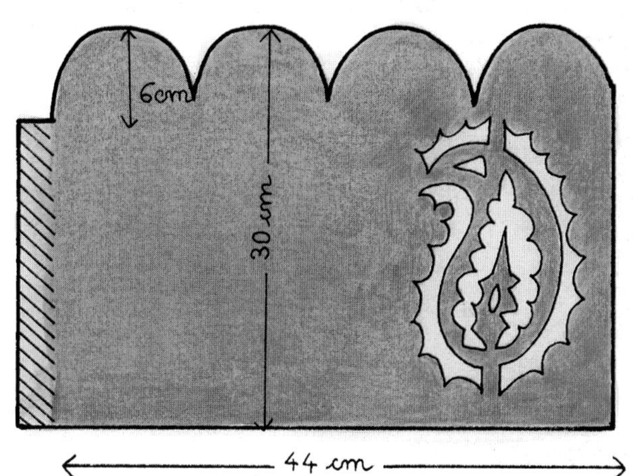

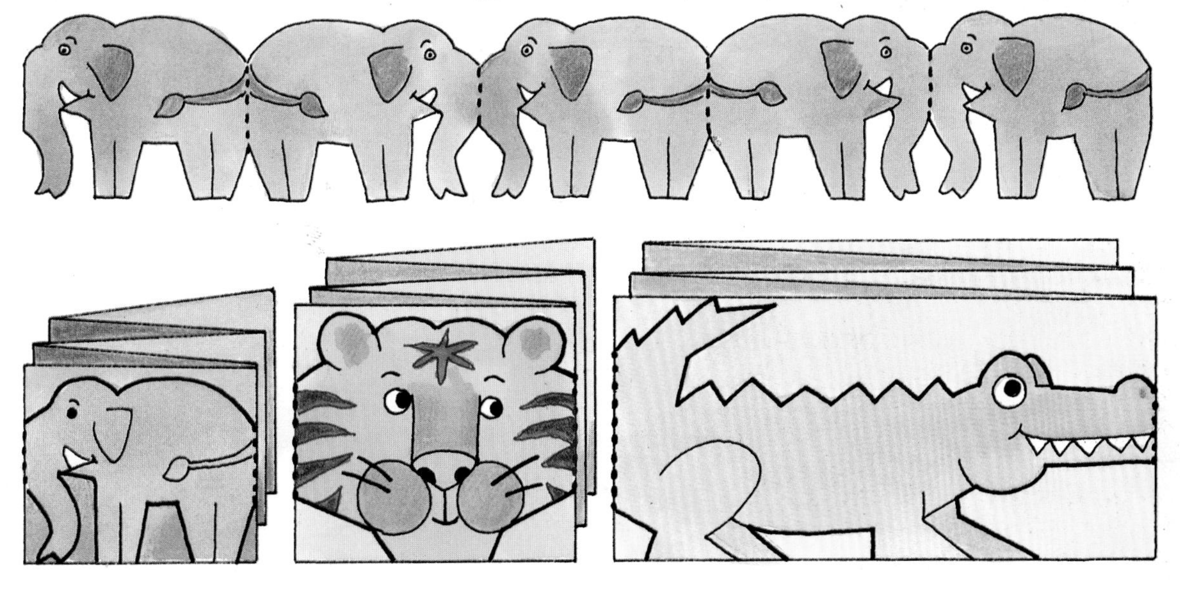

LES MASQUES

Les Hindous vénèrent les animaux, des insectes aux éléphants, de l'infiniment petit à l'infiniment grand. Des fêtes sont célébrées en leur honneur, des parures somptueusement brodées leur sont offertes par les femmes. Le tigre, le chacal et l'éléphant sont des héros de contes populaires. Ce bestiaire servira de thème à des activités manuelles très variées.

Le tigre

Matériel : *papier de couleur assez fort jaune ou orange, papier calque, feutre noir, cutter, agrafeuse.*

Agrandir le patron p. 31, le décalquer sur le papier de couleur et le découper. Évider au cutter les parties hachurées, puis découper toutes les fentes. Dessiner les rayures noires.

Pour donner du volume au masque, superposer quelques centimètres de papier à partir des deux fentes du haut.

Reproduire le nez et les oreilles dont le demi-patron est donné p. 31 et les fixer dans leurs fentes respectives.

Découper les joues et glisser les languettes dans les fentes du bas. Introduire de petites bandes de papier dans les fentes des joues pour figurer les moustaches.

Pour maintenir le masque, ajouter au verso deux lanières de soutien en papier.

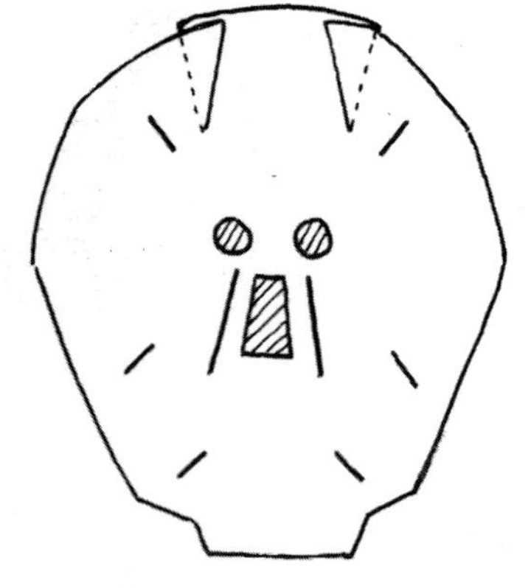

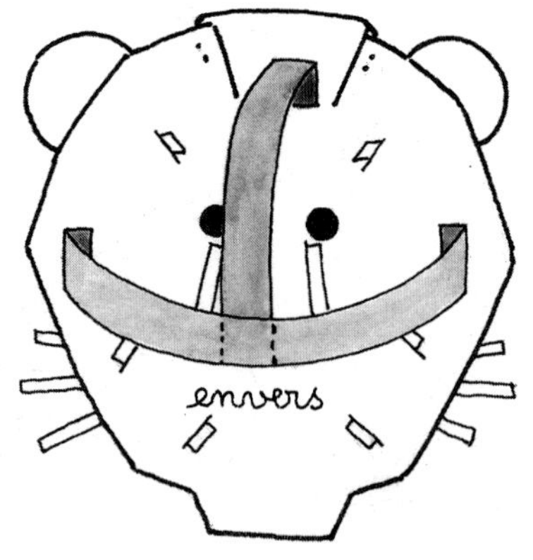

Le coq Bankiva

Matériel : *papier de couleur assez fort : jaune, bleu, turquoise, vert, rouge, feutres, gouache ou crayons de couleur, cutter.*

Le coq Bankiva est l'un des plus lointains ancêtres du coq domestique. Il vit encore à l'état sauvage dans la jungle indienne.

Agrandir les patrons de la tête et de la crête donnés p. 30, et les reproduire sur le papier : la tête sur le papier turquoise, la crête sur le papier rouge. Découper les parties hachurées au cutter.
Effranger le bord inférieur de la tête et couper les deux fentes du sommet. Plier la crête en deux.
Reproduire le bec en deux exemplaires sur le papier jaune, marquer les pliures et introduire les languettes de fixation à l'intérieur du losange. Fixer au verso.
Découper les fanons dans le papier rouge, marquer les pliures et les coller sous le bec.
Sous les franges, ajouter deux rangées de plumes décoratives.
Fixer la crête dans les fentes du sommet de la tête.
Fixer un fil élastique pour le tour de tête.

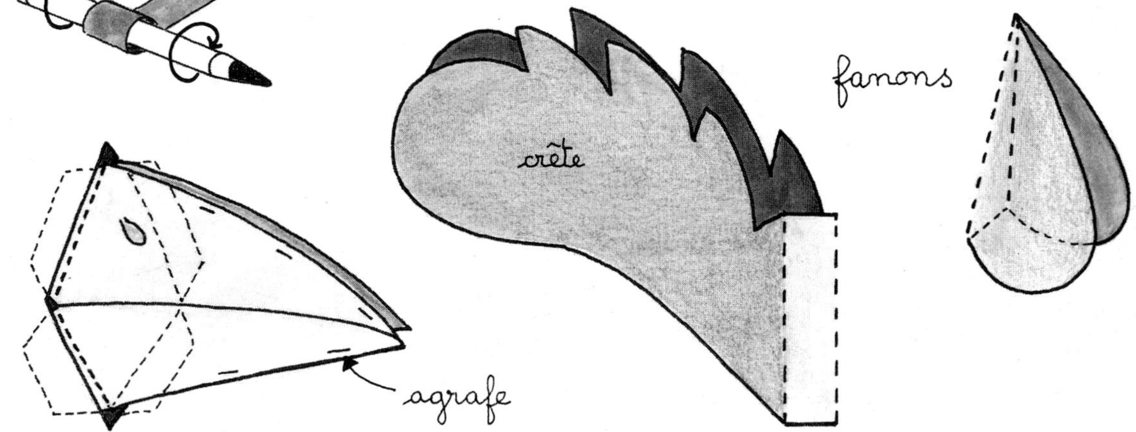

COSTUMES ET BIJOUX

Le sari

Matériel : *un tissu de 4,50×1,10 ou 1,30 m (pour un enfant : 3×0,90 m), jupon étroit serré à la taille, tee-shirt très ajusté à manches courtes, de l'élastique (3 cm de large).*

Pour draper le sari, coudre un élastique de 3 cm de large et le glisser autour de la taille. Sur la hanche droite, faire passer une extrémité du tissu dans l'élastique. Faire le tour du corps en passant par l'avant, puis par l'arrière. Sur le devant, faire sept à huit plis assez profonds et les rentrer un par un dans l'élastique. Sur la hanche gauche, prendre le reste du tissu avec la main droite et le ramener sur le devant, pour cacher les plis.
Passer enfin le tissu par-dessus l'épaule et laisser retomber à l'arrière.

Le sari est le costume traditionnel, porté au quotidien par les femmes. Il est souvent en soie tissée, rehaussée de fils d'or ou d'argent, mais peut être aussi en simple cotonnade de couleur vive.

Le costume masculin du Penjab

Pour le bas : *pour un adulte, un métrage de 2×0,90 m ou 2,25×1 m ; short ; chemise ;* **le gilet :** *feutrine noire, papier métal ou Lumaline ;* **le turban :** *2×0,50 m de coton ou de doublure orange.*

Saisir le tissu du bas par une extrémité et faire quelques plis sur la largeur, puis les rentrer dans la ceinture du short. Passer le tissu dans le dos. Toujours dans le sens de la largeur, saisir l'autre extrémité et la ramener sur le devant. Faire quelques plis et les passer dans la ceinture.
Choisir une chemise indienne ou de teinte claire et l'orner de galons ou de motifs dessinés à l'aide de feutres pour tissu.
Reproduire le patron du gilet (p. 31) sur la feutrine et coudre les épaules et les côtés. Coudre ou coller des motifs floraux ou des feuilles en Lumaline.

Draper le tissu du turban autour de la tête en recouvrant tous les cheveux. Nouer au sommet en laissant échapper un « plumeau » de tissu ou faire un faux nœud et le fixer avec des épingles de sûreté. Ajouter quelques plumes colorées. Autour des chevilles, enrouler des bracelets de papier de couleur.

Les bijoux

Matériel : *fil solide pour colliers, ficelle fine de cuisine, carton, papier fort, feutre, gouache, grosses perles de couleur, feutrine, laine, mosaïque de plastique ou de verre, Lumaline ou papier métal, clips pour boucles d'oreilles, petits coquillages, paillettes, vrille, colle.*

Les costumes indiens sont souvent agrémentés de bijoux scintillants et colorés. Suivre les dessins pour confectionner colliers, bracelets et boucles d'oreilles.

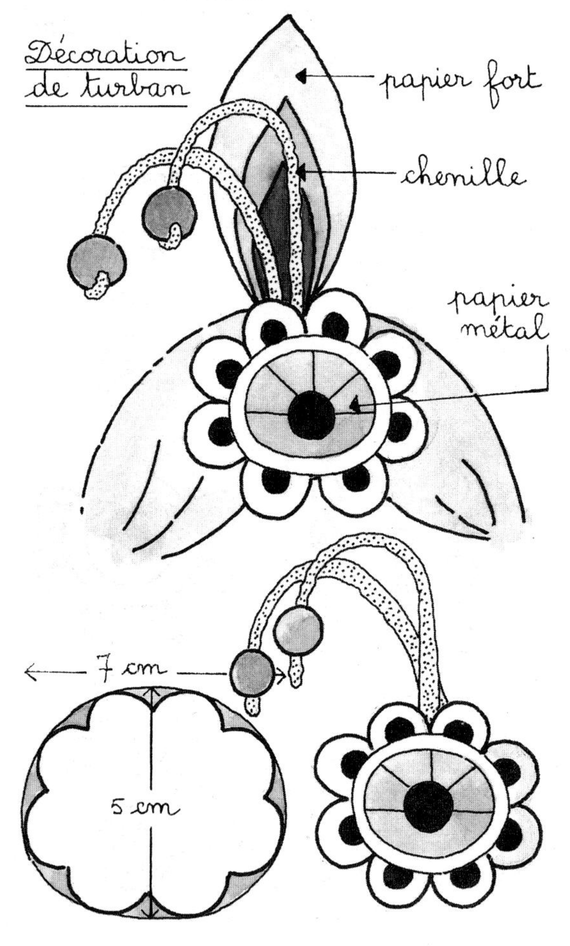

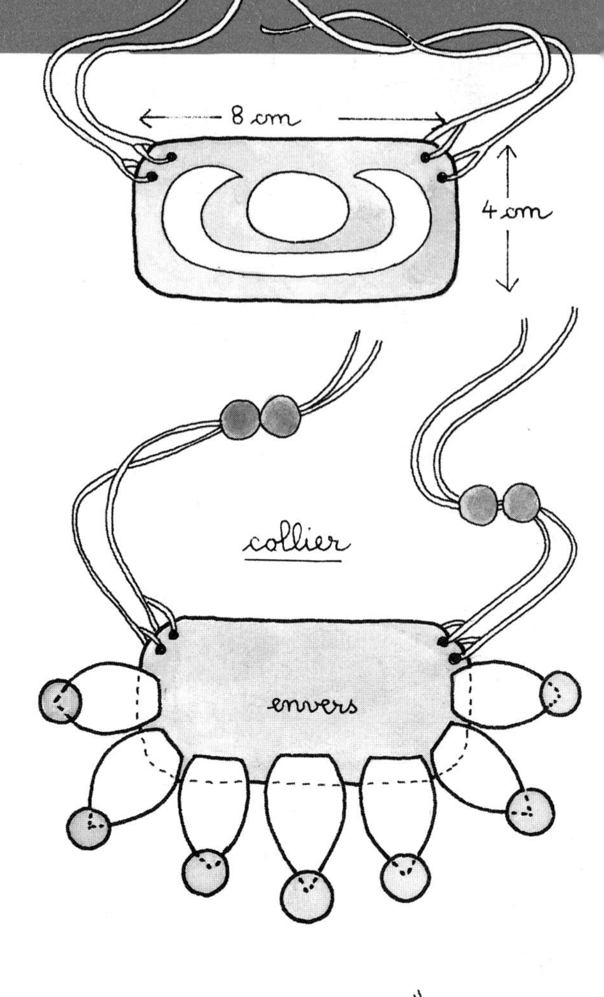

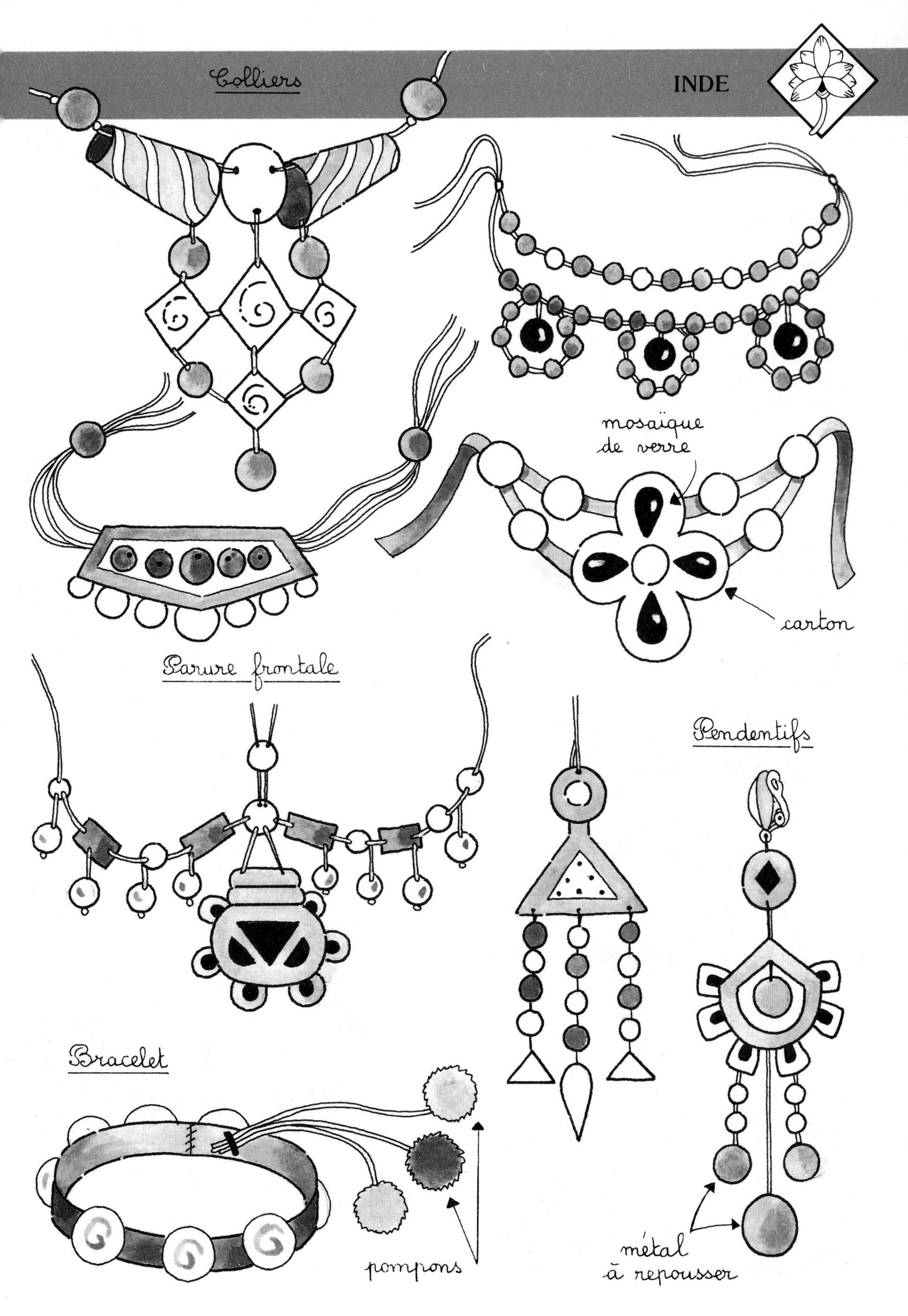
Colliers
mosaïque de verre
carton
Parure frontale
Pendentifs
Bracelet
pompons
métal à repousser

DES JEUX D'INSPIRATION INDIENNE

Le radjah et son miroir

Nombre de joueurs : illimité
Pour enfants de 8 à 12 ans
Matériel : *un miroir de poche, rectangles de papier fort de 16 × 12 cm, épingles de sûreté.*

Sur chaque papier, écrire un nom hindou à l'envers. Choisir des noms difficiles.

Règle du jeu
Le radjah se promène, son miroir à la main. Les joueurs épinglent leur nom sur la poitrine. Lorsque le radjah s'approche pour lire leurs noms, les joueurs tentent de les dissimuler à ses regards par divers mouvements du corps, mais en gardant leurs mains dans leur dos. Si le radjah parvient à lire le nom d'un joueur, celui-ci doit le suivre pour l'aider.

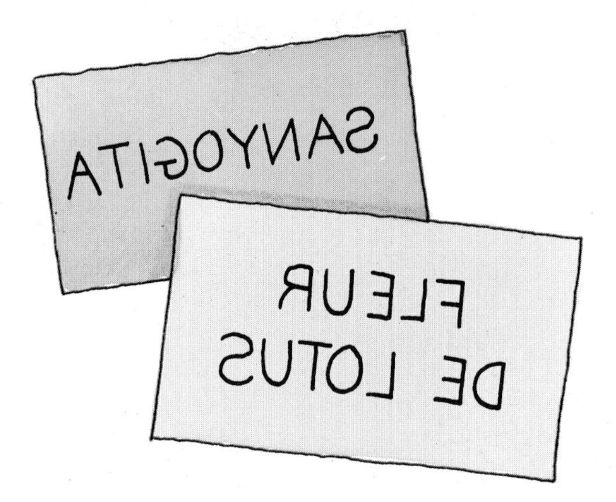

L'éléphant blanc

Nombre de joueur : de 2 à 8
Matériel : *2 feuilles de carton de 50 × 65 cm, feutres, cutter, petite balle en mousse ou gros calot, baguette de 70 cm, gros bouchon.*

Agrandir le patron de l'éléphant p. 30, le découper dans du carton et le décorer.
Pour que l'éléphant se tienne verticalement, fixer deux contreforts de carton à l'arrière.
Pour réaliser le maillet, affûter l'extrémité de la baguette et la piquer dans le bouchon.

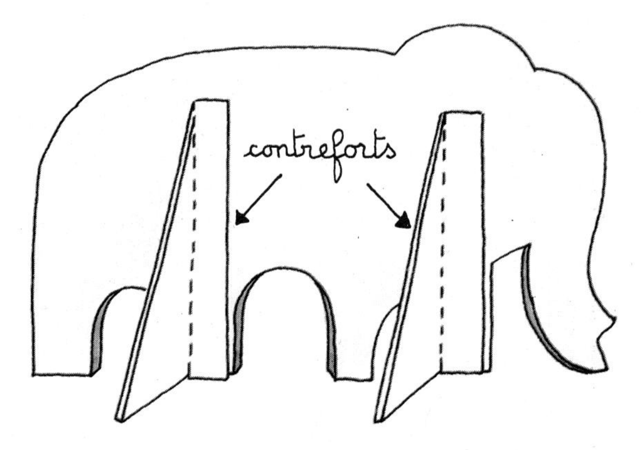

Règle du jeu
Tracer une ligne de départ à 1,5 m de l'éléphant. Le jeu consiste à lancer la balle ou le calot avec le maillet dans les trous qui ont chacun une valeur différente. Le gagnant est celui qui a obtenu le plus grand nombre de points.

Le Pachisi

Nombre de joueurs : 2 à 4 joueurs
Matériel : *carré de carton blanc de 32 cm de côté, gouache indélébile ou feutres, papier blanc, pâte à modeler durcissante.*

Règle du jeu
Ce jeu est une variante du Pachisi que les Indiens considèrent comme leur jeu national. Les joueurs doivent faire le tour complet du damier et arriver, par la diagonale, au centre du jeu, sur la case noire. Chaque joueur place son pion sur sa couleur, puis jette le dé. Si la couleur ou le blanc sortent, le joueur se déplace d'une case dans le sens inverse des aiguilles d'une montre. Si le dé tombe sur une autre couleur, le joueur passe son tour. Le jeu se poursuit jusqu'à ce que le tour du damier soit effectué. Le gagnant est celui qui parvient le premier à la case centrale.

Reproduire le damier sur le carton et le colorier. Souligner le tracé des cases au feutre noir. Dans la pâte à modeler, réaliser quatre personnages schématiques de 5 cm de hauteur et les peindre en bleu, rose vif, vert et jaune. Reproduire le modèle du dé sur le papier blanc et former le cube. On peut également utiliser un petit cube en bois taillé dans une baguette de section carrée.

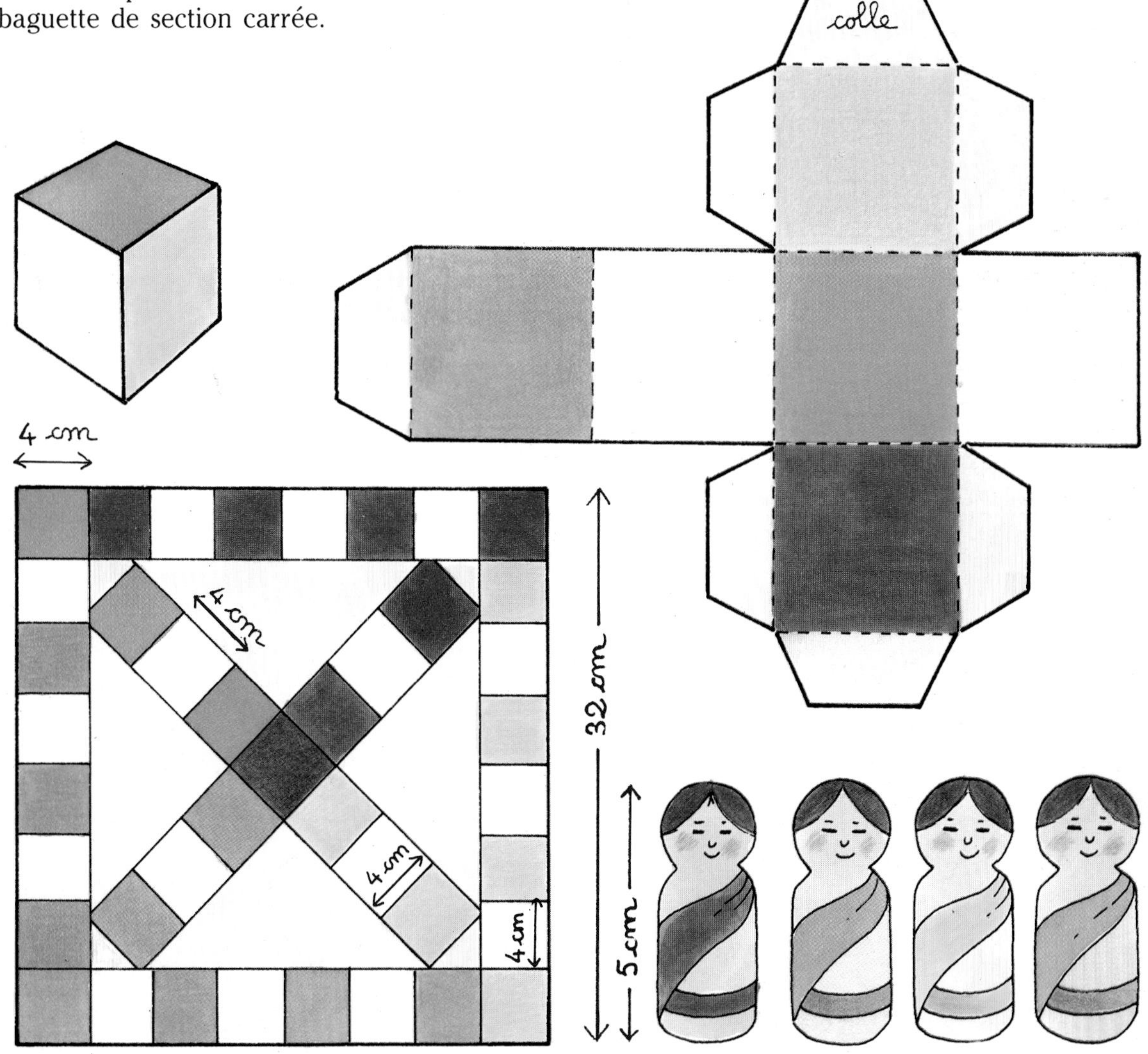

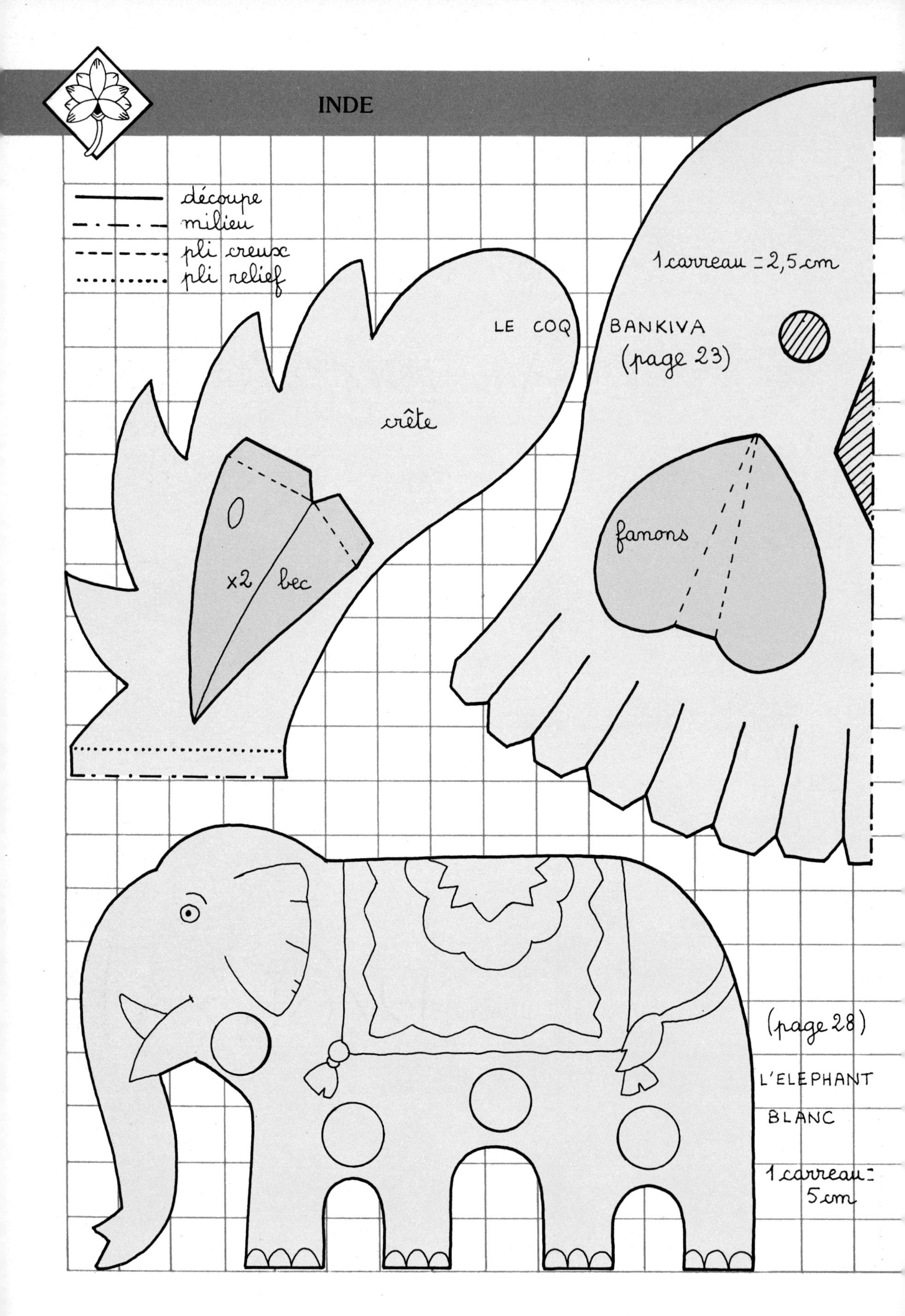
découpe
milieu
pli creux
pli relief
LE COQ BANKIVA
(page 23)
1 carreau = 2,5 cm
crête
O
x2
bec
fanons
(page 28)
L'ELEPHANT
BLANC
1 carreau = 5 cm

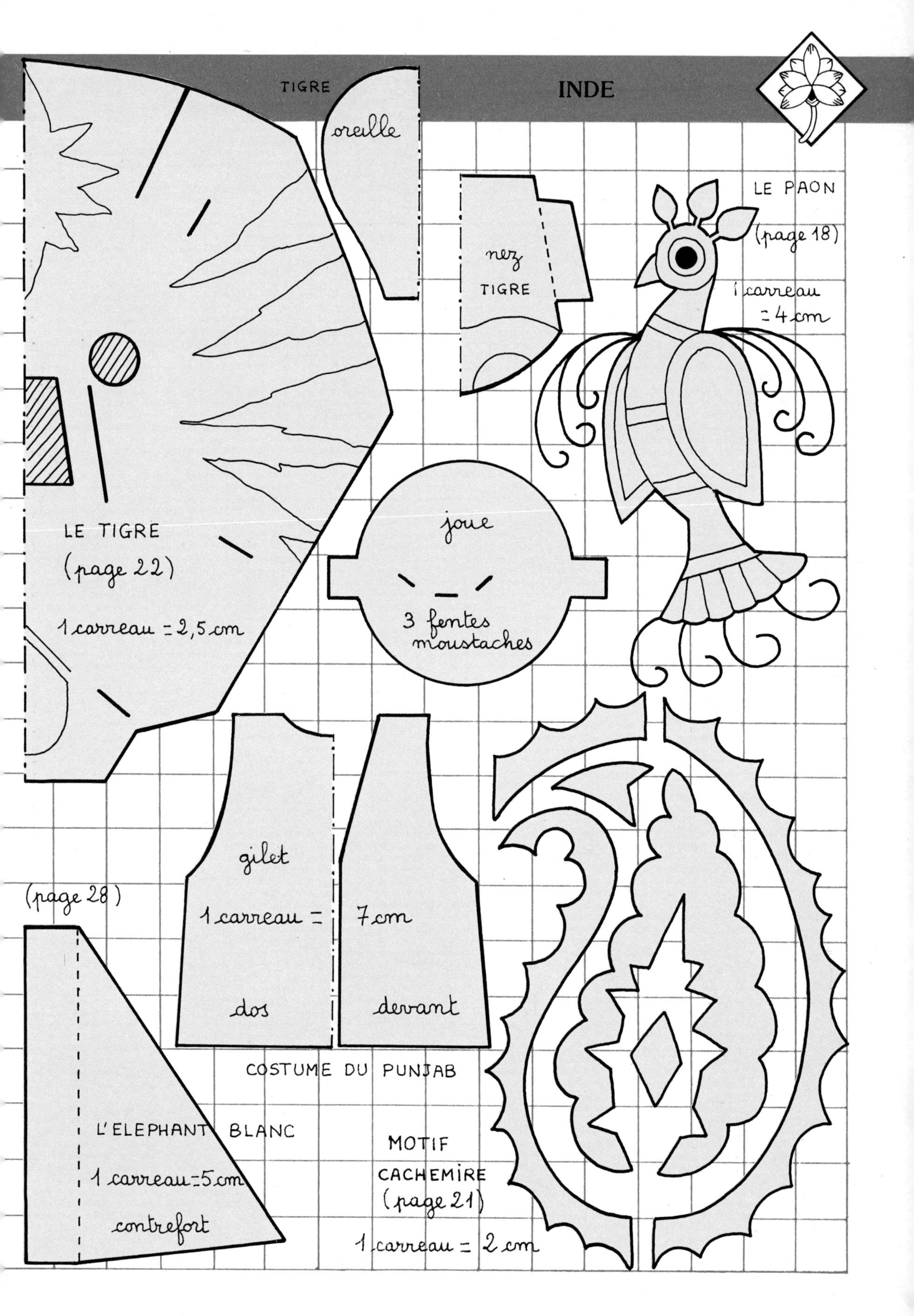
TIGRE
oreille
nez
TIGRE
LE PAON
(page 18)
1 carreau = 4 cm
LE TIGRE
(page 22)
1 carreau = 2,5 cm
joue
3 fentes moustaches
gilet
1 carreau = 7 cm
dos
devant
COSTUME DU PUNJAB
(page 28)
L'ELEPHANT BLANC
1 carreau = 5 cm
contrefort
MOTIF CACHEMIRE
(page 21)
1 carreau = 2 cm

Bibliographie

L'Inde. Collection Monde et voyages. Larousse.

L'Inde des ahurissantes réalités. Vitold de Golish. Robert Laffont, 1980.

Cuisine indienne. C.I.L. (Compagnie internationale du Livre), 1983.

255 recettes de cuisine indienne. Recueillies par Shanti. Jacques Grancher, éditeur, 1985.

Activités aux couleurs de l'Inde. Claude Soleillant. Série 105, Éditions Fleurus, 1976.

Contes de l'Inde. Recueillis par Vladimir Miltner, illustrés par Vladimir Tesař. Gründ, 1977.

L'art du Mithila. Yves Vequaud. Les Presses de la Connaissance, 1976.

Discographie

Inde du Sud - L'art de la Vina. Compact disc : PLAYA SOUND Auvidis

Calcutta Meditation. Sobroto R. Chowdhury, sitar. Disque : ENJ EJ4054 Harmonia Mundi. Cassette : ENJ EJK44054

Raga. PANDIT RAVI SHANKAR, sitar. Compact disc : OCO C558674 OCORA Harmonia Mundi. Cassette : OCO 4558674

JAPON

Le pays

L'archipel nippon se compose de quatre îles principales : Honshu, Hokkaïdo, Kyushu et Shikoku, ainsi que de plus de mille petites îles. La population est de 121 millions d'habitants, dont 16 millions vivent à Tokyo, sa capitale. Les montagnes et les volcans couvrent 70 % du territoire. Le Fuji Yama, véritable symbole du pays, est le point culminant du Japon : il se trouve sur l'île de Honshu.

Les deux religions principales sont le shintoïsme et le bouddhisme ; de merveilleux temples et sanctuaires en témoignent. Par son attachement à ses coutumes ancestrales, le Japon reste le pays des kimonos et des pagodes. Mais depuis la dernière guerre mondiale, les usines et les immeubles de bureaux illustrent la puissance d'un archipel modernisé. En fait, les Japonais jonglent avec les deux images et savent très bien conjuguer passé et présent : les kimonos revêtus le soir à la maison après le travail, l'immuable cérémonie du thé, l'art d'arranger les fleurs (*Ikebana*), les fêtes, les écoles de danse traditionnelle...

Dans les grandes villes, les élégantes maisons anciennes, avec leurs armatures en bois et leurs cloisons coulissantes en papier huilé, font agréablement la nique aux gratte-ciel.

Art ancestral, le théâtre *kabuki* demeure très présent ; datant du début du XVIIe siècle, ce théâtre n'a pas perdu son caractère étonnant : sur une immense scène aux décors exubérants, des acteurs masculins, auxquels sont aussi dévolus les rôles féminins, jouent, parés de riches costumes, des drames, des opéras ou des comédies.

Les fêtes traditionnelles

Elles sont nombreuses au Japon : une par jour, dit-on ! En voici quelques-unes.

Février - *Festival de la neige* : il a lieu au nord de l'archipel, à Sapporo, sur l'île d'Hokkaïdo, ville célèbre depuis les Jeux Olympiques d'hiver de 1972. Lors de ce festival, près de deux cents animaux sculptés dans la glace sont exposés sur un boulevard de la ville.

3 mars - *Fête des petites filles (Huia-Matsuri)* : les jeunes Japonaises exposent leurs poupées, les unes presque neuves, les autres plus anciennes, sur une sorte d'estrade en escalier.

Avril - *Fête des cerisiers en fleurs.*

5 mai - *Jour des enfants* : c'est surtout la fête des petits garçons. Les parents d'un ou plusieurs garçons élèvent sur le seuil de leur maison une longue perche de bambou au sommet de laquelle sont attachés un, deux ou trois étendards rouges en forme de carpe ou de daurade, face au vent. Mais pourquoi une carpe ? On dit que c'est le plus robuste des poissons d'eau douce, l'un de ceux qui vivent le plus longtemps.
Cette fête donne également lieu à une exposition de modèles réduits d'armes (épées, sabres...) et de « poupées-guerriers ».

15 mai - Procession impériale en costumes anciens à Kyoto.

14 juin - *Fête du riz* à Osaka : musique et chants traditionnels.

7 juillet - *Fête des étoiles (Tanabata)* : dans les jardins sont plantées des branches de bambou décorées de rubans de papier.

13-16 juillet - *Fête des Lanternes (Obon)* : c'est un rite bouddhique célébré dans tout le Japon. Des lanternes géantes, boules de papier aux longues franges multicolores, sont suspendues dans les rues pour accueillir le retour des esprits des morts.

7-8 octobre - *Festival d'Okunshi* : depuis 1633, a lieu à Nagasaki un défilé de costumes chinois et de chars décorés ; les vedettes en sont un dragon de trente mètres et une baleine géante crachant de l'eau.

22 octobre - *Festival des Âges révolus* à Kyoto : cette fête commémore la fondation de la ville par d'étonnants défilés.

Ambiance de cérémonie le repas traditionnel

Pour les Japonais, le repas, ce n'est pas simplement se mettre à table : à la tradition culinaire, ils associent volontiers l'art, la religion et l'histoire de leur peuple.
Le décor est d'une grande importance, mais doit aussi faire preuve de sobriété.
Choisir si possible une grande salle et en retirer les meubles. Disposer sur le sol quelques petites nattes de paille de riz, appelées *tatamis* (vendues dans les boutiques d'objets exotiques), ou des tapis de plage en rabane.
Placer au centre de la pièce une grande table basse, entourée de quelques coussins soyeux et plats. Recouvrir la table d'une nappe en coton blanc ou en papier sur laquelle seront imprimés des motifs au pochoir. Ne pas oublier les serviettes de table assorties à la nappe.
Suspendre quelques lampions ou lanternes de papier de couleur. Décorer les murs avec de grands arbres stylisés en « dentelle » de papier, évoquant les conifères du Japon.

Prévoir quelques grands plats en céramique blanche, des plateaux laqués en bois naturel ou en tôle émaillée, une théière en grès et quelques corbeilles tressées. Utiliser des cruches en verre ou en céramique pour servir les boissons froides.
Disposer, pour chaque convive, un bol, une coupelle, une assiette en porcelaine, une paire de baguettes (vous en trouverez dans les grands magasins ou les boutiques d'objets exotiques), mais aussi fourchette et cuiller pour rassurer les maladroits !
Placer dans la partie la mieux éclairée de la pièce un grand bouquet de fleurs naturelles, posé à même le sol, ainsi que quelques plantes vertes grimpantes.
Confectionner un arbre décoratif en papier fort et le poser sur la table.
Compléter la décoration de la salle par quelques pliages en papier (*Origami*), soit sous forme de mobiles, soit fixés au mur, soit simplement posés devant chaque couvert.
Chaque convive pourra revêtir un kimono en coton ; les femmes et les jeunes filles feront disparaître leur visage derrière un masque de geisha ou un grand éventail.

DÉCORATION DE LA TABLE

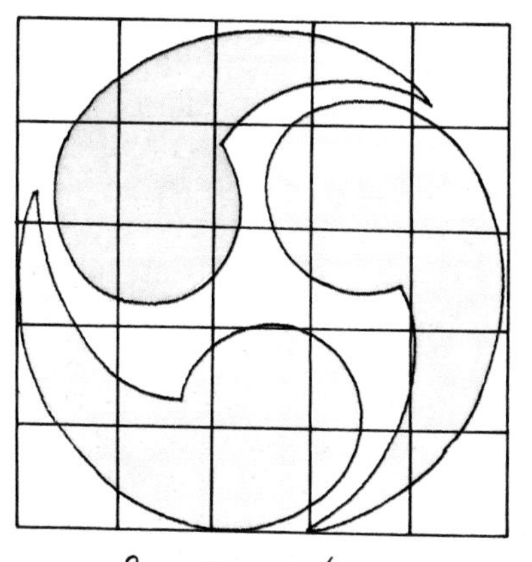
le tomoé

La nappe décorée au pochoir

Choisir une nappe en papier ou en tissu, blanche ou de couleur pastel.
Matériel : *Rhodoïd ou bristol, cutter (ou X-acto), paire de ciseaux, stylo bille gras pour graver le Rhodoïd, gouache indélébile pour une nappe en papier ou peinture adéquate pour une nappe en tissu, brosse à pochoir ou tampons d'éponge.*

Dessiner sur le *Rhodoïd* ou sur le bristol le motif que l'on souhaite imprimer. Tous les motifs ne se prêtant pas à la technique du pochoir, nous en proposons trois à peindre aussi bien sur papier que sur tissu.
Découper au cutter toutes les parties à teindre. Poser le pochoir sur le support à l'emplacement choisi pour le décor.
Préparer les teintes choisies dans de petits récipients séparés en vérifiant que la peinture est suffisamment épaisse. Il est conseillé de s'exercer au préalable sur une chute de papier ou de tissu.
Tamponner les parties trouées du pochoir avec la brosse ou un tampon d'éponge. Mettre peu de couleur à chaque fois pour éviter les bavures.
Pour la nappe en tissu, repasser sur l'envers au fer chaud pour fixer la couleur.

Autres motifs à dessiner à main levée (feutres pour tissu ou feutres ordinaires sur papier.

Les rosaces

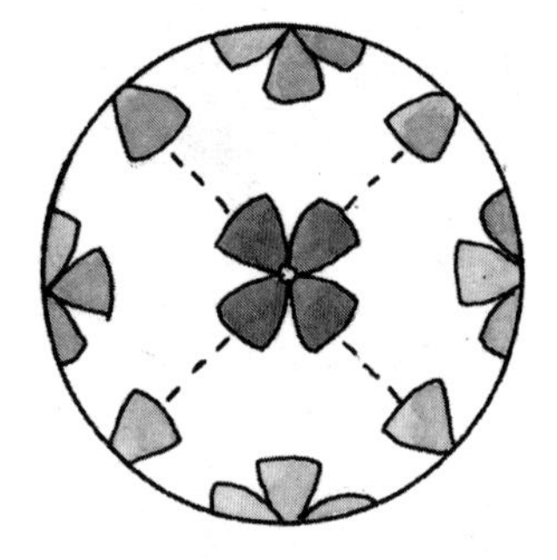

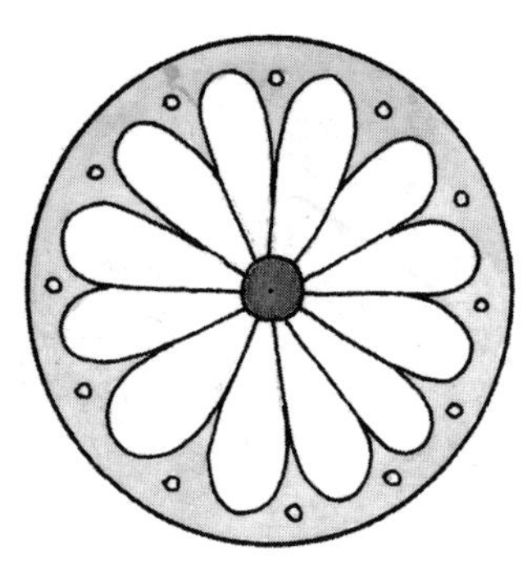

Les motifs géométriques

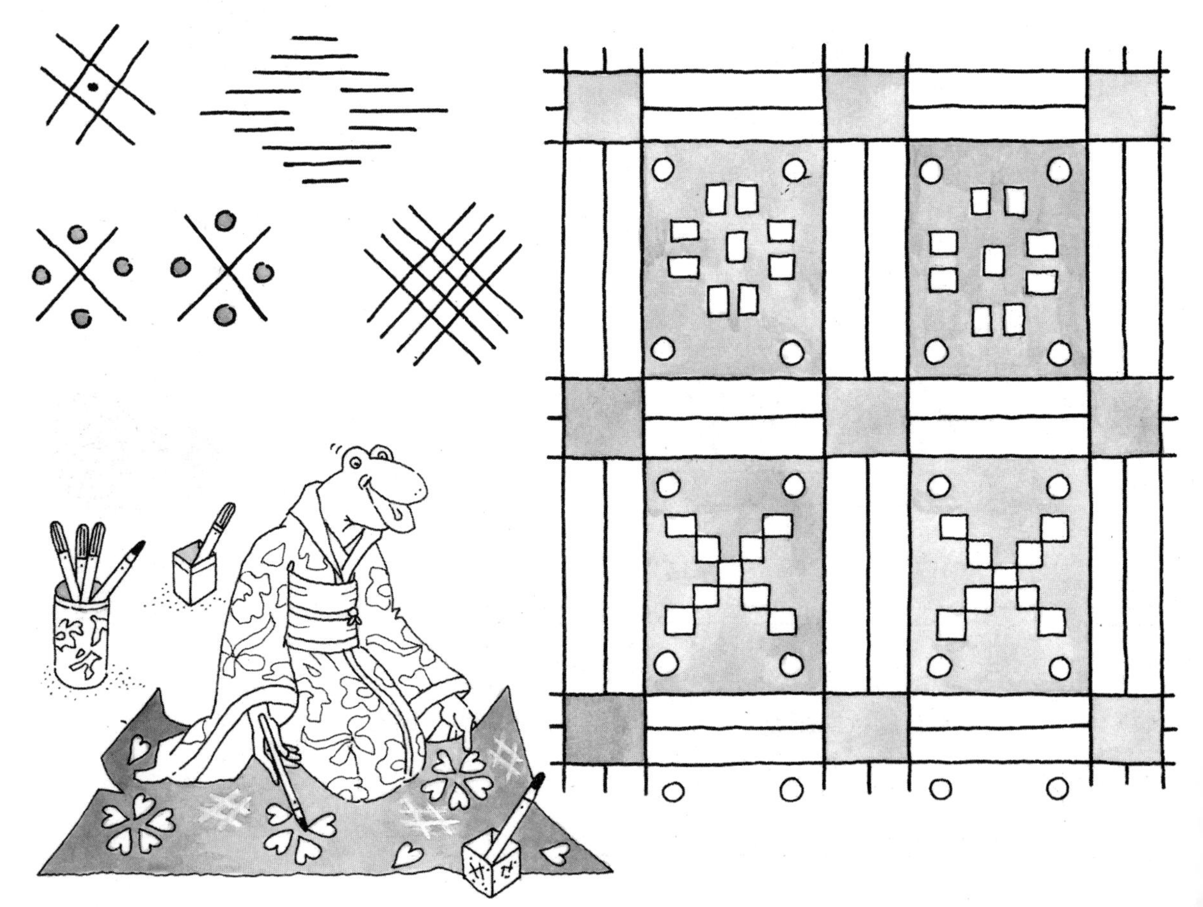

Les motifs floraux
fleurs de cerisier

L'arbre décoratif de table

Matériel : *carton souple ou bristol (35×22 cm), papier de couleur, papier fantaisie japonais pour Origami (ou à défaut papier d'emballage cadeau), pot en grès ou en céramique, gravier ou sable, colle, ciseaux, feutres.*

Dessiner puis découper le tronc et les branches sur le carton.
Peindre, ou recouvrir l'arbre avec du papier de couleur, au recto et au verso.
Découper le feuillage dans le papier Origami et le coller sur les branches.
Planter l'arbre dans le pot (8 à 10 cm de diamètre) rempli de gravier ou de sable.

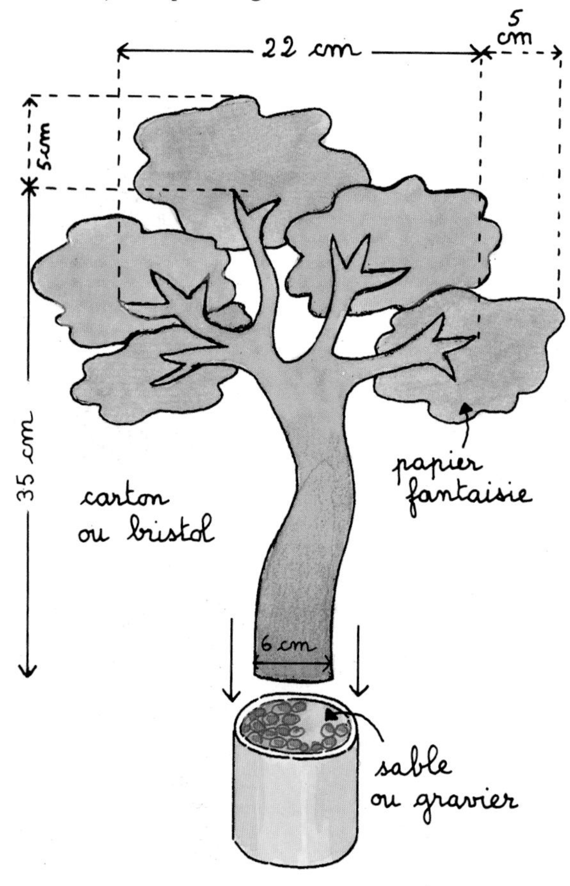

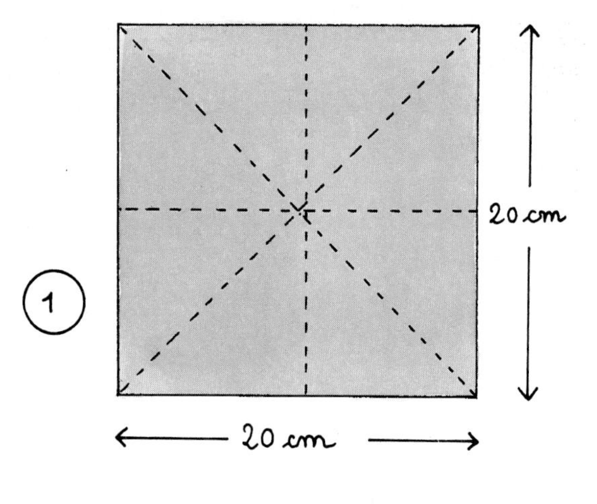

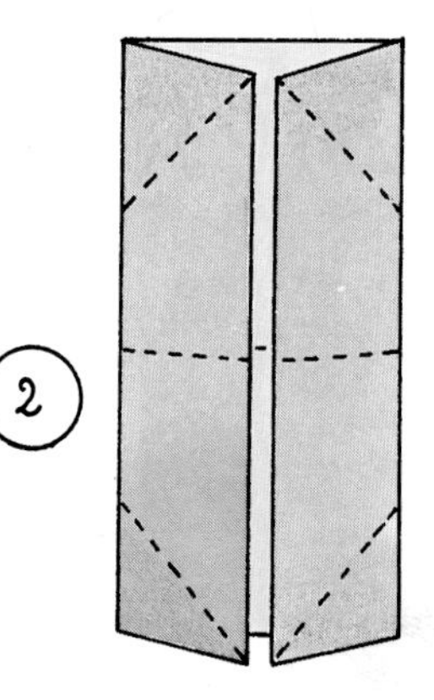

Origami : la fleur-rosace

Matériel : *papier Origami (en vente dans les papeteries spécialisées), à défaut papier affiche ou papier d'emballage cadeau. Le choisir léger, uni ou décoré, mais imprimé d'un seul côté.*

L'Origami est un art japonais très ancien du papier plié. Il reste très populaire, apprécié autant par les jeunes enfants que par les plus grands. Il permet de réaliser d'originales décorations de table, murales ou vestimentaires.

Sur un carré de 20 cm de côté, marquer les pliures des médianes et des diagonales. Suivre les croquis pour effectuer les pliages.

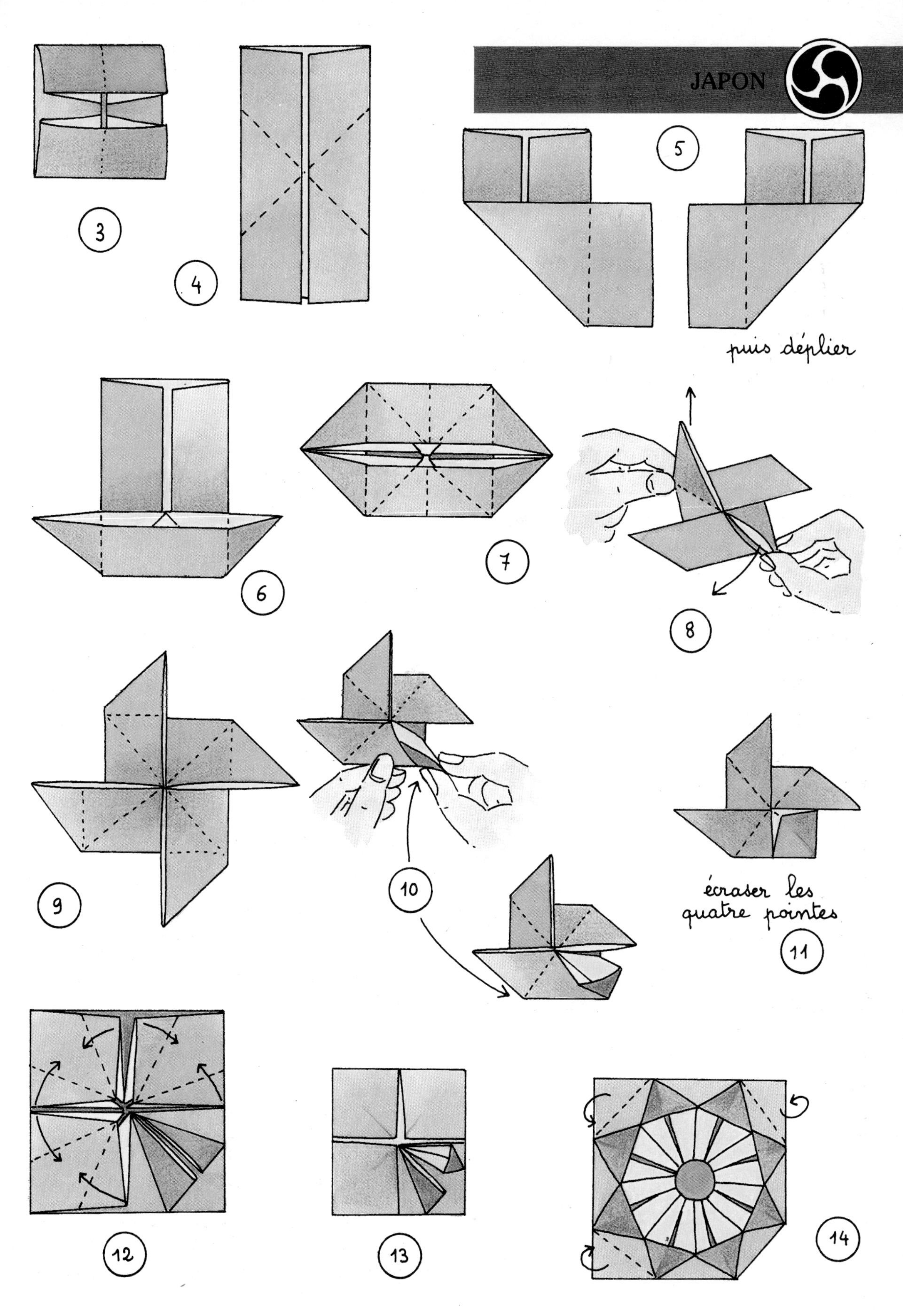
3
4
5
puis déplier
6
7
8
9
10
écraser les quatre pointes
11
12
13
14

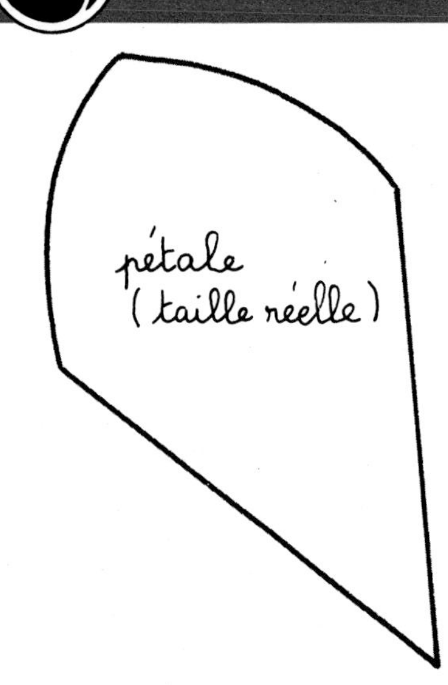

Une fois le cœur de la fleur réalisé, coller huit pétales en papier de couleur.
Plisser « en éventail » deux petites pièces de papier en guise de feuilles, puis les agrafer sous la fleur.

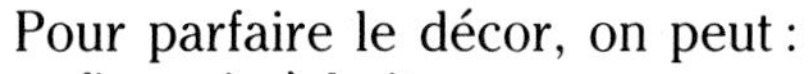

Pour parfaire le décor, on peut :
– fixer six à huit rosaces sur un grand arbre mural en papier ;
– réaliser six rosaces sans pétales ni feuilles et les coller ensemble par leurs quatre angles repliés vers l'intérieur. Elles formeront une très belle boule décorative ;
– disposer une rosace devant le couvert de chaque convive.

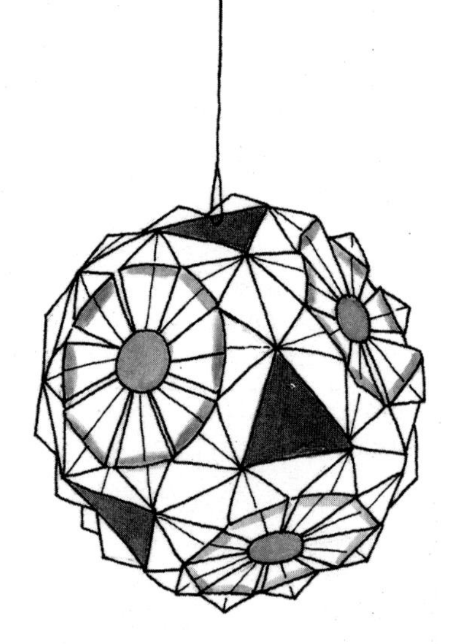

L'ART CULINAIRE JAPONAIS

La tradition culinaire fait partie intégrante de la culture japonaise. Deux règles sont essentielles : la fraîcheur et l'esthétique ; les Japonais aiment, par exemple, « sculpter » les légumes. La nourriture se présente sous forme de petites portions accommodées avec talent et simplicité. Le poisson joue un rôle primordial dans l'alimentation : pour preuve, le nombre prodigieux de recettes à base de produits de la mer.

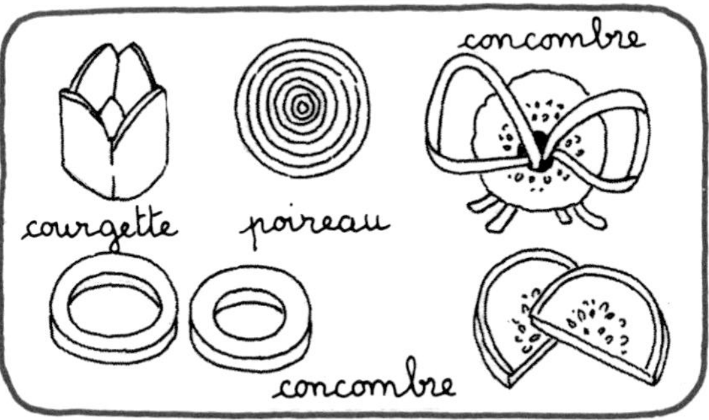

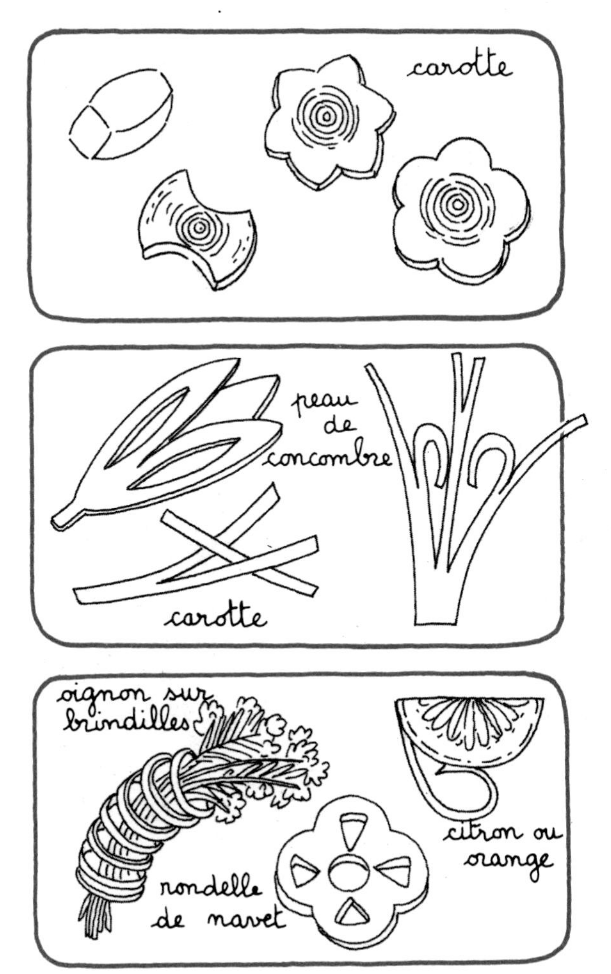

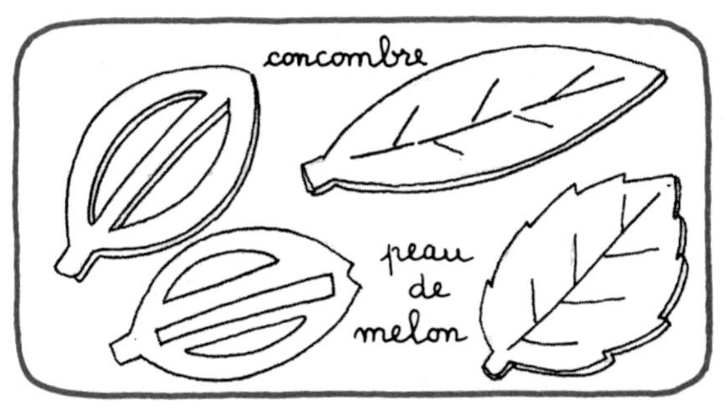

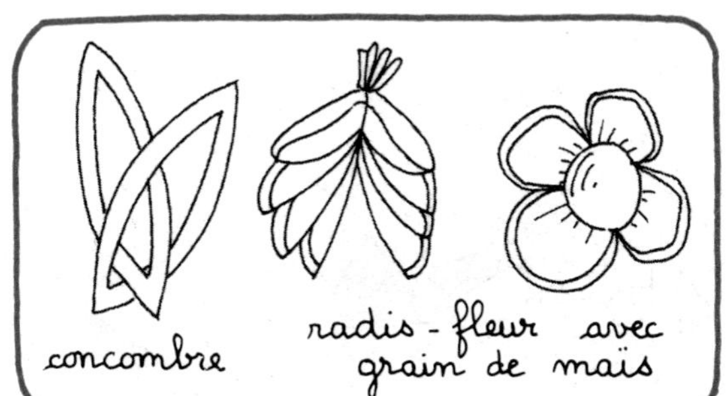

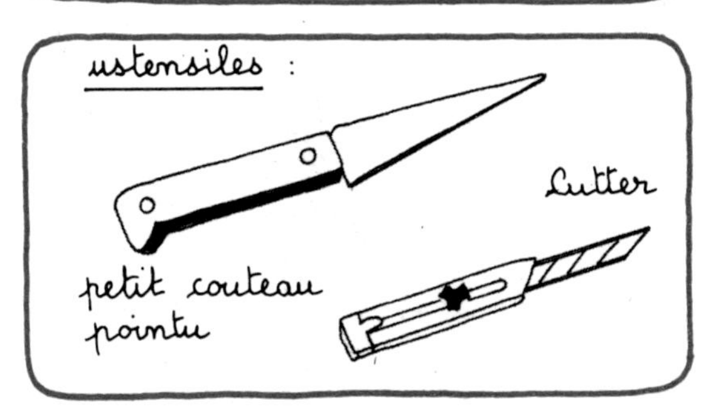

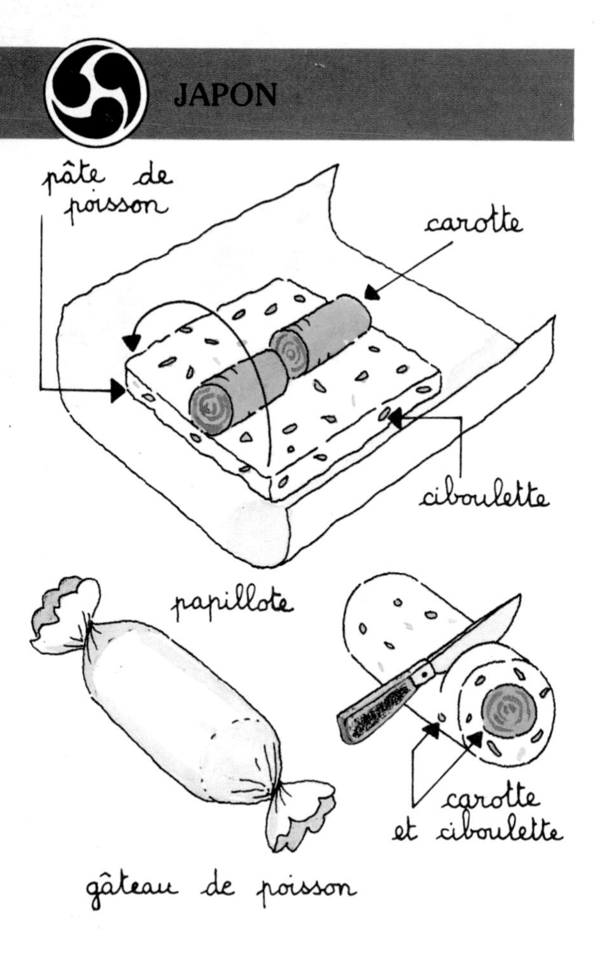

Une préparation crue : **le Sashimi**

Pour 6 personnes
Préparation : 10 minutes
Ingrédients : *1 kg de thon frais ou 1 kg de maquereaux, 300 g de radis roses ou un gros radis noir, 15 cl de sauce soja, 1 cuiller à café de Wasabi*, moutarde de raifort, basilic.*

Nettoyer le poisson cru ; enlever la peau et les arêtes. Émincer la chair en fines lamelles. Couper très fin les radis roses ou râper le radis noir. Les disposer sur un plat et poser les tranches de poisson par-dessus.
Mélanger dans un bol la sauce soja et le Wasabi et un peu de moutarde de raifort, puis saupoudrer de basilic.
Servir. Chaque convive prend un morceau de poisson cru avec les baguettes et le trempe dans la sauce.

Un plat mariné :
le gâteau de poisson

Pour 6 personnes
Préparation : 20 minutes
Marinade : 10 minutes
Cuisson : 30 minutes environ à la vapeur
Ingrédients : *1 kg de filet de daurade, de lieu ou de cabillaud, 2 belles carottes, ciboulette, 2 cuillers à soupe de fécule de pomme de terre ou de maïzena, 2 cuillers à soupe de Mirin*, sel, poivre, papier sulfurisé (ou papier aluminium).*

Couper les carottes en deux et les faire cuire dans l'eau bouillante une trentaine de minutes. Les retirer.
Hacher menu les filets de poisson et les faire mariner dix minutes dans un saladier avec le Mirin et la fécule. Bien mélanger, saler et poivrer.
Poser sur le plan de travail deux carrés de papier sulfurisé de 20 cm de côté. Séparer la préparation en deux parties égales et les placer respectivement au centre de chaque carré. Former ainsi deux carrés de poisson de 12 cm de côté et de 3 cm ou 4 cm d'épaisseur.
Poser une moitié de carotte et la ciboulette au centre de chaque carré de pâte de poisson. Rouler le papier pour former deux grosses papillotes identiques. Tordre les extrémités.
Placer les papillotes au-dessus d'un bain de vapeur et faire cuire 30 minutes environ.
Défaire ensuite les papillotes et couper le gâteau en tranches de 4 cm d'épaisseur.
Disposer les tranches sur un plat long orné de feuilles de basilic, de radis-fleurs et de cresson. Accompagner de sauce soja et d'un bol de riz.

* Le *Wasabi*, « rose trémière des montagnes », est en vente dans les épiceries de produits exotiques sous forme de poudre ou de pâte en tube.
* Le *Mirin* est un vin de riz sucré. En vente également dans les magasins de produits exotiques.

Un plat de viande: **Le Sukiyaki**

Pour 6 personnes
Préparation: 40 minutes
Cuisson: 20 à 30 minutes
Ingrédients: *900 g de filet de bœuf, 6 feuilles de chou vert ou blanc, ciboulette, 4 échalotes, 200 g de champignons de Paris, 100 g de beurre, 2 carottes, 1 poireau, 3 œufs, 2 ou 3 gros radis, sel et poivre.*
Pour la sauce: *25 cl de sauce soja, 1 cuiller à soupe de saké ou de vin blanc sec, 100 g de sucre en poudre, 1 pincée de sel.*

Connu dans le monde entier, ce plat peut être cuit à table à petit feu devant les invités. Il peut également être préparé la veille de la fête et réchauffé au dernier moment. Il n'en sera que meilleur.
Laver les champignons à l'eau légèrement vinaigrée et les couper en lamelles.
Nettoyer tous les légumes, à l'exception des échalotes, les éplucher et les couper en fines lamelles, en rondelles ou en lanières.
Couper le filet de bœuf en petites tranches très fines.
Dans une grande sauteuse, faire revenir les rondelles d'échalote dans le beurre, puis y ajouter la viande et les légumes.
Mélanger la sauce soja, le saké, le sucre et le sel dans une casserole.
Faire cuire 30 minutes à feu doux.
Arroser le mélange de la sauteuse de deux ou trois cuillers à soupe de la sauce obtenue, et présenter le reste de la sauce dans des coupelles.
Verser le contenu de la sauteuse dans un plat. Parsemer de fins morceaux de ciboulette. Servir très chaud sur un chauffe-plat.
À l'aide des baguettes, chaque convive plonge les morceaux de viande dans la sauce chaude. On pourra éventuellement disposer à côté de chaque convive un petit bol contenant un œuf battu, dans lequel la viande sera trempée aussi.

Calamar frit: Ika

Pour 6 personnes
Préparation: 25 minutes
Repos de la pâte: 30 minutes
Cuisson: 2 à 3 minutes
Ingrédients: *3 calamars (demander au poissonnier de les nettoyer et de les préparer), 3 cuillers à soupe de graines de sésame, ciboulette, citron ou orange, huile pour friture.*
Pour la pâte: *4 jaunes d'œufs, 1 litre de lait ou d'eau, 500 g de farine, 2 cuillers à soupe d'huile, sel et poivre.*

Couper les calamars en anneaux.
Dans un saladier, mélanger la farine, les œufs, le lait ou l'eau et l'huile. Saler et poivrer. La pâte doit être onctueuse et épaisse. Laisser reposer une trentaine de minutes.
Hacher ensuite la ciboulette et l'incorporer à la pâte; ajouter les graines de sésame et les anneaux de calamar. Bien mélanger.
Faire chauffer l'huile de friture à 160°. Sortir de la pâte cinq ou six anneaux et les plonger dans la friture. Dès qu'ils sont dorés, les déposer sur du papier absorbant. Recommencer avec le reste de calamar.
Piquer la friture sur des petites brochettes et les déposer sur un plat avec des rondelles de citron ou d'orange acide.
On peut présenter une coupelle de sauce soja ou des carottes, radis et oranges coupés en fines lamelles ou en étoiles.

Les avocats farcis

Pour 8 personnes
Préparation : 30 minutes
Ingrédients : *4 beaux avocats, 500 g de crevettes roses ou grises, 1 grand bol de mayonnaise épaisse, salée et poivrée, 2 cuillers à soupe de sauce tomate épicée (type « Ketchup »), 1 cuiller à café de saké, 1 carotte, 2 ou 3 radis.*

Pour être mûr, un avocat ne doit pas être dur. La chair doit être tendre et facile à creuser à la cuiller.
Couper les avocats en deux et les dénoyauter. Décortiquer les crevettes et les poser au centre des avocats.
Mélanger la sauce tomate, la mayonnaise et le saké, et verser sur les avocats.
Décorer de petites étoiles de carotte, de radis-fleur ou de dés de concombre. Placer le tout sur un plateau ou un plat.

Une sauce japonaise facile à préparer :

Sauce Yakitori

Pour 25 cl de sauce
Préparation : 5 minutes
Cuisson : 5 minutes
Ingrédients : *5 cuillers à soupe de saké, 10 cl de sauce soja noire, 3 cuillers à soupe de Mirin (voir p. 44), 1 ou 2 cuillers à soupe de sucre en poudre.*

Verser tous les ingrédients dans une casserole. Faire bouillir très lentement, puis retirer du feu. C'est prêt. Accompagne le poulet, les viandes fades...

Sauce à la moutarde

Pour 6 personnes
Préparation : 5 minutes
Ingrédients : *4 cuillers à café de moutarde, 6 cuillers à café d'huile, jus de citron, 100 g de crème fraîche fouettée, sel et poivre.*

Verser la crème battue dans un grand bol, ajouter la moutarde, l'huile, le jus de citron. Saler et poivrer. Mélanger doucement. Accompagne viandes rouges, légumes...

Sauce soja

Pour 50 cl de sauce
Pour 10 personnes
Cuisson : 10 minutes
Ingrédients : *1/2 litre d'eau, 2 tablettes de bouillon, 4 cuillers à café de sauce soja noire.*

Faire chauffer l'eau dans laquelle on fera fondre les tablettes de bouillon et la sauce soja noire. Accompagne riz, nouilles, viandes blanches, légumes...

Un dessert givré : **la glace Uji**

Pour 8 à 10 personnes
Préparation : 5 minutes
Cuisson : 10 minutes
24 heures au réfrigérateur
Ingrédients : *400 g de sucre en poudre, 2 cuillers à café de thé vert en poudre*, 2 boîtes de 1 litre de crème glacée à la vanille.*

Uji est une petite ville au sud de Kyoto, réputée pour son thé. Cette recette se prépare la veille de la fête.
Faire fondre à feu doux le sucre dans 25 cl d'eau. Laisser frémir. L'eau doit s'évaporer d'un quart environ. Attention : ce n'est pas du caramel. Retirer du feu et laisser refroidir.
Mélanger la poudre de thé vert au sirop froid et placer au réfrigérateur.
Au moment de servir : remplir 8 à 10 bols de glace à la vanille et les napper du sirop.

La salade de fruits frais

Pour 6 personnes
Préparation : 20 minutes
Ingrédients : *3 pommes douces, 2 bananes, 2 pamplemousses, 1 citron bien juteux, 2 oranges, 1 boîte de litchis, 2 kiwis, 1 boîte de cerises au sirop ou à l'eau-de-vie, 5 à 6 cuillers à soupe de sucre en poudre, 1 pot de crème fraîche épaisse, 0,5 litre de vin rosé.*

Éplucher tous les fruits, sauf le citron et les oranges. Les découper en fines tranches, en morceaux ou en lamelles, les verser dans un grand saladier. Bien mélanger.
Dans un grand bol, faire fondre le sucre dans le vin, à froid. Verser le mélange sur les fruits. Remuer sans écraser les fruits.
Décorer de petits tas de crème fraîche, surmontés d'une cerise.

Les boissons

Chacun appréciera les rafraîchissements tels que les jus de fruits (orange, pamplemousse et citron), ainsi que le thé (arôme au choix, selon les goûts de chacun).
Voici, en outre, l'occasion rêvée de goûter au vin de riz, appelé « saké », qu'il faut boire tiède. Attention : le saké* est une boisson très alcoolisée interdite aux enfants.

* En vente dans les épiceries de produits exotiques.

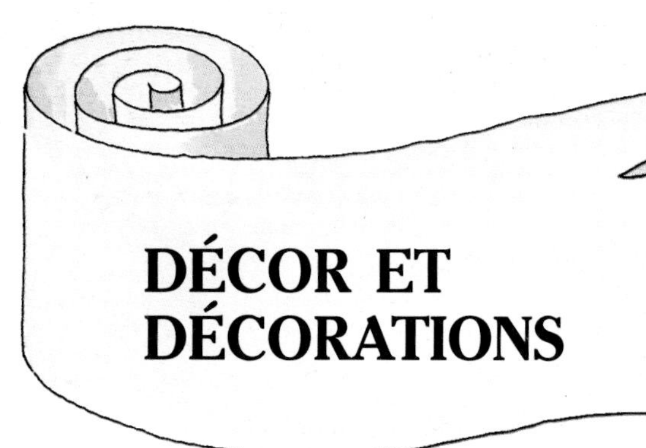

DÉCOR ET DÉCORATIONS

L'arbre mural en dentelle de papier : le kakemono

Matériel : *2 grandes feuilles de papier à dessin de couleur pastel ou blanc, papier calque, colle, cutter, 2 baguettes de bois et une cordelette.*

Agrandir l'arbre selon le principe de la mise aux carreaux, puis le décalquer.
À l'aide du cutter, évider les parties grisées, puis découper la silhouette de l'arbre et la coller sur une grande feuille de papier.

Agrémenter le panneau de quelques motifs de papier collé ; une colline, une vallée, un coucher de soleil, par exemple.
Ajouter une baguette de bois en haut et en bas et suspendre le « kakemono ».

Le poisson volant : Koinobori

Matériel : *2 feuilles de papier de soie rouge ou rose vif, bande de bristol de 40×3 cm, feutres-pinceaux, 2 ronds de papier blanc pour les yeux, fil de lin, colle.*

Chaque année, le 5 mai, jour de la *fête des petits garçons*, ce poisson en forme de daurade ou de carpe se balance au sommet d'une longue perche de bambou.

Découper dans le papier de soie deux silhouettes selon les dimensions données. Les décorer aux feutres et leur coller les yeux.

Déposer un filet de colle de A à B, puis coller les nageoires.

Agrafer la bande de bristol autour de la gueule de la daurade de papier.

Suspendre le poisson par un fil solide.

En pénétrant à l'intérieur, l'air gonfle le poisson qui tournoie alors comme une girouette.

On fera la carpe de la même façon. Elle a une forme en fuseau beaucoup plus longue et étroite.

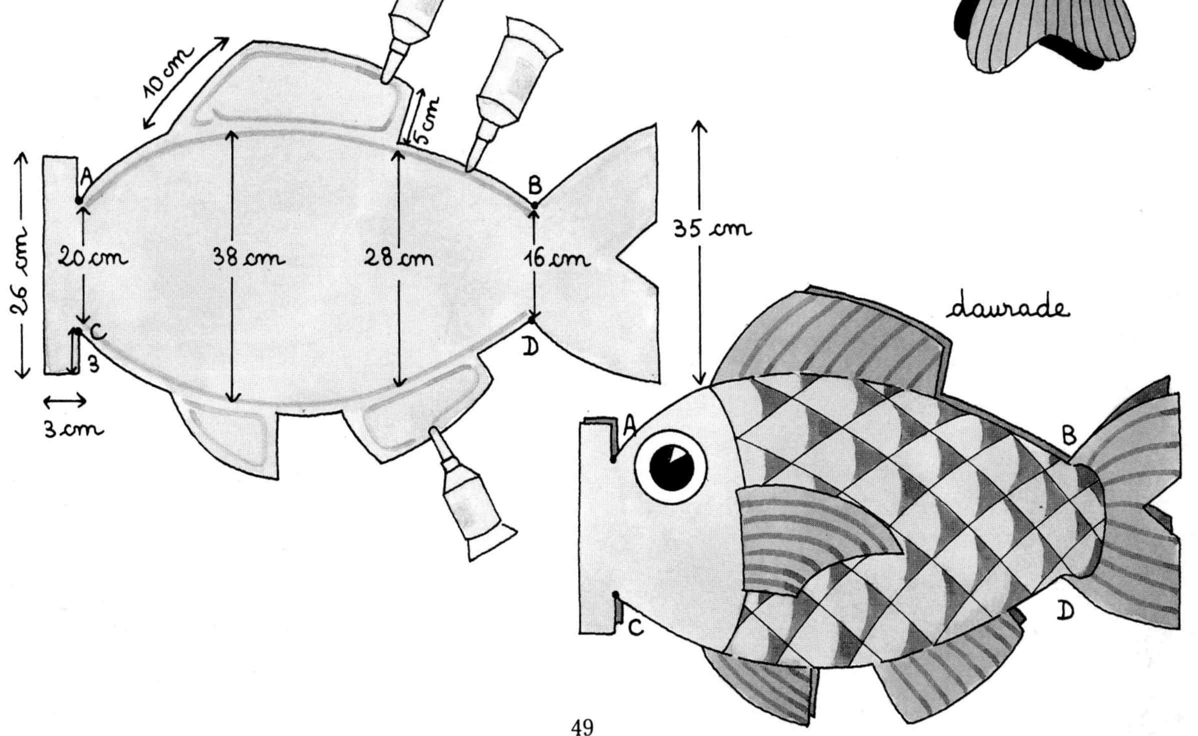

La lanterne cylindrique

Matériel : *rectangle de papier fort (couleur au choix) de 45×30 cm, papier de soie de couleur vive, colle, cutter.*

Chaque année, la *fête des Lanternes*, du 13 au 16 juillet, ramène son cortège de lampions et de lanternes géantes qui illuminent les rues. Bien qu'il soit possible d'en confectionner certaines autour d'une ampoule électrique, les lanternes que nous vous proposons sont prévues simplement pour le décor.

Peindre ou coller deux bandes de couleur de 45×4 cm en haut puis en bas du rectangle de papier fort.

Dessiner quelques motifs japonais ou géométriques, les découper au cutter. Coller le papier de soie derrière les motifs.

Former un cylindre en courbant le rectangle décoré. Coller les rebords.

On pourra également coller au bas de la lanterne de longues franges de papier crépon. Les égaliser ensuite aux ciseaux.

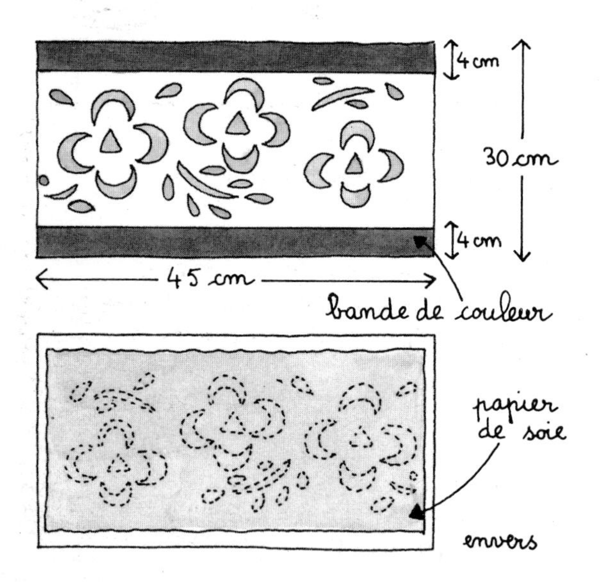

La lanterne baudruche

Matériel : *ballon de baudruche rond de couleur vive, ruban adhésif double face, boîte ronde en carton (type boîte à fromage), feutres, gouache indélébile.*

Gonfler le ballon. Lier avec un long fil solide. Dessiner dessus des motifs au feutre.
Peindre la boîte (couvercle et fond) à la gouache. Percer le centre du couvercle de la boîte et y passer le fil du ballon.
Coller des petits morceaux de ruban adhésif double face sur les rebords intérieurs du couvercle et du fond de la boîte.
Fixer les deux parties de la boîte (l'intérieur vers le ballon) à chaque pôle du ballon.

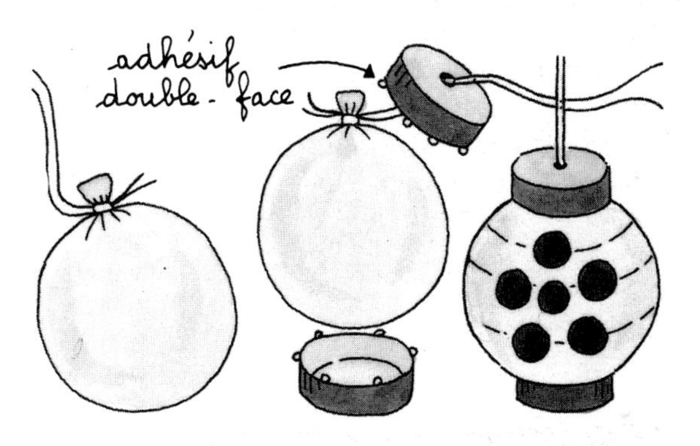

La lanterne-couronne

Matériel : *papier en soie blanc et de couleur, papier crépon, bande de carton léger de 60×4 cm, boîte ronde en carton, fil de lin, colle forte.*

Former une grosse boule de papier de soie blanc froissé. Maintenir la forme avec du ruban adhésif. La recouvrir entièrement de boulettes de papier de soie multicolores.

Décorer la boîte ronde. La trouer au centre et y passer le fil de lin. Attacher l'extrémité du fil à la boule de papier froissé.
Courber la bande de carton léger et coller les rebords.
Percer quatre trous à distance égale dans la couronne obtenue et y passer du fil de lin comme indiqué sur le croquis. Décorer de boulettes de papier multicolores.
Attacher l'extrémité du fil de lin, sur lequel se balancent la boule et la boîte, à l'intersection des deux fils de la couronne.
Ajouter de longues franges de papier crépon.

Les lanternes planes

Matériel : *bristol, gouache, fil de fer, lin.*

Les très jeunes enfants pourront réaliser ces lanternes planes sans difficulté. Il suffit de découper dans le bristol une des trois formes proposées ou d'en inventer de nouvelles. Poser enfin une attache au sommet de chaque lanterne.

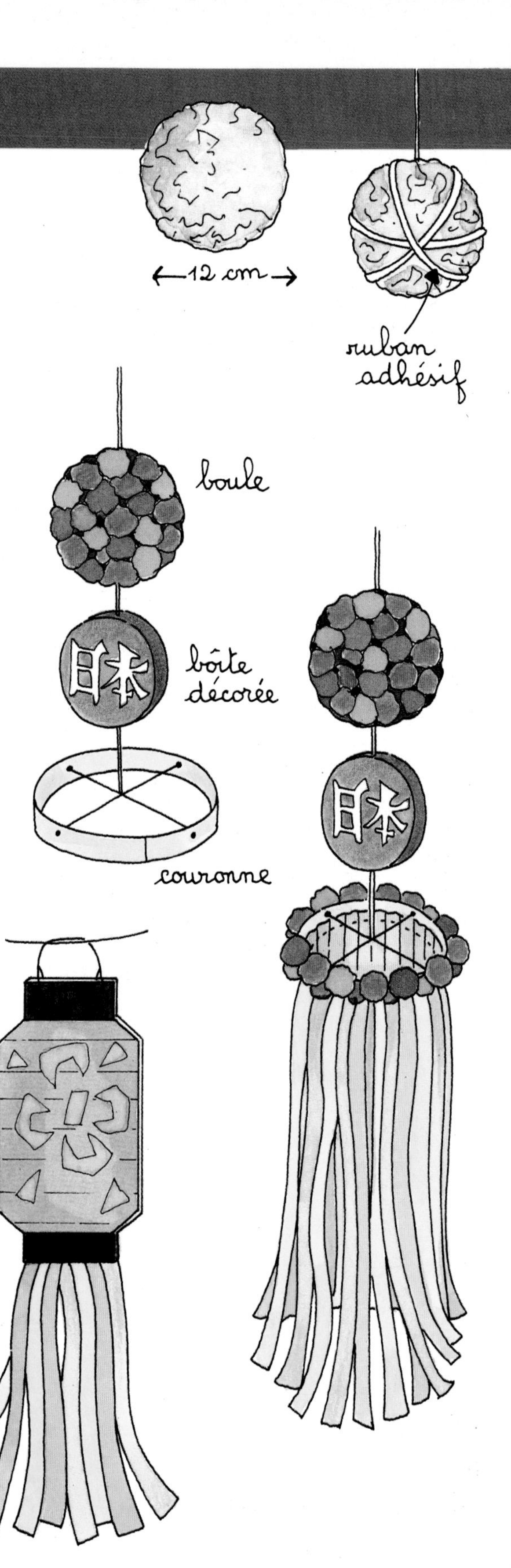

UN AUTRE VISAGE LES MASQUES

Le dragon-lion

Matériel : *papier de couleur épais (rouge, orange et jaune), bande de carton de 65×5 cm, fil élastique ou 2 rubans, feutres ou feutres-pinceaux.*

Le dragon-lion, figure légendaire venue de Chine, peuple les contes japonais et se rencontre souvent dans les spectacles de marionnettes.
Les 6 pièces du patron sont page 63. Reproduire les mâchoires sur le papier. Couper toutes les fentes. Former le museau.
Former un grand anneau avec la bande de carton et y agrafer la mâchoire inférieure. Fixer la mâchoire supérieure.
Reproduire le mufle « cornu » et le coller sur le masque. Ajouter les yeux et les oreilles. Coller des écailles de papier sur les mâchoires puis ajouter la crinière.

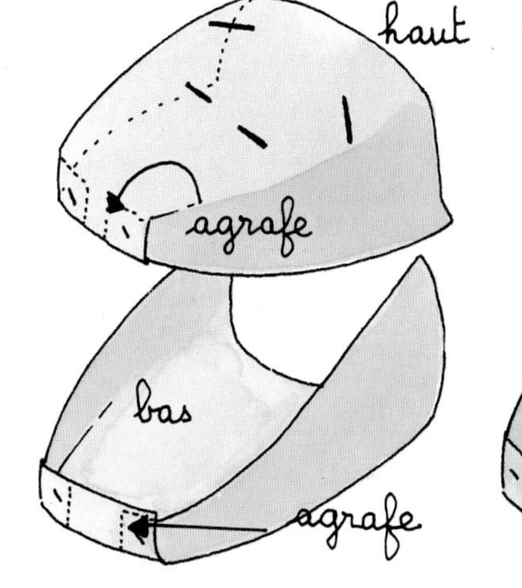

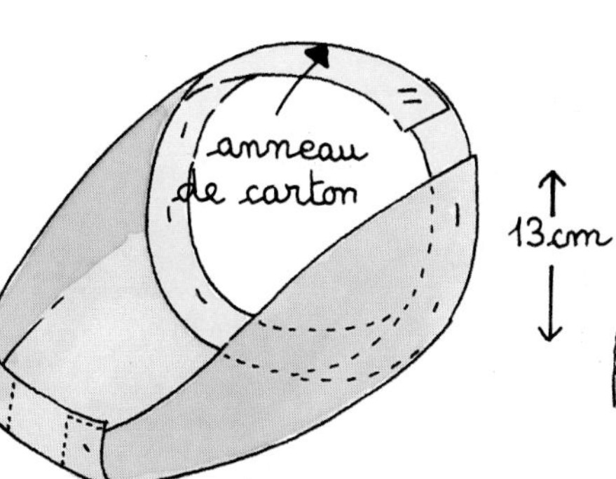

Le masque de jeune fille

Matériel : *papier blanc assez fort (300 g environ), papier à dessin noir, gros feutre noir ou feutre-pinceau, ruban adhésif, cutter. Patron p. 62.*

Il s'inspire du maquillage et de la coiffure des geishas : visage très blanc, lèvres vermillon et surtout large chignon, noir comme du jais, piqué d'épingles et de fleurs.
Reproduire le visage sur le papier blanc. Découper, comme indiqué sur le croquis, les fentes AB, CD, EF, puis le nez. Évider les yeux au cutter. Colorier au feutre noir la partie supérieure du masque. Placer X sur E et Y sur C. Agrafer.

La chevelure : découper la forme I en deux exemplaires. Les disposer sur le masque, puis agrafer. Introduire les parties étroites dans les fentes EF et CD. Maintenir en place sur l'envers avec du ruban adhésif.
Découper le chignon (forme II) dans le papier noir. Découper la fente GH, puis les deux fentes obliques.
Placer le chignon sur le haut du masque. Faire coïncider les points E et C du masque et du chignon. Rabattre l'autre extrémité du chignon sur le devant et l'introduire dans la fente AB. Décorer le chignon de fleurs artificielles et d'épingles de papier de couleur.
Attacher un élastique à la dimension de la tête de la « future » geisha.

Variante : il sera amusant de réaliser un demi-masque s'arrêtant au niveau du nez. Dans ce cas, utiliser du bristol couleur chair.

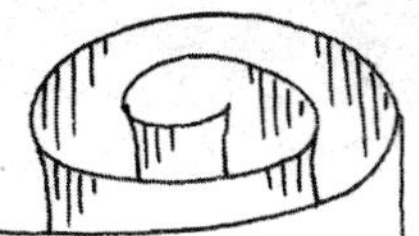

LE KIMONO, COSTUME TRADITIONNEL

Le kimono féminin a des manches assez longues, des couleurs attrayantes. Il est souvent coupé dans un tissu très fleuri. La femme japonaise porte trois kimonos superposés : le premier, très fin, à même le corps ; le second, très décoré, servant de robe ; le troisième, plus court, comme manteau.
Le vêtement est maintenu à la taille par une large ceinture (« obi ») en coton ou en soie. Par-dessus, on noue un lien de 2 à 3 cm de largeur.
Au dos, on fixe un grand nœud.
Le kimono masculin, en soie épaisse ou en coton, est de couleur sombre : noir, gris ou bleu foncé. De grands motifs en ornent le dos ou les épaules : grandes rosaces, tomoé*. Nous vous proposons de le décorer de motifs stylisés ou géométriques suivant la technique du pochoir (voir pp. 37 à 39).
La ceinture doit être étroite et ne comporte pas de nœud dorsal.
Les manches sont relativement larges, mais plus courtes que celles du kimono féminin.

Tomoé : symbole graphique, souvent noir ou rouge, très utilisé au Japon. Ce sont trois virgules très arrondies inscrites dans un cercle. On trouve le tomoé imprimé sur toutes sortes de vêtements et d'objets (kimonos, éventails, lanternes, paravents...).

Le kimono

Matériel : *Le vêtement étant coupé d'une seule pièce, il faut : 3 m en grande largeur pour la « robe » ; 2 m en petite largeur pour la ceinture « obi » et le grand nœud, Vlieseline ou molleton pour la tenue du nœud, 2 m de ruban de couleur.*

Encore aujourd'hui, et bien qu'ils soient vêtus à l'occidentale dans la journée, les Japonais portent le kimono dans l'intimité familiale, mais aussi lors des fêtes traditionnelles.

Le vrai kimono n'a pas de coutures sur les épaules. Il est d'une seule pièce avec deux pans rajoutés sur le devant.

Le patron proposé est unisexe : c'est celui d'un kimono pour adulte. Pour la taille enfant, réduire les dimensions et la grandeur des manches, le montage restant le même.

Patron dos et devant page 62.

Couper le dos A, les devants B et C **en une seule pièce**. Puis découper D et E deux fois selon les cotes ci-dessous, en ajoutant 1 cm pour les coutures et les ourlets.
Prévoir une bande de tissu de 160×16 cm. La plier en deux parties égales. Marquer le pli au fer et rentrer les bords sur 1 cm.
Épingler et coudre les pans D le long de B et de C. Ourler les bords de D.
Plier les manches E en deux. Les épingler et les coudre sur le kimono en laissant une ouverture de 13 cm sous les bras. Ourler ces petites ouvertures.
Coudre les grands côtés.
Coudre les ourlets du bas et des manches.
Poser la bande à cheval en partant du milieu du dos. La bâtir et la coudre. Cette bande peut descendre tout le long du vêtement. Le kimono-robe terminé est maintenu par un lien étroit autour de la taille.

La ceinture « obi »
Découper un rectangle de tissu de 40×80 cm environ. Le plier en deux et coudre deux longs rubans à chaque extrémité.
Poser la ceinture sous la poitrine. Nouer les rubans croisés sur le devant.
Fixer au dos, à l'aide d'épingles, un grand nœud dans le même tissu et doublé de Vlieseline ou de molleton.

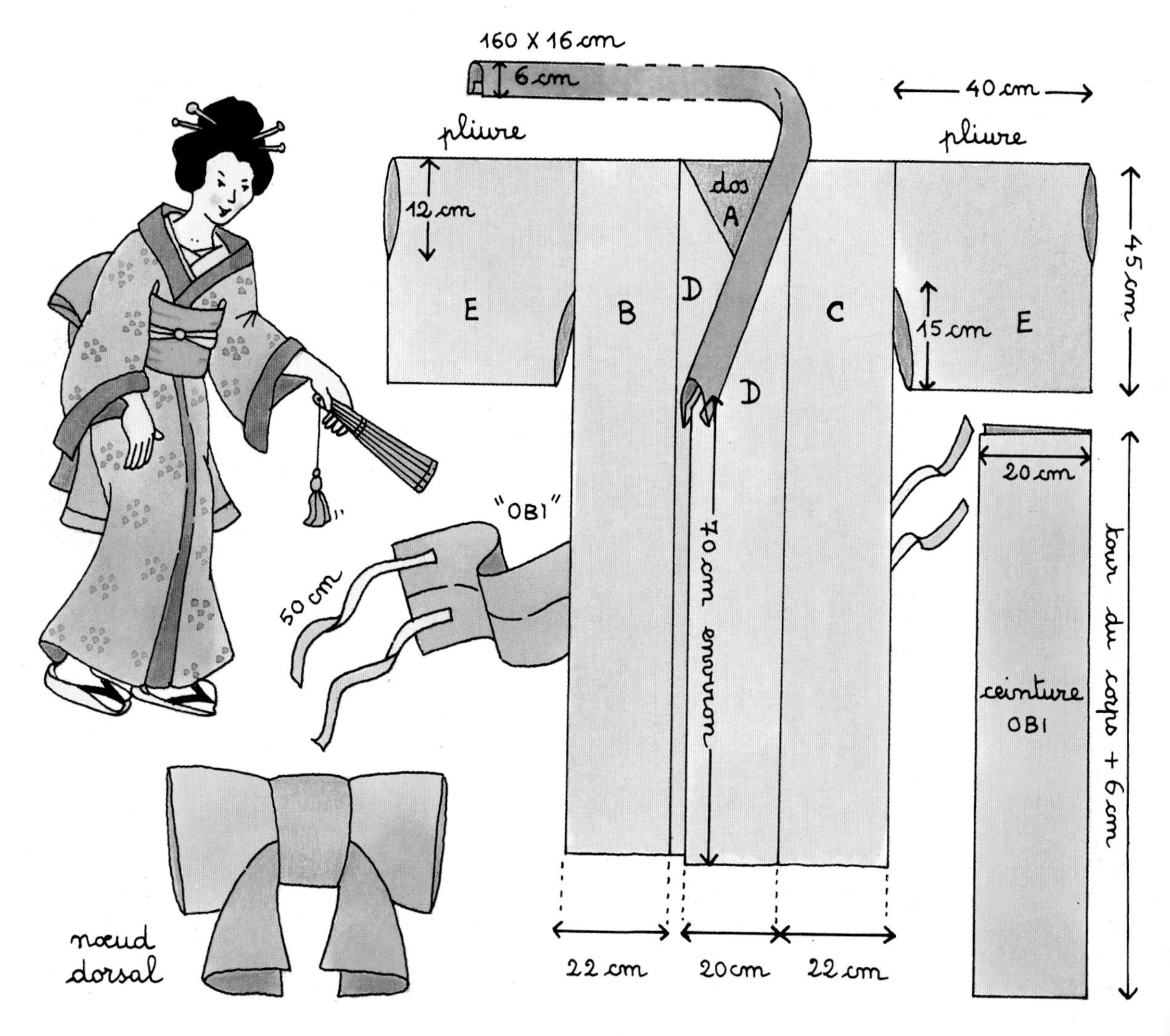

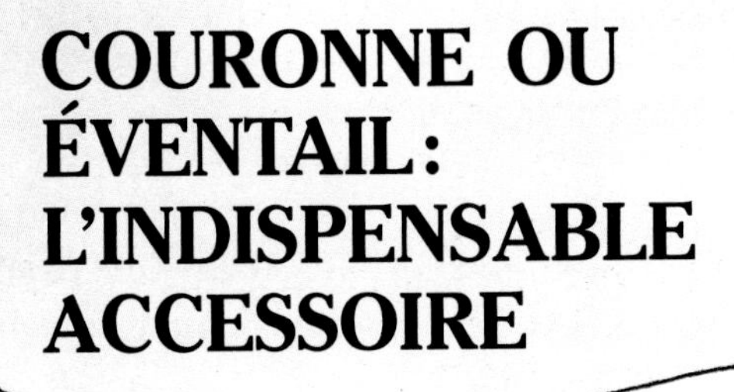

COURONNE OU ÉVENTAIL : L'INDISPENSABLE ACCESSOIRE

La couronne de fleurs de cerisier et de lotus

Matériel : *papier blanc et de couleur assez-fort, colle et toutes sortes de matériaux : tissu, plumes, fleurs, feuilles...*

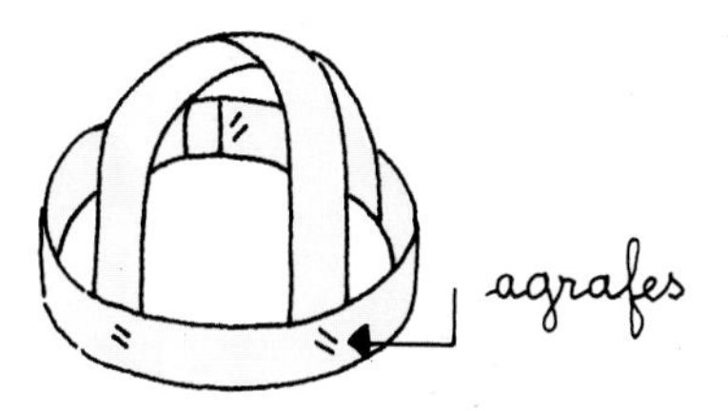

Les fleurs de cerisier et de lotus servent à de nombreuses décorations printanières. Elles sont tout aussi célèbres que le chrysanthème, fleur-symbole de l'empire du Soleil Levant. Célébration du printemps, cette couronne très simple à réaliser pourra être modifiée selon le talent créatif de chacun.

Découper trois bandes de papier fort : une de 3×50 cm pour le tour de tête et les deux autres de 3×30 cm pour le dessus de la couronne.

Sur le tour de tête, agrafer une longue bande dentée de 50 à 60 cm de long pour figurer l'herbe (patron page 62).

Coller au recto et au verso des fleurs de cerisier et de lotus (pliage page 40) en papier blanc ainsi que quelques feuilles vertes.

Ajouter une petite grenouille près d'un lotus. Les motifs de cette couronne peuvent également être utilisés comme décoration de table, murale ou vestimentaire.

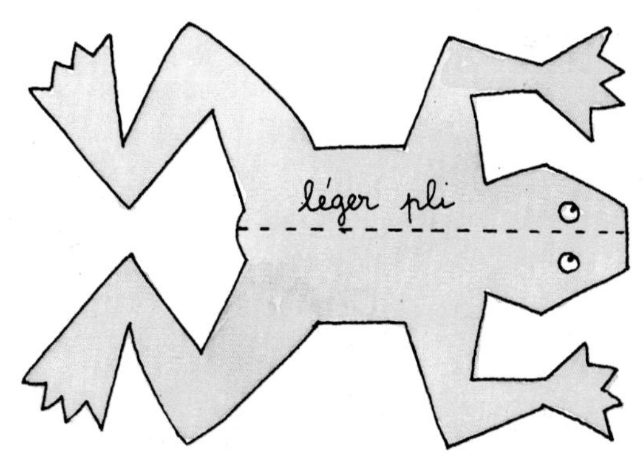

L'éventail coulissant

Matériel : *papier de couleur assez léger mais résistant, carton de 2 mm d'épaisseur, vis de 3 cm de long et son écrou, gouache, feutres, cutter, vrille, colle, coton à broder pour le gland.*

Tracer un demi-cercle de 26 cm de rayon. Reproduire le croquis 1 page 59 sur le papier de couleur. Partager en seize parties égales. Découper la forme arrondie et marquer les quinze plis. Plier en accordéon.
Décorer de motifs au pochoir (voir cette technique p. 37) ou de dessins à main levée.
Découper huit bandes de carton de 27 cm × 1,5 cm et percer un trou à la vrille à une des extrémités.
Superposer les lanières de carton et les fixer entre elles avec la vis introduite dans les huit trous.
Écarter les branches régulièrement.
Placer la forme en papier, dépliée, sur l'envers et coller dessus les branches de l'éventail une à une, en partant de la gauche.
Laisser sécher quelques heures.
Coller la partie X sur la première branche.
Plier l'éventail et ajouter un gland de coton.

L'éventail en écran

Matériel : *carton ou balsa, gouache, feutres, papier calque, cutter.*

Agrandir le demi-patron de l'éventail (page 63) sur du calque, puis le reproduire sur le carton ou le balsa. Découper la forme entière au cutter, passer un fond de gouache et la décorer de motifs floraux peints à main levée ou imprimés au pochoir.
Découper deux rectangles de carton et les peindre. Les coller à la base de l'éventail. Maintenir l'ensemble à l'aide de pinces à linge durant quelques heures.

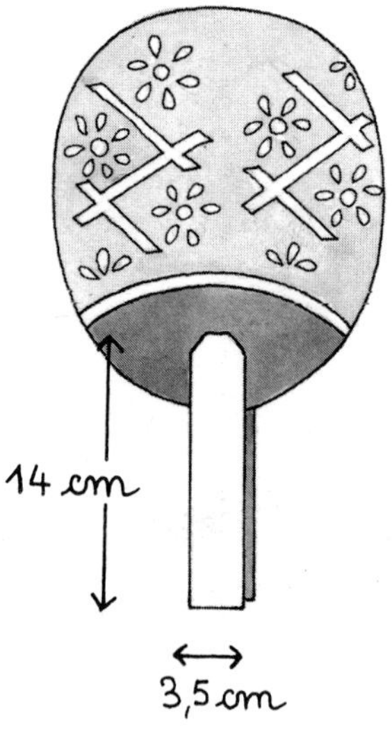

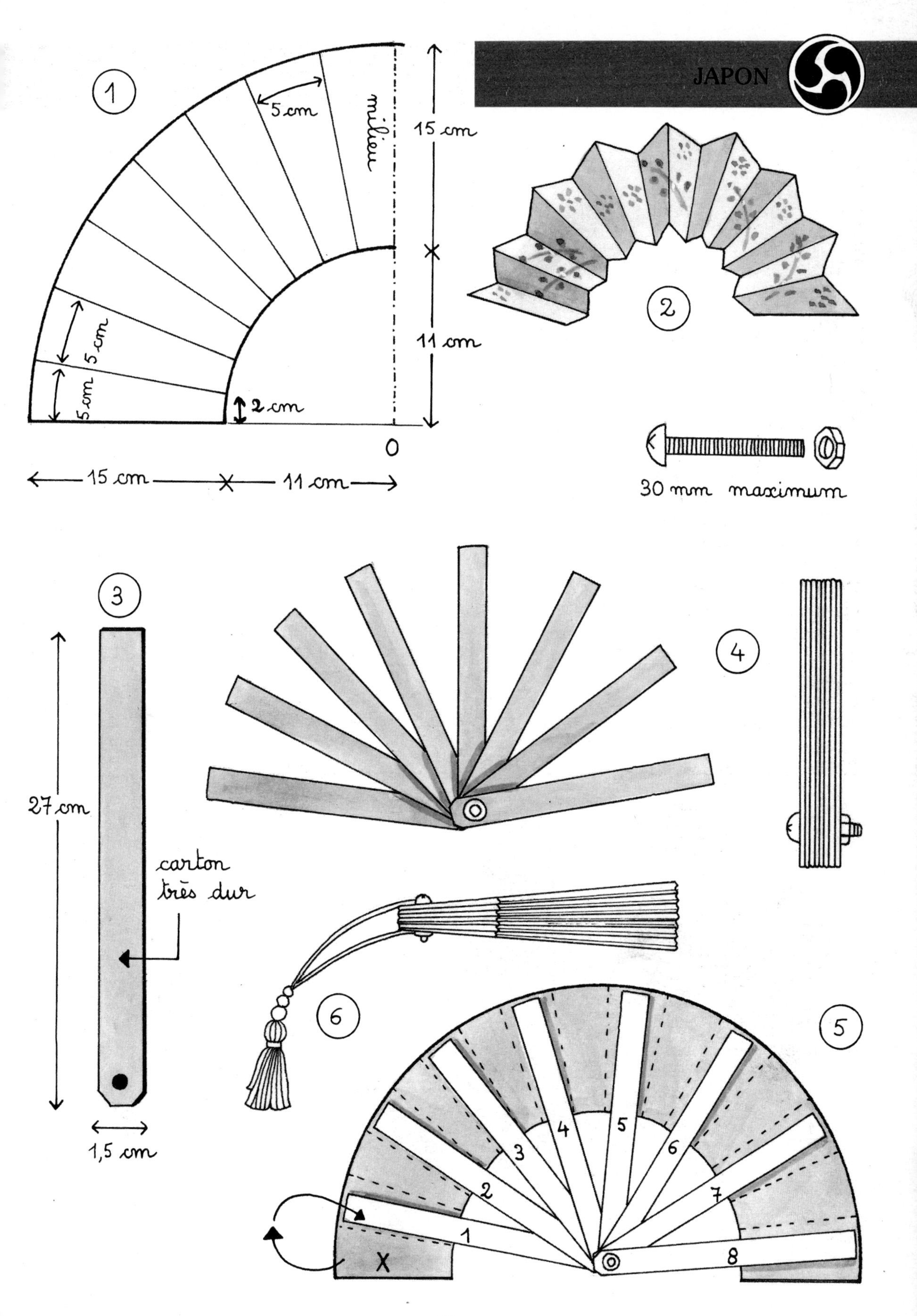
1
5 cm
milieu
15 cm
11 cm
5 cm
5 cm
2 cm
0
15 cm
11 cm
2
30 mm maximum
3
27 cm
carton très dur
1,5 cm
4
6
5
1
2
3
4
5
6
7
8
X

POUR PASSER LE TEMPS « À LA JAPONAISE » : DES JEUX

Voici quelques jeux simples qui conviennent aux enfants et aux adultes.

Le loto des comptines

Nombre de joueurs : 4+1 meneur
Matériel : *bristol, règle graduée, crayon.*

Ce jeu de société s'inspire du « karuta » ou « loto des cent poèmes ». Le karuta est basé sur la connaissance de la poésie japonaise traditionnelle. Mais on peut les remplacer comme ici par des comptines ou des textes de chansons françaises connus de tous.

Pour les planches : découper quatre rectangles de bristol.
Tracer huit cases à l'intérieur de chaque rectangle et les numéroter.
Choisir quatre comptines célèbres ou quatre chansons courtes et décomposer chaque texte en huit parties.
Écrire le titre des comptines ou chansons sur l'envers des planches.

Pour les cartes : inscrire les trente-deux parties de texte sur trente-deux cartes de bristol de 8×6 cm. On obtient huit cartes-textes numérotées de 1 à 8 pour chaque comptine ou chanson.

Règle du jeu
Chaque joueur choisit une planche. Une cinquième personne est désignée pour tenir le rôle de meneur de jeu : il prend les trente-deux cartes et les pose retournées, pêle-mêle, sur la table. Il choisit une carte au hasard et lit la phrase. Le joueur qui reconnaît une partie du texte de sa comptine ou de sa chanson réclame la carte et la pose sur sa planche, sur le numéro correspondant. Le meneur de jeu tire une autre carte, annonce le texte, etc. Le jeu s'achève lorsqu'un joueur a recouvert toutes les cases de sa planche. Il annonce alors : « Loto ! »

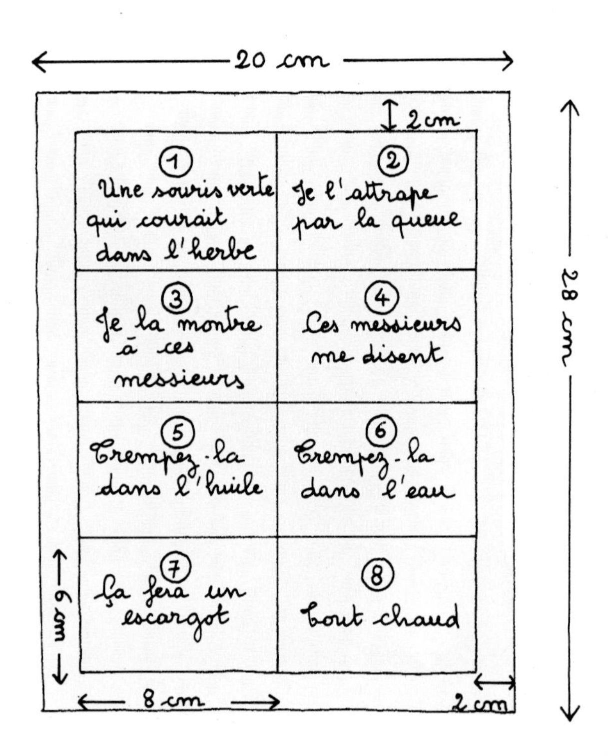

Le volant

Jeu sportif de plein air
Nombre de joueurs : 1 ou plusieurs
Matériel : *balle en liège ou en mousse d'environ 5 cm de diamètre, une dizaine de plumes de pigeon ou de poules, vrille, colle forte.*

Percer dix trous dans la balle avec la vrille. Encoller les pointes des plumes et les placer dans les trous. Laisser sécher.

Règle du jeu
Les joueurs disposés en cercle s'envoient la balle avec le pied. Le joueur qui ne parvient pas à rattraper la balle est éliminé. Lorsque la balle redescend, un joueur lui donne un coup de pied avec le talon, la pointe, les côtés ou la semelle de la chaussure pour la remettre en jeu. Le dernier à renvoyer la balle a gagné.
Ce jeu se pratique au Japon, en Chine et en Corée depuis plus de deux mille ans.

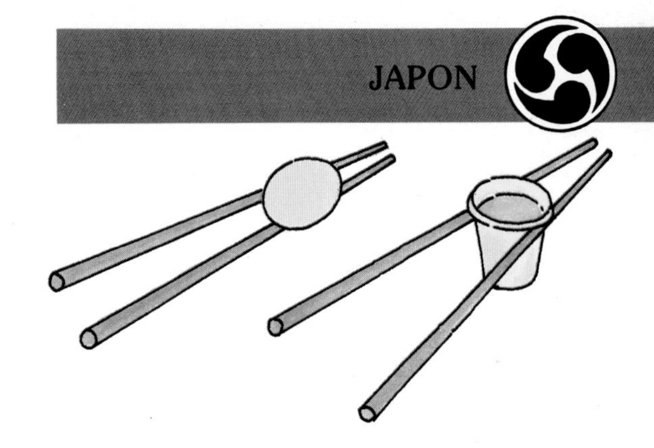

Le jeu des baguettes

Jeu d'adresse
Nombre de joueurs : illimité
Matériel : *des baguettes, des œufs durs ou des petites balles en mousse.*

Règle du jeu
Les joueurs s'alignent, baguettes en main. Sur chaque paire de baguettes, placer un œuf ou une balle en équilibre. Au signal, chacun doit avancer sans faire tomber l'objet et parcourir le plus rapidement possible une distance convenue à l'avance. Pour une partie de plein air, utiliser des gobelets d'eau !

Les animaux de neige

Jeu-concours de plein air, pour les régions largement enneigées.
Nombre de joueurs : illimité
Matériel : *aucun.*

Règle du jeu
Durant un temps déterminé par l'animateur, chaque participant sculpte dans la neige, non pas notre traditionnel bonhomme, mais un animal. Ce jeu est particulièrement à l'honneur lors du festival de la neige de Sapporo (février). Le gagnant est celui qui a sculpté le plus bel animal.

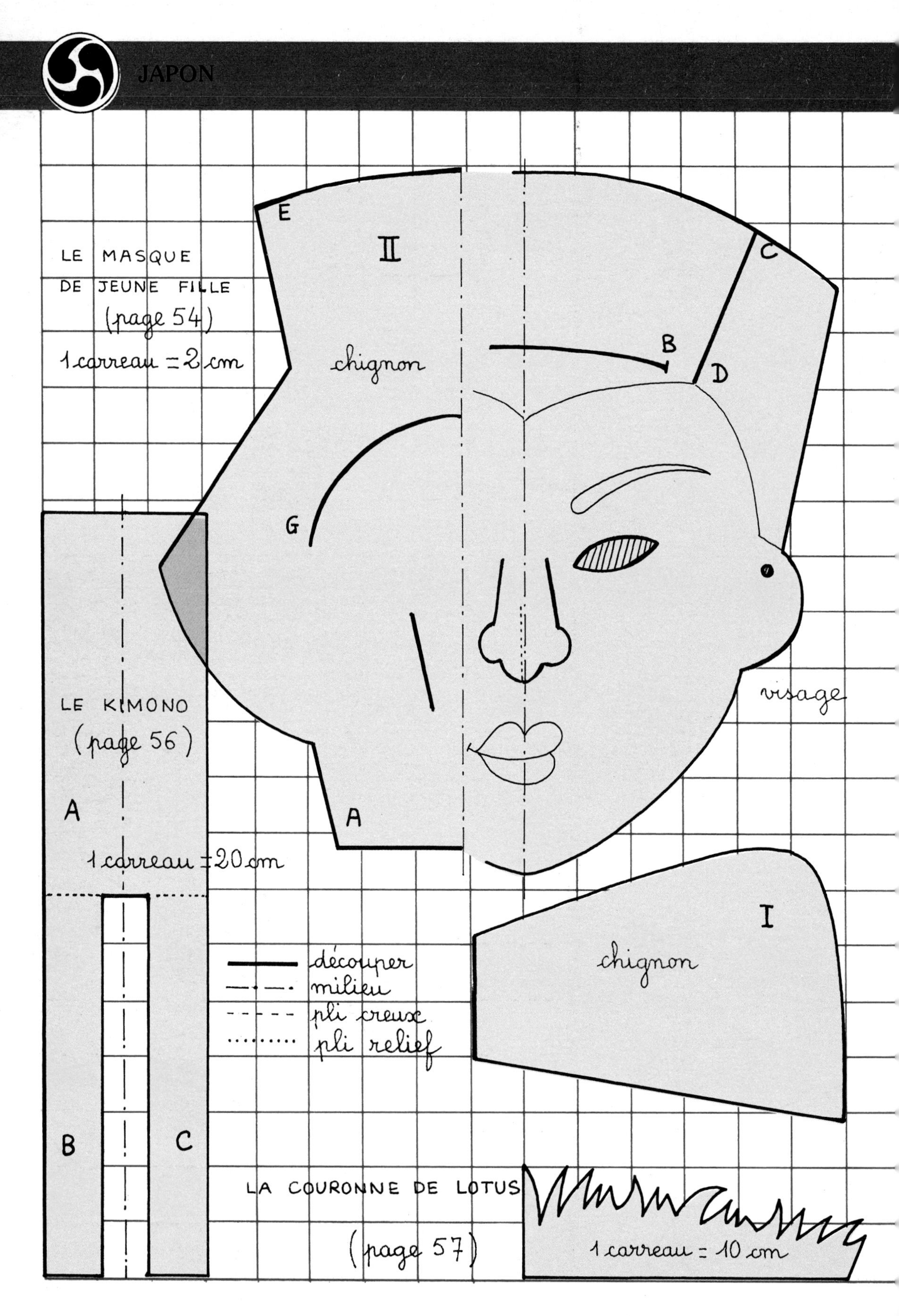
LE MASQUE
DE JEUNE FILLE
(page 54)
1 carreau = 2 cm
E
II
C
B
chignon
D
G
visage
A
LE KIMONO
(page 56)
A
1 carreau = 20 cm
I
chignon
découper
milieu
pli creux
pli relief
B
C
LA COURONNE DE LOTUS
(page 57)
1 carreau = 10 cm

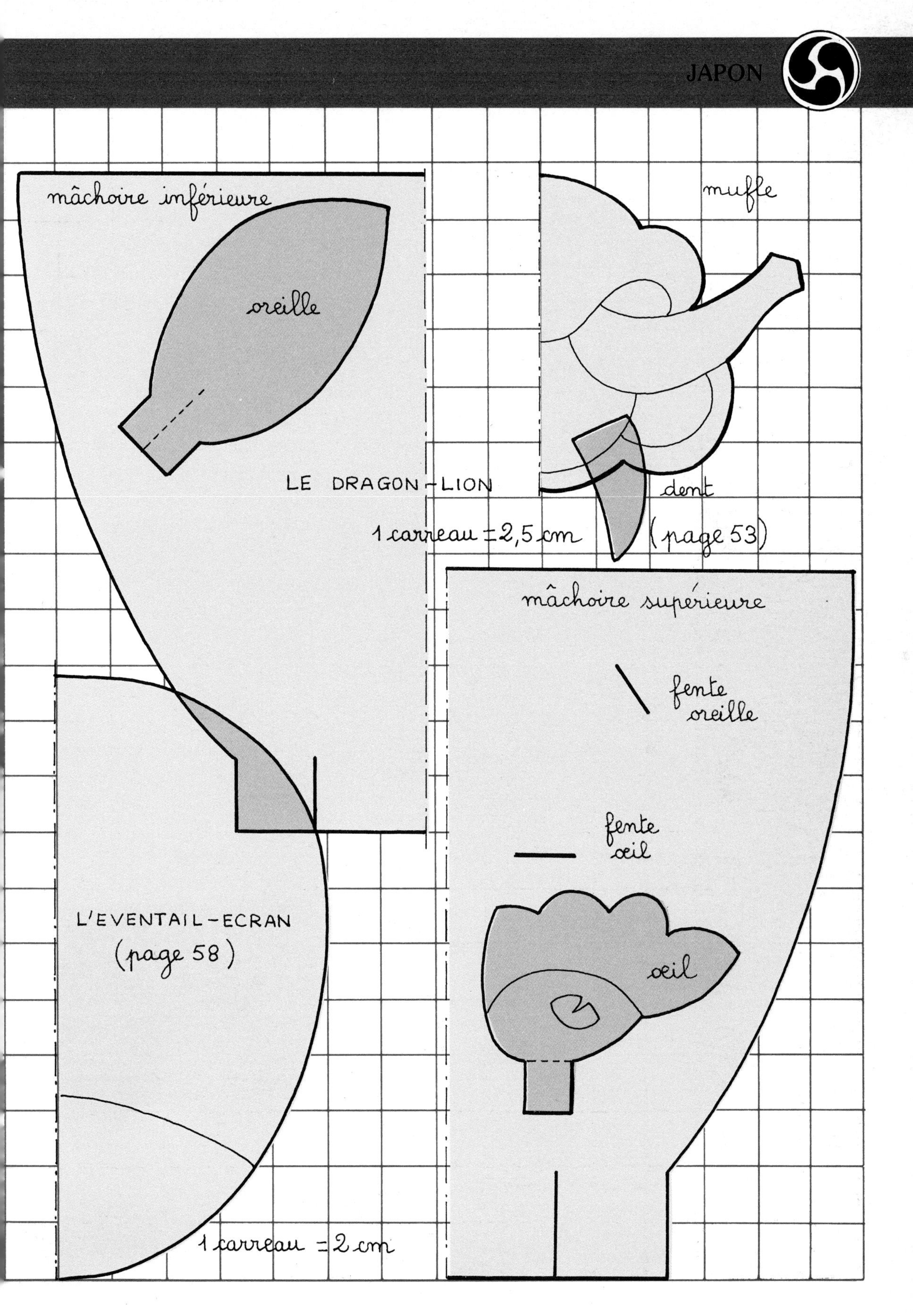
mâchoire inférieure
oreille
LE DRAGON-LION
1 carreau = 2,5 cm
mufle
dent
(page 53)
mâchoire supérieure
fente oreille
fente oeil
oeil
L'EVENTAIL-ECRAN
(page 58)
1 carreau = 2 cm

Bibliographie

Le Japon. Collection Monde et voyages. Larousse, 1971.

Jeux du Monde, leur histoire, comment y jouer, comment les construire. Lied (Genève) avec la collaboration de l'UNICEF, 1979.

Le Japon de A à Z (Notes d'un voyageur), par Claude Thibault. Chiron, 1964.

Activités aux couleurs du Japon, de Claude Soleillant. Série 105. Éditions Fleurus, 1977.

Les Jumeaux Japonais, par Anne Mangin, dessins de H. Armengol. J. Ferenczi et Fils, 1930.

Origami, pliages en papier pour grands et petits 1 et 2, Zülal Aytüre-Scheele. Fleurus, 1986 et 1988.

Cuisine japonaise. C.I.L. (Compagnie Internationale du Livre), Vie pratique/Cuisine, 1986.

Le Bol et le Bâton, 120 Contes Zen, racontés par Maître Taisen Deshimaru. Cesare Rancilio Éditeur, 1983.

Contes Japonais, par Miroslav Novák et Zlata Cerná, illustrés par Jaroslav Šerých. Gründ, 1985.

Masques Faciles en Papier, par Édith Barker. Collection Loisirs-Plans, Fleurus, 1985.

Dossier-Mode de la peinture sur soie, par Régine Libessart. Collection Loisirs-Plans, Fleurus, 1989. (Modèles de kimonos).

Discographie

Satsumi Biwa et Shakuhachi. Musique traditionnelle, vol. I. Disque : OCO 558518 OCORA Harmonia Mundi. Cassette : OCO 4558518

Shômyô. Musique liturgique bouddhique, vol. II. Disque : OCO 558539 OCORA Harmonia Mundi

Shakkyô : ponts en pierre. Musique du théâtre Nô, vol. V. Compact disc : OCO C558657 OCORA Harmonia Mundi. Cassette : OCO 4559005

Flûte et Koto du Japon. Compact disc : 100002 MUSIDISC. Disque : 10001. Cassette : 10004

Musée

Musée Guimet. Art et civilisation asiatiques. 6, place d'Iéna à Paris.

AFRIQUE DE L'OUEST

Burkina Faso

Côte d'Ivoire

Mali

Sénégal

Le Burkina Faso

Ainsi a été rebaptisée la Haute-Volta en 1984, pays presque exclusivement rural. Capitale Ouagadougou. Sur une superficie de 270 000 km², la plupart des 6 800 000 habitants cultivent le mil, le sorgho ou l'arachide, et élèvent des bovins et des caprins.

Le Burkina Faso possède de riches traditions artisanales comme les parures et les masques primitifs. Les *Gourounsi* confectionnent des parures de petits coquillages (les « cauris ») pour les fêtes de la moisson. Les *Lobi* des bracelets et des pendeloques représentant des animaux. Les *Senoufo* des colliers de graines, des masques et des parures de cauris. Les *Bobo* les masques « Do », inspirés d'un personnage ancestral. Ces masques peuvent atteindre 2 m de hauteur. Enfin, les *Mossi* fabriquent des masques et des bijoux.

La Côte d'Ivoire

Cohabitent en Côte d'Ivoire de nombreuses ethnies : *Malinke, Senoufo, Agni, Gouro, Guere, Koulango, Baoule*... Ce pays de 322 000 km², peuplé de 10 millions d'habitants, est un grand producteur de denrées tropicales : café, cacao, huile de palme... Autour de la capitale, Yamassoukro, la forêt dense renferme des réserves naturelles dont les innombrables espèces végétales et animales forment une richesse inestimable. Parmi les arbres les plus prestigieux de la Côte d'Ivoire, citons le célèbre baobab, aux dimensions impressionnantes. Dans les réserves, on rencontre des éléphants, des hippopotames, des antilopes, des lions, des hyènes...

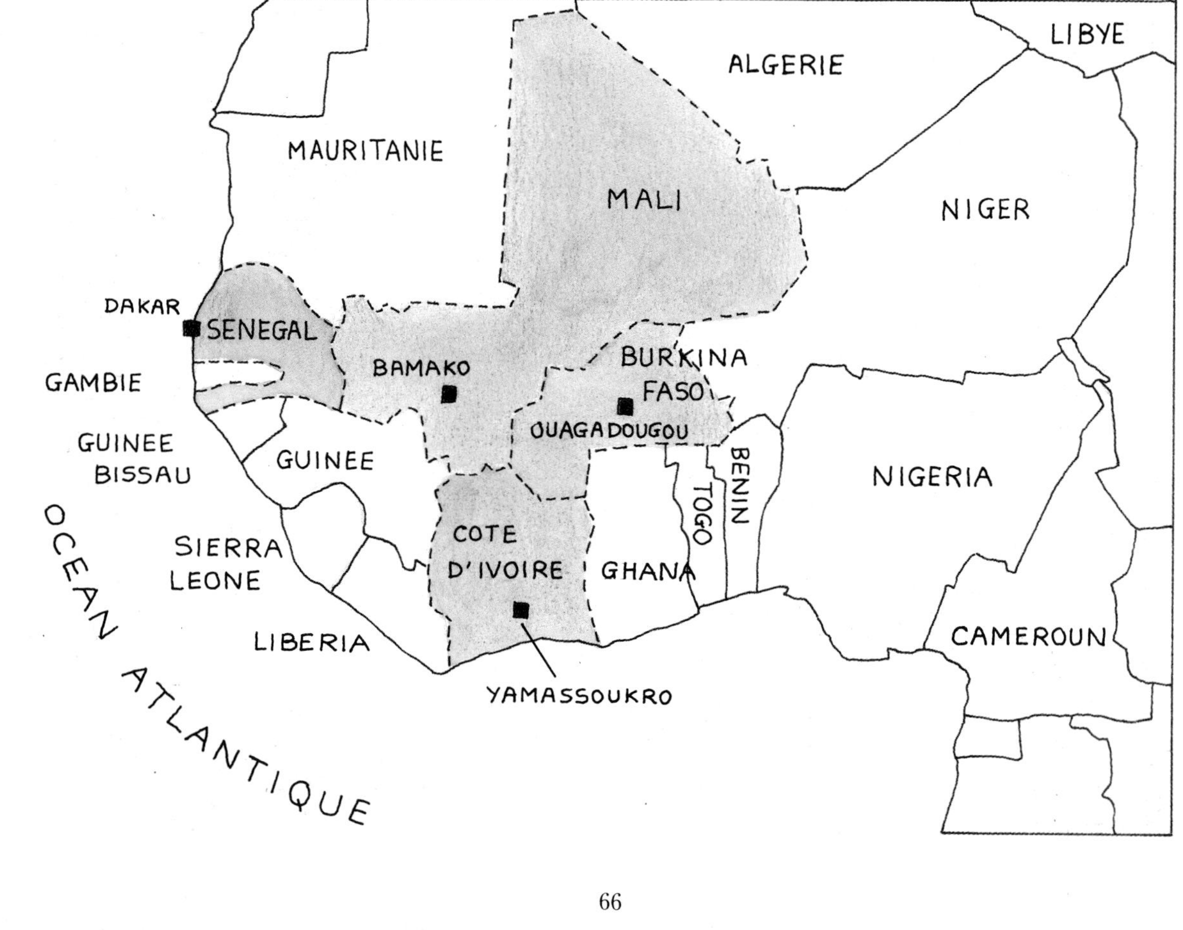

Le Mali

Au nord et au centre du Mali (capitale Bamako), le Sahara, où seuls des nomades élèvent des bovins et des caprins. Au sud, des terres fertiles où l'on cultive du mil, du riz, du coton, de l'arachide et du maïs. Les trois ethnies principales de cette terre de plus d'un million de km² et de 8 millions d'habitants sont : les *Peul*, nomades ou sédentaires, qui confectionnent des parures de fête, des bijoux de perles, de coquillages et de pièces de métal ; les *Dogon* et leurs masques d'écorce ; les *Bambara*, peuple de cultivateurs.

Le Sénégal

Ce pays plat (capitale Dakar) s'ouvre sur l'Océan Atlantique et a donc une importante activité de pêche. Mais comme dans tous les pays d'Afrique de l'Ouest, on cultive au Sénégal le mil, l'arachide et le riz. Sur 200 000 km², quelques ethnies comme les *Diola*, les *Peul* et les *Bassari* sont célèbres pour leurs masques de vannerie et leurs costumes aux couleurs vives.

L'ambiance d'un repas

Quelques suggestions pour un décor simple aux tons chaleureux : sable, terre de Sienne, jaune et ocre, orangé...
Recouvrir le sol de nattes de plage en paille de riz (ou rabane). Ajouter quelques tissages de papier de couleur.
Habiller une longue table d'une nappe décorée d'impressions au pochoir représentant des animaux africains (dromadaires, antilopes) ou des plantes tropicales. Fixer sur les murs de grandes étoffes comme des panneaux muraux décorés d'empreintes géométriques, de taches, de bandes sinueuses... Imprimer au pochoir ou peindre directement sur le tissu avec des couleurs appropriées aux teintes chaudes. Disposer les motifs (pp. 78-79) de façon régulière ou en légère superposition.
Placer des plantes vertes à même le sol. Prévoir des corbeilles et des plats ronds en terre, remplis de fruits exotiques (papayes, goyaves, ananas, oranges et bananes).
Verser les boissons dans de grands saladiers. Servir à la louche.

RECETTES AFRICAINES

La gastronomie africaine est assez simple, l'alimentation consistant le plus souvent en des plats de céréales accompagnés de viande ou de poisson. Les sauces sont très épicées : gingembre, piments, oignons. Voici quelques plats d'inspiration africaine.

Les avocats en salade

Pour 5 personnes
Préparation : 25 minutes
Ingrédients : *5 avocats bien mûrs, le jus d'un citron, crevettes décortiquées, poisson froid émietté, un poivron rouge, 3 piments doux, vinaigrette, 3 pincées de gingembre en poudre.*

Dans un saladier mettre les avocats coupés en morceaux, le poisson, les crevettes, les piments doux et le poivron émincé. Ajouter le jus d'un citron et le gingembre.
Laisser un noyau d'avocat dans la salade. Placer au réfrigérateur. Servir frais avec une vinaigrette relevée.

L'escalope de veau aux cacahuètes

Pour 5 personnes
Préparation : 15 minutes
Cuisson : 25-30 minutes
Ingrédients : *5 escalopes, 400 g de cacahuètes décortiquées non salées, 3 piments doux, un demi-piment fort, sel, poivre.*

Piler les cacahuètes au mortier. Pour former une pâte onctueuse, ajouter un peu d'eau. Saler et poivrer. Faire chauffer la pâte dans une casserole à feu très doux.
Faire fondre les piments émincés dans une poêle avec un peu d'huile. Saler. Cuire les escalopes et, au moment de servir, les recouvrir de pâte de cacahuètes aux piments. Servir avec du riz ou des pommes de terre.

Le poulet aux cacahuètes

Pour 5 personnes
Préparation : 25 minutes
Cuisson : 45 à 60 minutes
Ingrédients : *poulet de 1,2 kg, huile d'olive, sel, poivre, 500 g de cacahuètes décortiquées non salées.*

Piler les cacahuètes dans un mortier. Saler et poivrer. Verser la pâte dans un saladier, ajouter un peu d'eau pour obtenir une bouillie épaisse. Remuer. Couper le poulet en morceaux et le déposer dans une cocotte contenant un peu d'huile d'olive. Saler et poivrer. Faire dorer entièrement le poulet et ajouter la bouillie de cacahuètes. Servir avec du riz blanc et des cœurs de palmier.

Les bananes flambées

Pour 5 personnes
Préparation : 10 minutes
Cuisson : en quelques minutes
Ingrédients : *4 bananes épluchées, sucre en poudre, beurre, rhum blanc.*

Partager les bananes en deux dans le sens de la longueur. Les déposer dans un plat allant au four. Saupoudrer de sucre en poudre et émietter du beurre par-dessus. Faire cuire à feu doux quelques minutes. Au moment de servir, arroser de rhum et flamber.

L'omelette à l'ananas et à la noix de coco

Pour 3-4 personnes
Cuisson : en quelques minutes
Ingrédients : *6 œufs, 100 g de noix de coco, sucre en poudre, 3 tranches d'ananas en morceaux, rhum.*

Battre les œufs en omelette. Ajouter l'ananas, la noix de coco, le sucre en poudre et le rhum. Mélanger. Cuire à la poêle.

Salade de fruits exotiques

Ingrédients : *papaye, ananas en rondelles, 2 oranges, 2 bananes bien mûres, 2 mangues bien mûres, 2 pincées de gingembre, le jus de 3 citrons, 1 cuiller à soupe de rhum blanc.*

Verser tous les fruits coupés en morceaux dans un grand saladier. Ajouter le jus de citron, le gingembre et le rhum avec un peu d'eau. Remuer. Servir très frais.

Les boissons

On servira, lors de la fête, des jus de fruits : orange, citron, mangue, noix de coco... de l'eau de citron parfumée au gingembre en poudre, du vin de palme, du thé et du café.

MASQUES

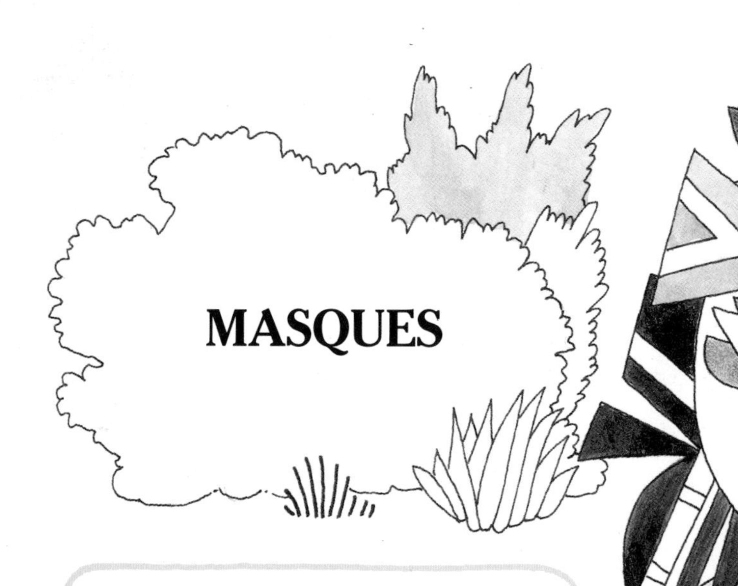

Le masque en papier

Matériel : *feuille de papier bristol blanc de 50×65 cm, papier de couleur (jaune, orange, brun-rouge, ocre, noir), ciseaux, colle.*

C'est un travail de libre imagination, réalisé à partir de formes géométriques disposées selon le goût de chacun !
Découper à l'avance toutes sortes de formes de toutes les couleurs et les coller sur le support en bristol pour créer un masque original et évocateur.

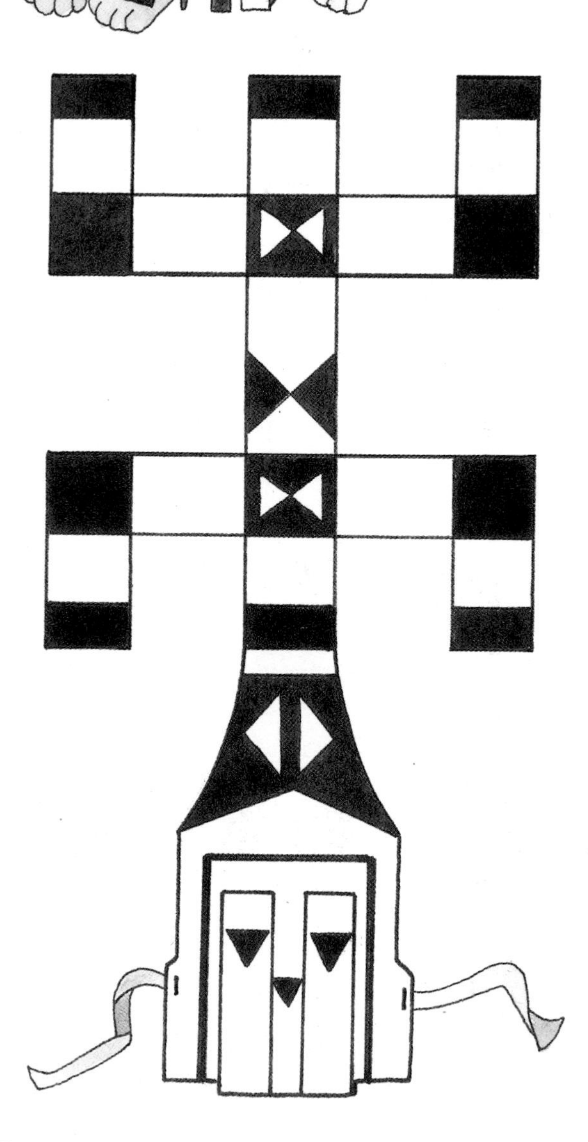

Le masque Dogon du Mali

Matériel : *2 feuilles de carton épais de 50×65 cm, gouache acrylique noire et blanche, raphia rouge foncé, cutter.*

Agrandir l'ornement en croix ainsi que le masque (pp. 78-79). Les reproduire sur le carton. Passer une couche de gouache blanche sur les deux parties. Laisser sécher. Peindre les motifs en noir.
Fixer l'ornement en croix sur le masque. Sur l'envers du masque, coller des touffes de cheveux en raphia rouge.

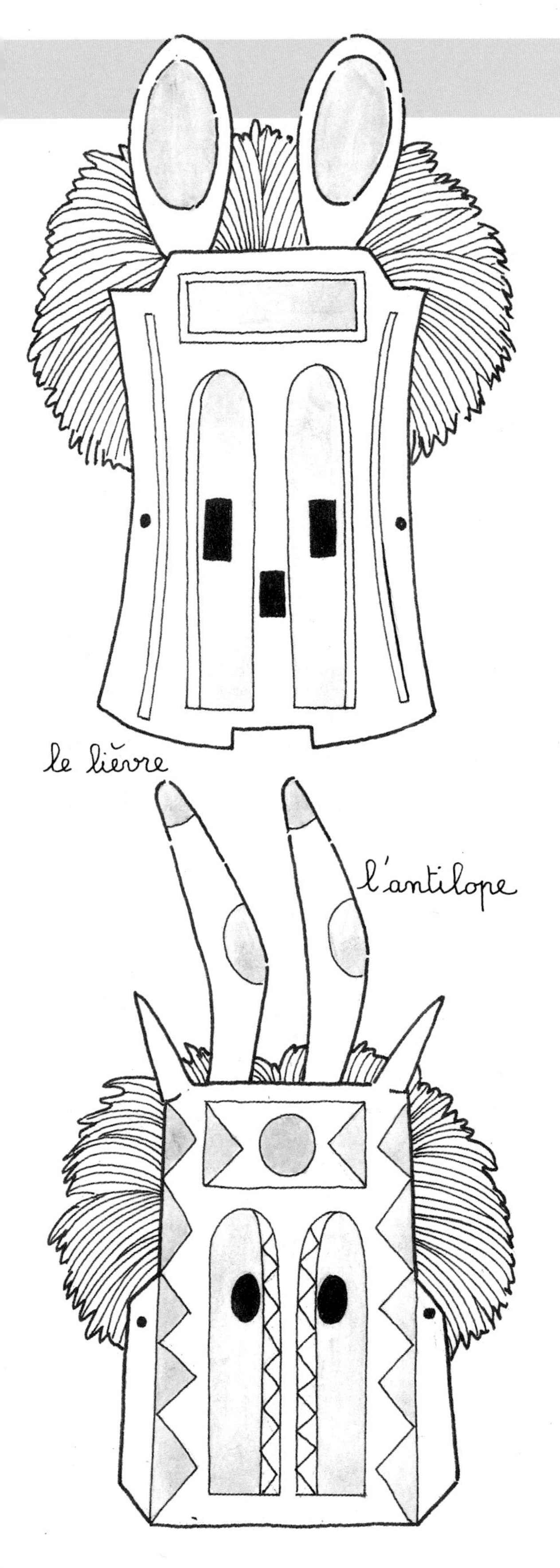

Les masques d'animaux : le lièvre et l'antilope Dogon du Mali

Matériel : *carton épais ou bois, gouache acrylique, cutter, raphia naturel ou rouge foncé.*

Agrandir les dessins pp. 78-79 et les reproduire sur le carton ou le bois. Découper. Étaler une couche de gouache blanche et laisser sécher. Décorer de couleurs vives.

Ces masques peuvent être réalisés en plus petit format, en pâte durcissante. Laisser sécher plusieurs jours avant de peindre.

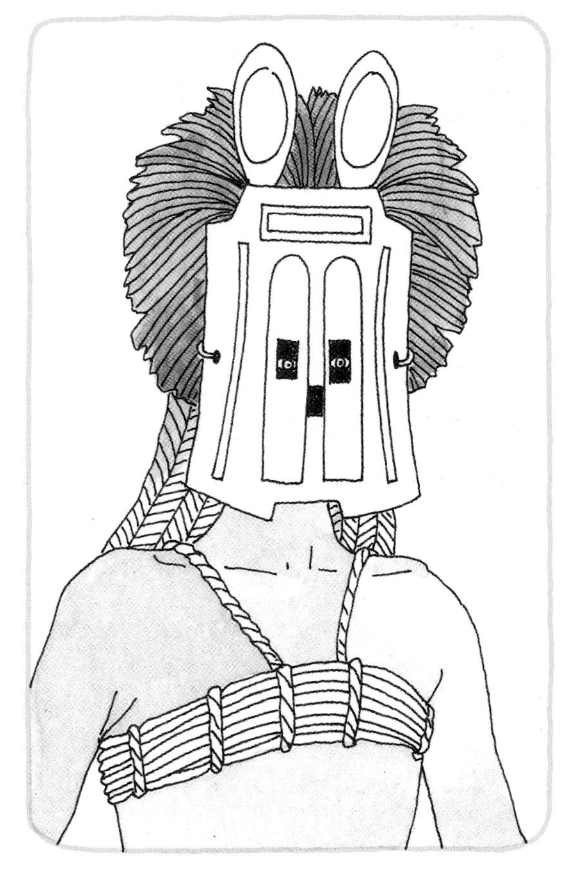

Le masque totem

Matériel : *carton ou bois, raphia naturel, colle, gouache acrylique.*

Agrandir le dessin p. 79 et le reproduire sur le carton ou le bois. Découper, puis enduire toute la surface de blanc acrylique. Laisser sécher. Dessiner tous les motifs intérieurs au crayon et décorer à la gouache en s'inspirant du dessin en couleur ci-dessous. Sur l'envers du pourtour, coller de longs brins de raphia.

Ce masque très décoratif peut également être porté, à condition d'en réduire les dimensions et de le réaliser en carton ou en pâte à papier. Découper les yeux et les fentes du nez.

Le masque Do des Bobo du Burkina Faso

Matériel : *carton épais ou bois, gouache acrylique (blanc, noir, brun et rouge foncé), colle, raphia naturel ou synthétique.*

Do est un personnage ancestral. Ce masque de danse peut atteindre 2 m de hauteur, le visage est encadré de longues franges en fibres végétales sombres qui cachent entièrement le danseur.

Agrandir le dessin (p. 78). Le reproduire sur le carton ou le bois. Découper, puis tracer les motifs au crayon. Peindre.

DÉCORS ET BIJOUX

La calebasse décorée

Matériel : *pâte plastique durcissante, ballon de plage en caoutchouc, gouache indélébile, cutter, papier de verre.*

La calebasse est le fruit d'une sorte de courge ou du calebassier. Vidée et séchée, elle sert de récipient et, quelque soit sa taille, elle repose sur un anneau d'étoffe torsadée ou de paille. Couper le ballon en deux parties égales. Bien malaxer la pâte avec les doigts mouillés. Étendre à l'intérieur, puis à l'extérieur du ballon une couche de 5 mm d'épaisseur. Prendre son temps et bien lisser la pâte sur toute la surface et les bords. Retourner le récipient et le faire sécher un ou deux jours sur du papier aluminium. Faire sécher l'intérieur pendant deux jours. Poncer et décorer de motifs géométriques.

Les tissus aux motifs d'inspiration Peul

Matériel : *étoffe blanche en coton, feutre noir indélébile pour tissu (pointe fine), feuille de papier carbone noir.*

Ce sont des dessins d'animaux et de personnages très stylisés. Ils sont disposés en rosaces ou en grandes bandes horizontales et verticales.

Agrandir ou reproduire tels quels les motifs ci-dessous. Les dessiner sur le tissu à l'aide du papier carbone. Repasser les traits au feutre noir. Quadriller l'intérieur des motifs.

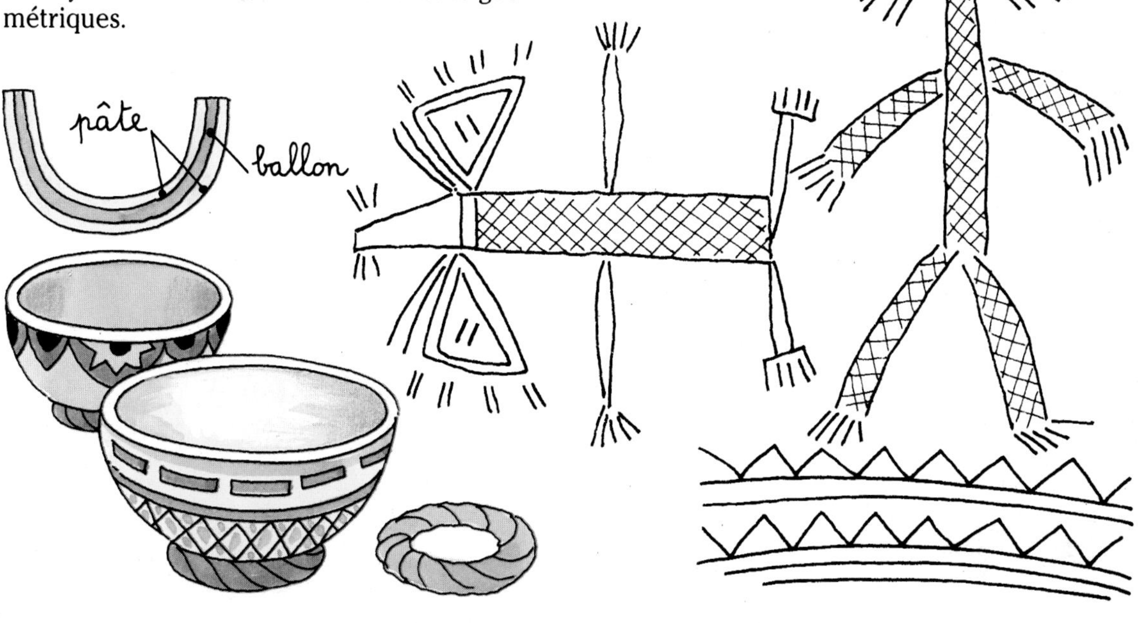

Le collier de grosses perles

Matériel : *pâte à modeler durcissante, raphia naturel ou lacet de cuir, longues aiguilles à tricoter ou fil de fer, gouache acrylique (bleu, ocre, orange, brun, turquoise), vernis.*

Former de grosses perles de différentes tailles et formes, et les enfiler sur les aiguilles à tricoter. Laisser sécher plusieurs jours. Ôter les perles des tiges et les peindre de taches de couleur et de rayures. Vernir.

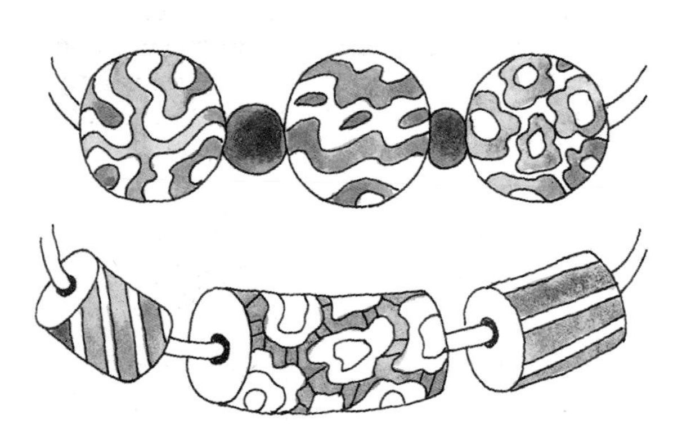

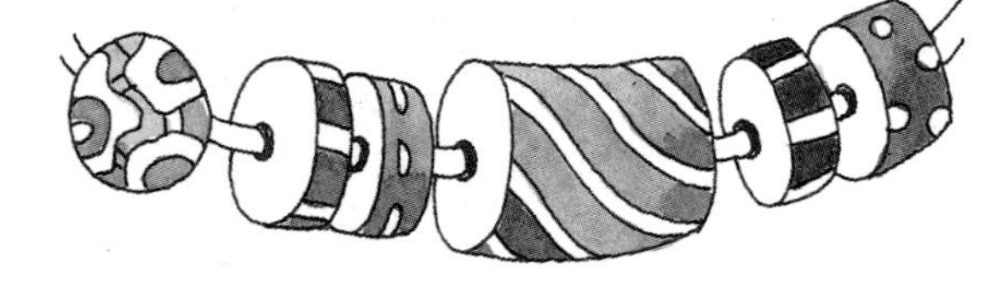

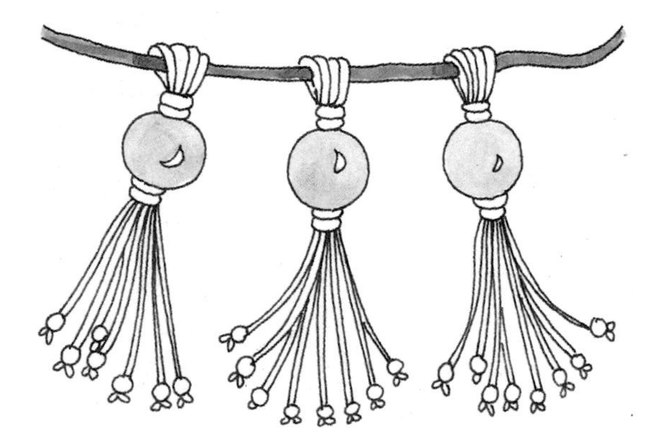

Le pendentif africain

Matériel : *carton léger ou pâte plastique durcissante, lacet de cuir, gouache indélébile (rouge, bleu, noir, orange, blanc), métal à repousser, fil, vernis incolore.*

Découper six ronds en métal à repousser de 3 cm de diamètre. Découper la forme du pendentif en carton ou en pâte durcissante. Percer les trous indiqués et décorer à la gouache. Fixer les pièces de métal au bas du pendentif.

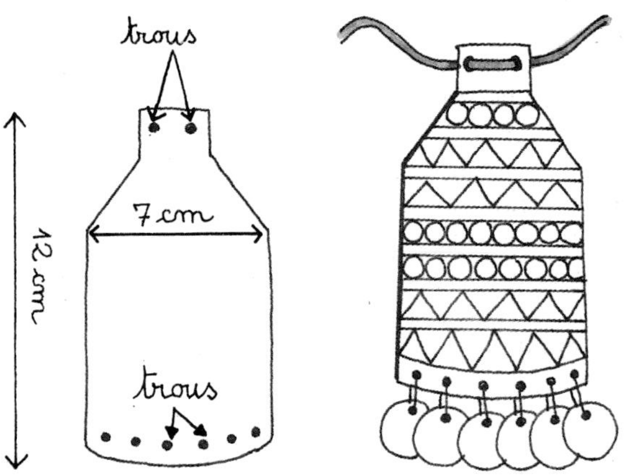

Le collier aux franges perlées

Matériel : *lacet de cuir, raphia, 3 grosses perles à larges trous, une trentaine de perles moyennes, coton à tricoter de couleur vive.*

Couper 15 brins de raphia de 30 cm et les poser à cheval sur le lacet par groupes de 5. Glisser les grosses perles sur le raphia en les bloquant avec des ligatures de coton. Enfiler les autres perles au bout de chaque brin et les bloquer par un nœud.

LES COSTUMES TRADITIONNELS

Le boubou *(unisexe)*

Matériel : *3 × 1,40 m de tissu.*
Longueur : des épaules aux chevilles.
Largeur : d'une main à l'autre, les bras à l'horizontale.

Le pagne

Long rectangle d'étoffe imprimé noué autour de la taille.
Longueur : de la taille aux chevilles.
Largeur : une fois et demie le tour de hanches.

Plier l'étoffe en deux et découper l'encolure. Coudre de A à B et de A' à B', comme indiqué sur le schéma. Cranter l'encolure et faire un ourlet.
Ourler également au bas des manches. Ramener l'ampleur du tissu sur les épaules en formant des plis plats.
Les femmes drapent sur leur tête un carré de tissu, de façon à ce que deux pointes de l'étoffe viennent se nouer sur le devant (ou sur le côté selon la fantaisie de chacun).

Le pagne se porte avec un corsage ou un T-shirt de couleurs vives, auquel on peut ajouter un volant de tissu de même couleur que le pagne, autour des manches et de l'encolure.
Les hommes africains remplacent parfois le pantalon par un pagne drapé en culotte.

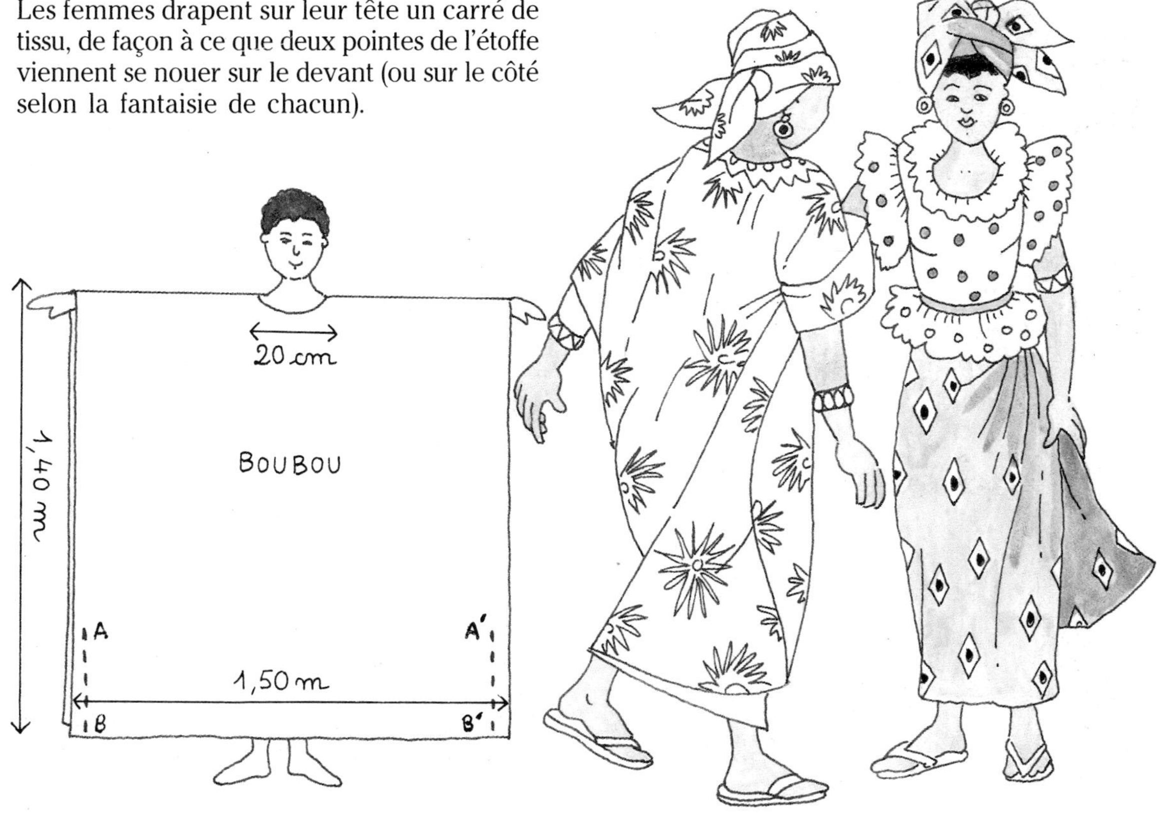

CINQ JEUX AFRICAINS

Les animaux d'Afrique

Jeu de société
Nombre de joueurs : illimité
Matériel : *bristol (une fiche par joueur), crayons.*

Le meneur de jeu prépare des fiches identiques, sur lesquelles est inscrite une liste de douze noms d'animaux d'Afrique en capitales, les lettres mélangées.

Règle du jeu
Le meneur distribue une fiche à chaque participant. Les joueurs doivent recomposer le nom de chaque animal en dix minutes. Le gagnant est celui qui a trouvé le plus grand nombre d'animaux.

ALACO (calao)
TANPHELE (éléphant)
GALEMY (mygale)
DILECOCRO (crocodile)
MELONECA (caméléon)
AJAN (naja)
POILTENA (antilope)
TAPOMHIEPPO (hippopotame)
NOLI (lion)
FUBLEF (buffle)
GINSE (singe)
BISI (ibis)

Le lion et les antilopes

Jeu spectaculaire de plein air
Nombre de joueurs : illimité
Le terrain *a à peu près les dimensions d'un court de tennis. Bien délimiter les côtés à la craie.*

Règle du jeu
Les joueurs tirent le premier lion au sort. Il tente d'attraper les antilopes en les poursuivant. Chaque antilope prise devient lion... et ainsi de suite jusqu'à ce qu'il n'y ait plus d'antilopes. La dernière antilope a gagné.

La danse des livres

Jeu d'adresse
Nombre de joueurs : illimité
But du jeu : *danser, mais avec un livre (une cuvette d'eau, un panier...) sur la tête !*

Règle du jeu
Au son d'une musique lente, chaque joueur danse, sans faire tomber le livre posé sur sa tête. La musique s'arrête, les danseurs s'agenouillent : les livres vont-ils tomber ?
Au cours du jeu, un meneur peut imposer des figures : « bras droit en l'air », « jambe gauche repliée »... Le gagnant est bien sûr le dernier à garder son livre sur la tête.

Le Yoté

Jeu de société de plein air
Nombre de joueurs : 2
Matériel : *12 pions par joueur (12 billes et 12 cailloux).*

Ce jeu très simple est pratiqué dans toute l'Afrique Occidentale. Il s'agit de capturer tous les pions de l'adversaire.

Règle du jeu
Sur le sol, creuser les trous d'un damier : 5 rangées de 6 trous. Le joueur qui possède les billes pose un de ses pions dans un trou du damier. L'autre joueur fait de même avec un caillou. Il en va ainsi à chaque tour. On se déplace en ligne droite vers un trou contigu. On peut réserver quelques pions et les sortir plus tardivement. On peut aussi capturer le pion de son adversaire en sautant par-dessus, comme au jeu de dames. Dans ce cas, on rejoue. Les parties de Yoté sont assez courtes.

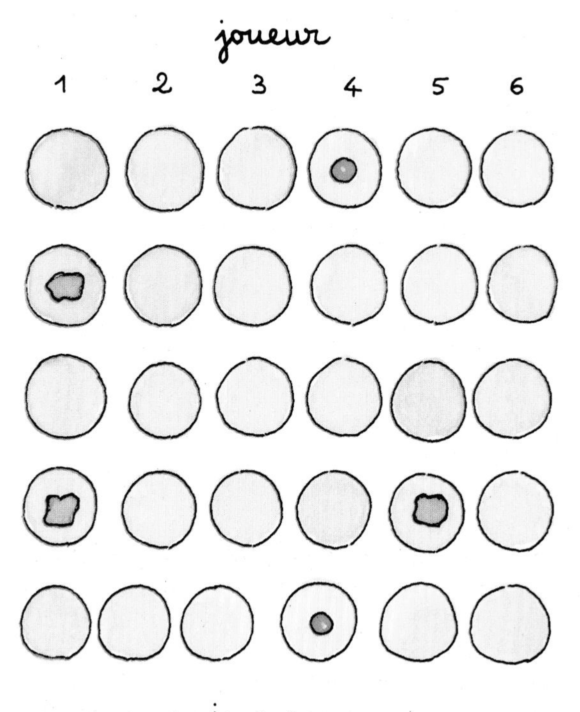

Les petits galets

Nombre de joueurs : de 2 à 8
Matériel : *4 galets ovales et plats de forme identique, friandises, gouache rouge et bleue, vernis incolore.*

Avant de jouer, il faut peindre les galets : le dessus en rouge, le dessous en bleu. Les vernir et laisser sécher.

Règle du jeu
Le premier joueur prend les quatre galets et les lance en l'air, comme des osselets. Lorsqu'ils retombent, ils sont soit sur la face rouge, soit sur la bleue. Voici donc la valeur de chaque coup :
- quatre galets rouges : quatre bonbons gagnés,
- trois galets rouges : trois bonbons gagnés,
- deux galets bleus : un bonbon gagné,
- un galet rouge : perdu !

Variante. On peut remplacer les galets par des demi-coques de cacahuètes. Elles retomberont sur le côté creux ou sur le côté plat. Établir la valeur des coups comme pour les galets.

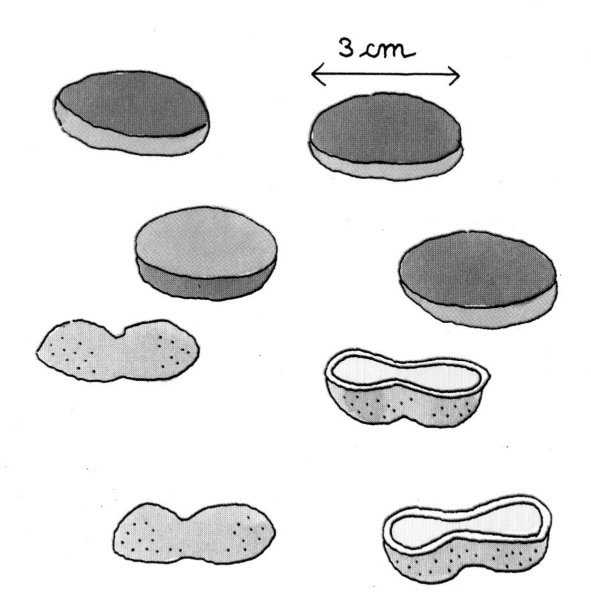

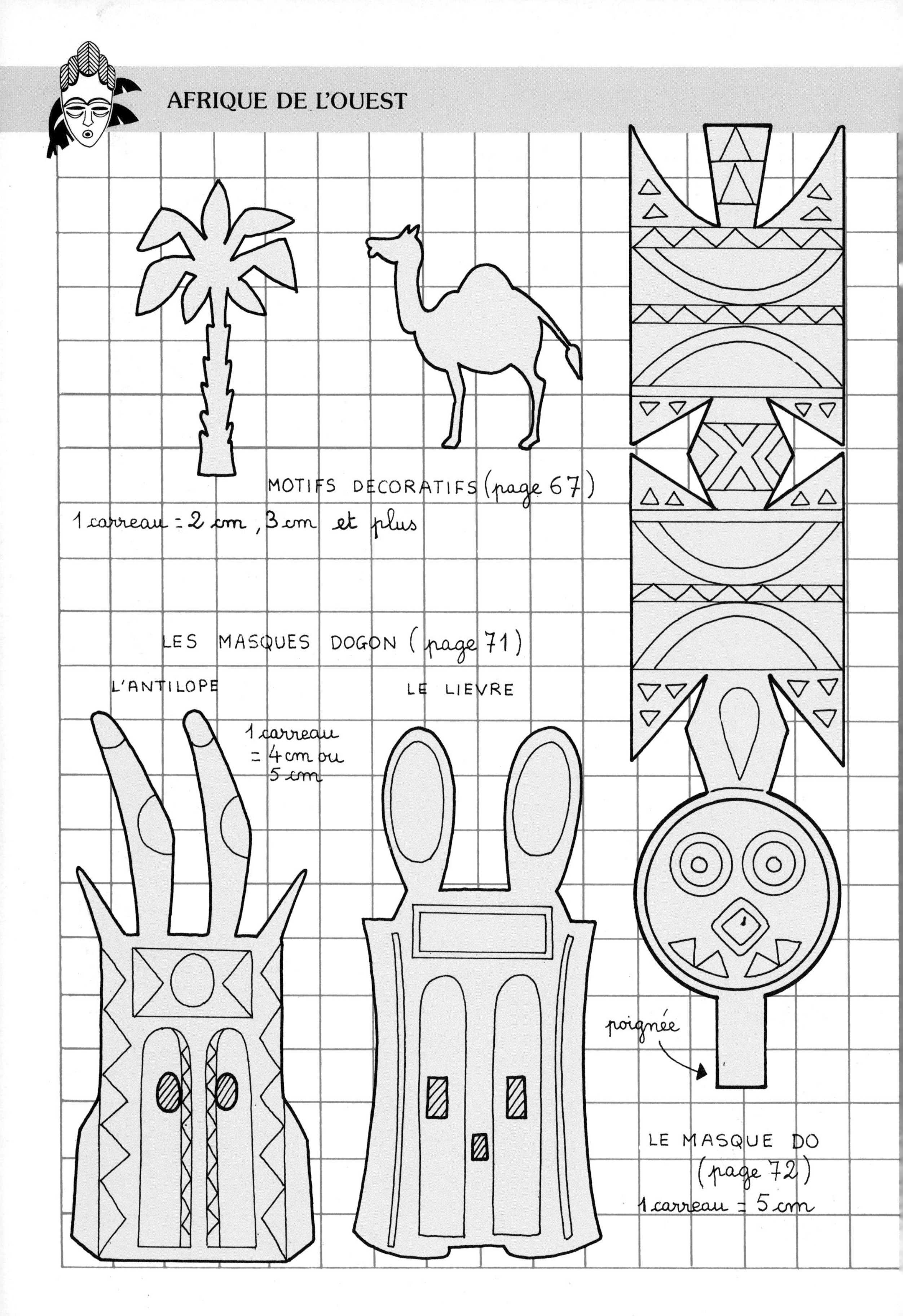
MOTIFS DECORATIFS (page 67)
1 carreau = 2 cm, 3 cm et plus
LES MASQUES DOGON (page 71)
L'ANTILOPE
LE LIEVRE
1 carreau = 4 cm ou 5 cm
poignée
LE MASQUE DO (page 72)
1 carreau = 5 cm

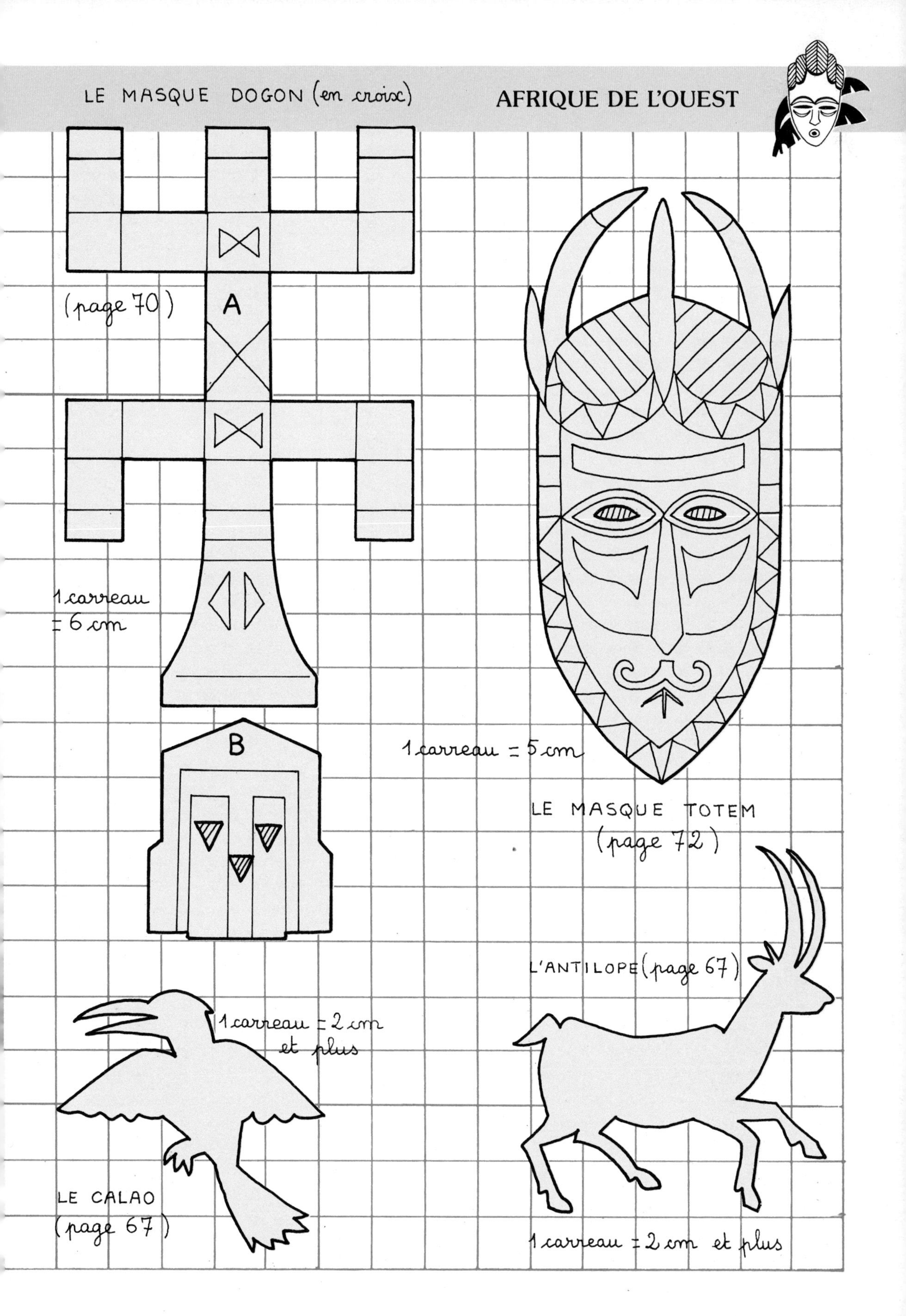
LE MASQUE DOGON (en croix)
(page 70)
A
1 carreau = 6 cm
B
1 carreau = 5 cm
LE MASQUE TOTEM
(page 72)
1 carreau = 2 cm et plus
LE CALAO
(page 67)
L'ANTILOPE (page 67)
1 carreau = 2 cm et plus

Bibliographie

Découverte de l'Afrique Noire. Spécial Monde et Voyages. Larousse.
Parures Africaines. Denise Paulme et Jacques Brosse. Hachette, 1956.
Reflets de la Côte d'Ivoire. S.A.E.P., Colmar, 1983.
Masques et Marottes. Albert Bœkholt. Collection Vie Active, Le Centurion, 1979.
Activités aux couleurs de l'Afrique de l'Ouest. Claude Soleillant. Série 105, Éditions Fleurus, 1976.

Discographie

Les masques Dan. Musique de Côte d'Ivoire. Disque : OCR 52 Harmonia Mundi

Musiques du pays Lobi. Burkina Faso. Cassette : OCR 451 Harmonia Mundi

Manu Dibango. Soul Makossa. Cassette : 103654 MUSIDISC

Touré Kounda. Dunya. Disque : ATT19 MUSIDISC

Percussions d'Afrique. Compact disc : PS 65004 Auvidis

Nomades du désert. Les Peul du Niger. Compact disc : PS 65009 Auvidis

Musées

Arts Africains et Océaniens - 293, av. Daumesnil - Paris 12e

Musée de l'Homme. Département d'Afrique Noire. Palais de Chaillot, Paris 16e

BRÉSIL

BRÉSIL

Le pays

Le plus grand pays d'Amérique du Sud est traversé d'est en ouest par le plus large fleuve du monde, l'Amazone. L'Amazonie occupe tout le nord du pays. Cette immense terre, où domine une impressionnante forêt équatoriale toujours verte, est peuplée d'oiseaux au plumage éclatant, toucans et perroquets multicolores, d'insectes et de reptiles géants.

La côte atlantique, de plusieurs milliers de kilomètres, est ponctuée de grandes villes célèbres : Belem, Fortaleza, Recife, Salvador (Bahia), Rio de Janeiro, l'ancienne capitale, et Porto Alegre.

Érigée au milieu du désert en 1960, Brasilia, capitale moderne, symbole de la renaissance du pays.

Comme tous les pays du Nouveau Monde, le Brésil est une mosaïque de peuples : Amérindiens, Africains, Portugais — ils ont donné la langue nationale —, mais aussi plus récemment Italiens et Allemands. Au total, une population hétérogène de 138 millions d'âmes. La culture indienne, longtemps prédominante, ne tient plus guère de place dans la vie quotidienne des Brésiliens. Seules quelques traditions perdurent : vannerie, masques, coiffes de plumes, poterie, tissage... et le fameux hamac de corde si cher au repos du Brésilien.

Les fêtes traditionnelles

Le calendrier des fêtes brésiliennes est sensiblement le même que celui du monde chrétien occidental. Mais nombreuses sont les fêtes d'origine africaine et indienne, où se mêlent les cultes animistes et la foi catholique apportée par les Portugais.

Troisième semaine de janvier - *Fête de Bahia* : les Bahianaises, vêtues de leur superbe costume traditionnel, large jupe et foison de bijoux fantaisie, forment une longue procession en portant sur la tête des urnes fleuries.

Le 2 février - *Fête de la déesse de la mer Yemanja à Salvador de Bahia* : les pêcheurs se réunissent pour des offrandes à la déesse de la mer, venue de traditions africaines.

Février - *le Carnaval de Rio* : c'est le plus célèbre du monde, avec son défilé des écoles de samba, deux jours et deux nuits durant, en plein cœur de la ville. C'est le moment de tous les défoulements, de tous les débordements de costumes, de paillettes, de plumes, de musiques et de lumières. D'autres carnavals ont également lieu à Recife, à Bahia...

Juin - c'est l'époque des feux de joie de la Saint-Jean, des fêtes célébrant le maïs, céréale principale au Brésil, des lancers de montgolfières en papier et des fêtes villageoises.

Juin - *la fête de la Bumba-Meu-Boi (« Boum, mon bœuf »)* : il s'agit d'une fête très répandue dans les campagnes. Revues, farces, suite de sketchs récités par des « acteurs », relatant les événements qui ont marqué la vie du village, mettent en scène les membres typiques de la communauté : paysans, prêtre, médecin, Indiens, ainsi que des animaux tels que le vautour, le cheval, le jaguar, et bien entendu le bœuf, personnage essentiel de la fête, représenté par un acteur au visage recouvert d'un masque très décoré.

Le 31 décembre - *la Saint-Sylvestre à Rio* : le long des plages de Rio, des barques fleuries sans pêcheurs sont poussées vers le large, pendant que des gens vêtus de blanc entrent dans l'eau pour offrir des présents à la déesse de la mer. Des bougies plantées dans le sable illuminent les plages. La fête annonce l'année nouvelle.

Un repas aux couleurs de l'Amazonie

Décor d'un soir pour un repas exotique, typiquement brésilien, à l'atmosphère chaude et joyeuse. Décorer les murs de branches géantes, de lianes souples, de très grandes feuilles d'arbre en papier de couleur. Sur cette végétation luxuriante, fixer des papillons géants, des perroquets et des toucans au bec multicolore, découpés dans du papier fort et décorés aux feutres ou à la gouache. Motifs pp. 94-95.

Décoration de la table
Recouvrir une grande table d'une nappe blanche en coton imprimée de motifs au *pochoir* (voir dans l'introduction) très simples : petits palmiers, tranches d'oranges et de melons, nénuphars, soleils et feuilles dentelées. Les motifs peuvent être dessinés directement sur le tissu avec des feutres spéciaux conçus pour l'impression sur tissu. Fixer les dessins au fer à repasser, sur l'envers.

L'ART CULINAIRE BRÉSILIEN

Les traditions culinaires indiennes persistent dans des plats à base de manioc et de poissons dans les régions amazoniennes. En revanche, la chaleur, la couleur de l'Afrique et du Portugal se dégustent dans des ragoûts épicés et pimentés. Le Brésil possède un plat national : la *Feijoada*, soupe épaisse à base de haricots noirs et garnie de viande de bœuf, de côtelettes de porc, de saucisses et servie avec du riz blanc et des tranches d'oranges. Très difficile à réaliser, on en trouvera la recette dans des livres de cuisine sud-américaine.

Le pot-au-feu brésilien

Pour 10 personnes
Préparation et cuisson : 3 à 4 heures
Ingrédients : *1 kg de macreuse (bœuf), 1 kg de palette de porc, 500 g de veau, 400 g de poitrine fumée de porc, 2 grosses saucisses fumées, 500 g de patates douces ou de pommes de terre, 600 g de pulpe de potiron, 5 carottes, 3 navets, 3 oignons, 2 tomates, bouquet garni, gros sel, poivre.*
Pour épaissir le bouillon : *200 g de farine de manioc.*
Pour la sauce : *1 oignon haché, 1 piment vert haché, gousse d'ail hachée, 4 citrons verts, sel, poivre.*

Dans un grand faitout, porter à ébullition 3 litres d'eau et y plonger le kilo de macreuse. Après une demi-heure de cuisson, ôter l'écume avec une écumoire et ajouter le porc, le veau, les saucisses, le bouquet garni, les oignons entiers et le gros sel. Poivrer. Faire cuire deux heures au minimum. Ôter l'écume de temps en temps.

Ajouter les autres légumes : pommes de terre, potiron coupé en dés, carottes en rondelles, navets en morceaux, tomates coupées en quatre. Faire cuire trois quarts d'heure.
Sortir les viandes, les légumes et le bouquet garni ; les disposer sur un grand plat chaud. Verser la farine de manioc dans le bouillon et faire cuire jusqu'à épaississement.

Pour la sauce : délayer tous les ingrédients dans 4 cuillers à soupe de bouillon épaissi. Dans chaque assiette, déposer de la viande et des légumes ; ajouter une louche de bouillon épaissi ; puis verser la sauce pimentée.

La daurade farcie aux crevettes

Pour 5 personnes
Cuisson : 40 minutes
Ingrédients : *daurade de 1,5 kg entière vidée, 15 bouquets cuits (grosses crevettes), 1 verre de chapelure, 1 oignon haché, 50 g de beurre, 1 verre de vin blanc sec, persil, sel, poivre.*

Dans une poêle, faire fondre le beurre et y verser les crevettes décortiquées, coupées en morceaux, et l'oignon haché. Saler et poivrer. Verser un peu d'eau au besoin. La farce doit être ferme.
Poser le poisson dans un grand plat et le farcir avec le mélange. Coudre l'orifice. Arroser de vin blanc ; saler et poivrer.
Faire cuire au four 40 minutes (6 au thermostat). Arroser le poisson de temps en temps. Servir avec du riz blanc et du persil haché.

Les croquettes à la viande

Pour 5 personnes
Préparation et cuisson : 20 minutes
Ingrédients : *750 g de viande hachée, oignon haché menu, 3 cuillers à soupe de crème fraîche épaisse, huile, sel, poivre, sauce tomate épicée.*

Bien mélanger la viande hachée, le sel, le poivre et l'oignon, puis la crème fraîche.
Avec une cuiller à soupe, former des boulettes et les faire frire à la poêle, dans l'huile bien chaude.
Les croquettes doivent être bien dorées, fermes et former une croûte.
Les servir chaudes avec une sauce tomate bien épicée.

Les pruneaux fourrés

Pour 5 personnes
Préparation : 30 minutes
Cuisson : 5 minutes
Ingrédients : *400 g de pruneaux dénoyautés, 350 g de sucre en poudre, 400 g de noix de coco finement râpée, 2 jaunes d'œuf.*

Faire fondre quelques minutes le sucre en poudre dans une casserole avec une cuillerée à soupe d'eau, à feu très doux. Ajouter la noix de coco et les jaunes d'œuf. Remuer. Faire cuire très doucement pendant 5 à 8 minutes sans cesser de tourner.
Fourrer les pruneaux avec la pâte de noix de coco. Servir avec le café.

La salade de fruits au citron

Pour 6 personnes
Préparation : 15 minutes
Ingrédients : *1 boîte d'ananas coupé en morceaux, 1 papaye mûre, 2 bananes, amandes mondées, 1 mangue, 1 orange, le jus de 4 citrons, noix de coco en poudre, 1 cuiller à soupe de rhum blanc, 2 cuillers à soupe de sucre en poudre.*

Dans un grand saladier, verser les morceaux d'ananas sans le sirop, la papaye et la mangue découpées en morceaux, les bananes et l'orange en fines rondelles, les amandes coupées en très petits morceaux.

Verser le sucre, puis le rhum. Mélanger et ajouter le jus de citron. Saupoudrer de noix de coco.
Placer deux heures au réfrigérateur.

Les boissons

Servir du thé brésilien, appelé « maté », du jus de fruits naturel ou très légèrement alcoolisé, de la bière brune ou blonde, du chocolat chaud ou froid très onctueux, du café...

La boisson glacée

Pour un grand verre
Ingrédients : *2 boules de crème glacée, 2 dl de lait glacé, 2 cuillers à soupe de sirop de fruit.*

Verser les ingrédients dans un mixer électrique. Battre quelques secondes et servir avec une paille. Boire rapidement.

DÉCORS ET DÉCORATIONS

Les animaux lumineux

Matériel : *boîte en carton, carton, colle, gouache indélébile, papier aluminium, 2 bougies pour chauffe-plat, cutter.*

Ces lanternes, réalisées dans des boîtes en carton, sont suspendues ou posées sur le sol les jours de fête. Les écailles ou les plumes découpées sur le corps des animaux, ainsi que les couleurs vives peintes à l'intérieur, en font des supports d'éclairage originaux.

Pour le crocodile : coller des dents de carton sur les longueurs de la boîte. Dessiner les écailles, puis les découper au cutter. Peindre à l'intérieur de la boîte avec des couleurs vives. Découper une tête et une queue en carton et les peindre. Décorer également l'extérieur de la boîte. Coller la tête et la queue. Ajouter quatre pattes et les coller sous le corps, à l'horizontale.

Fixer un rectangle de papier aluminium sur le fond de la boîte, puis coller les bougies. Placer le crocodile dans un coin sombre.

Pour le toucan : ajouter un gros bec très coloré, deux ailes et deux pattes.

Pour le poisson : fixer la tête, la queue et les deux nageoires supérieures.

Le boa articulé

Matériel : *7 feuilles de carton de 50 × 65 cm, gouache indélébile ou gros feutres, vrille, ruban ou ficelle.*

Le boa constrictor du Brésil peut atteindre six mètres de long ! Il n'est pas venimeux, mais sa taille a de quoi impressionner.

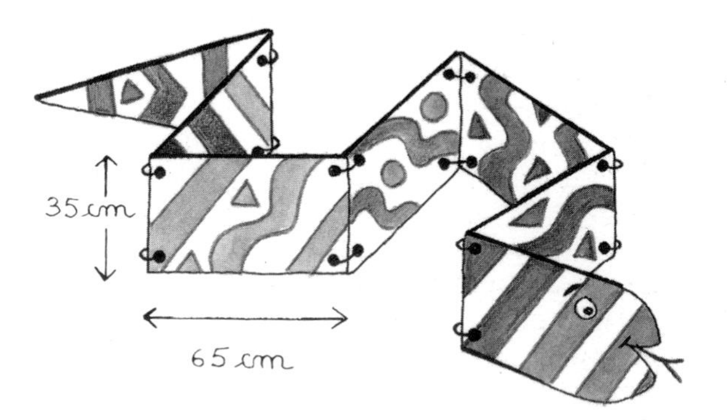

Dans chaque feuille de carton, découper un rectangle de 35 × 65 cm. Découper la tête et la queue. Percer des trous dans les angles. Décorer toutes les facettes du boa au verso et au recto.
Attacher les sept parties les unes aux autres à l'aide de rubans ou de ficelle.
Poser le boa au sol ou le suspendre.

LES MONTGOLFIÈRES

Les montgolfières

Matériel : *petits ballons de baudruche à gonfler ou gonflés au gaz léger (parcs zoologiques, parcs d'attraction), fil de lin pour la cuisine, petites boîtes en carton, cylindriques ou cubiques, ruban adhésif repositionnable, gouache indélébile, feutres.*

Gonfler les ballons et attacher l'embouchure avec un fil assez long.
Décorer les ballons aux feutres.
Sur chaque ballon, fixer un fil de lin horizontalement et un autre verticalement. Maintenir avec du ruban adhésif repositionnable.
Fixer la nacelle et y glisser des friandises et des petits cadeaux.
Suspendre les montgolfières à portée de la main pour que l'on puisse atteindre les friandises.

Le lancer des montgolfières
A l'occasion de fêtes célébrées en juin, des montgolfières en papier sont lancées dans les airs.
Réaliser les montgolfières de la même façon mais gonfler les ballons avec du gaz léger.
Garnir les nacelles d'un petit personnage en papier, collé à l'intérieur. Sur le pourtour, fixer des petits sacs de tissu très fin contenant des messages, des poèmes, des devinettes ou des adresses.
Lâcher les ballons... pour une destination inconnue.

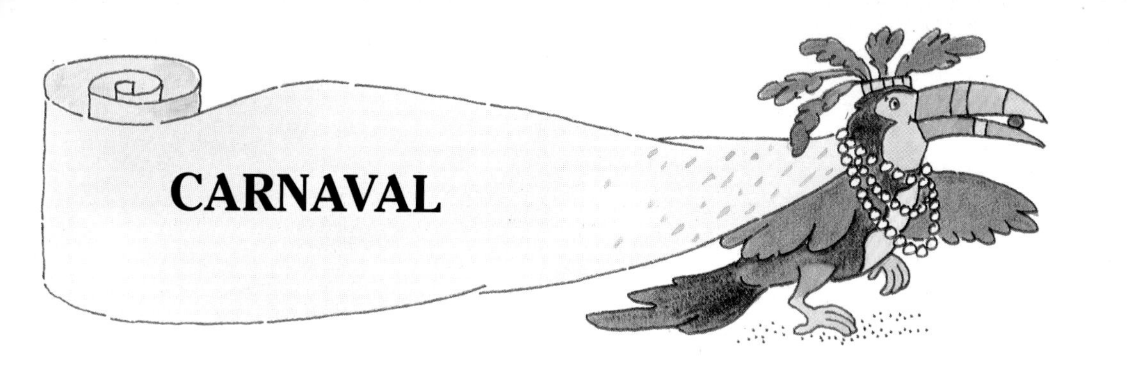

CARNAVAL

Le papillon

Matériel : *fil de fer assez fort, pince à métal, tissu soyeux pour doublure ou voile pour rideaux, ficelle fine en lin, fil ou agrafeuse, colle pour tissu, 1 mètre de tourillon, paillettes en poudre, maillot de bain, foulard ou bonnet de bain*

La réalisation de cet habit de carnaval demande plusieurs jours.
La structure est réalisée en fil de fer ou de laiton assez fort, en quatre parties. Les ailes doivent être grandes et déborder largement.
Les assembler entre elles avec de la ficelle fine et les poser bien à plat sur le sol protégé de papier journal (voir croquis page suivante).
Consolider les ligatures avec de la colle forte.
Laisser sécher une journée.
Retourner la structure et encoller l'autre côté des ligatures. Laisser sécher.
Découper le tissu à 3 cm du fil de fer.
Cranter tous les arrondis ; rabattre les crans sur l'envers et les coller ou les coudre.

La pose du tissu sur la structure est délicate. Aussi est-il nécessaire de prendre son temps, pour que le tissu soit bien tendu.
Décorer les ailes de morceaux de tissu fin et brillant.
Pour masquer les imperfections, déposer de longs filets de colle et saupoudrer de fines paillettes. Laisser sécher.

BRÉSIL

Dessiner des nervures au feutre fin ou coller des paillettes selon le même tracé.

Fixer le tourillon horizontalement avec du fil de lin. Ajouter deux rubans que l'on nouera autour de la taille pour fixer les ailes sur le porteur.

Pour le corps du papillon : sur un maillot de bain une pièce, fixer à l'avant et au dos un pan de tissu ou de feutrine de même couleur. Nouer un foulard sur la tête et y coudre deux antennes (chenilles, cure-pipes).

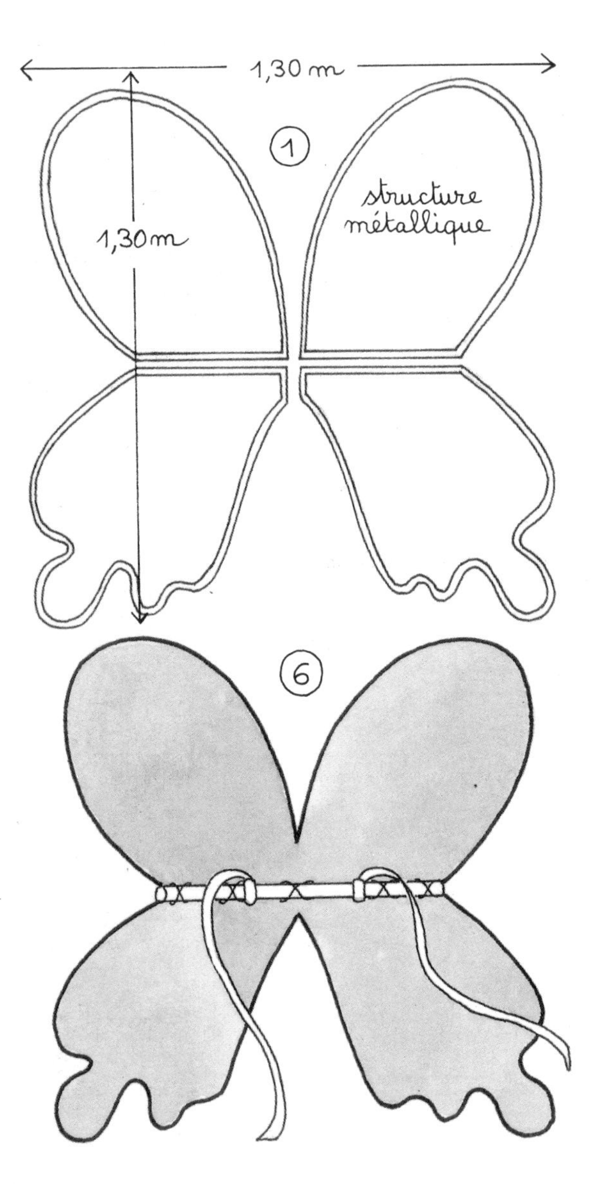

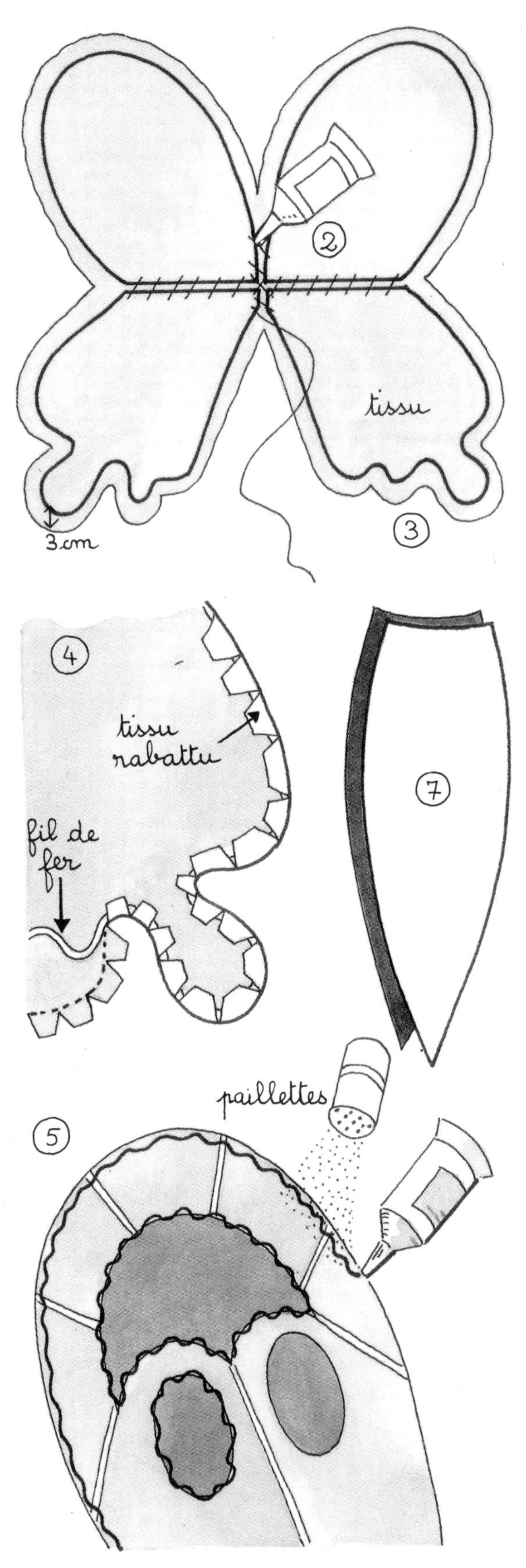

Le danseur-musicien

Matériel : *tissu uni ou feutrine, en deux coloris contrastés, rose vif et turquoise par exemple. Deux feuilles de carton souple de 50×65 cm, fil et aiguille, colle, gouache acrylique. T-shirt à manches courtes, short de plage très coloré, rubans.*

La danseuse de Rio

Matériel : *haut de maillot de bain, petit foulard, type « Bandana », jupe longue et large, de couleurs vives, tissu, ruban, anneaux pour oreilles, 5 longs colliers de perles, carton souple, boules de cotillon, papier de couleur, élastique, agrafe.*

Pour la collerette : découper un grand rond de tissu ou de feutrine et couper l'encolure. Souligner le pourtour d'une bande de papier de couleur cousue ou collée et décorer de ronds de couleur. Plier la collerette en deux et marquer le pli des épaules au fer à repasser. Sur le pourtour de la collerette et au bas du T-shirt, coudre ou coller des rubans de couleurs vives.

Pour le chapeau haut-de-forme : reproduire les différents éléments donnés page 95 et les découper dans du carton souple.

Monter le chapeau suivant les croquis ci-dessous. Coller et maintenir par des agrafes si nécessaire.
Décorer de motifs aux couleurs vives.

Sous la poitrine, fixer un volant de tissu formé d'une longue bande froncée cousue sur un élastique souple de 2 cm de large. Attacher les extrémités avec une agrafe. Orner chaque bras d'un volant de tissu. Coudre trois volants de hauteur différente sur la jupe longue. Nouer un petit foulard sur la tête.
Confectionner la coiffe dans un cylindre de carton entièrement orné de fruits et de feuilles artificiels : grappe de raisin en boules de cotillon, quelques fleurs en papier crépon ou en tissu, feuilles de vigne. L'ensemble doit être bien fourni et très coloré.
Fixer deux rubans au bas de la coiffe.

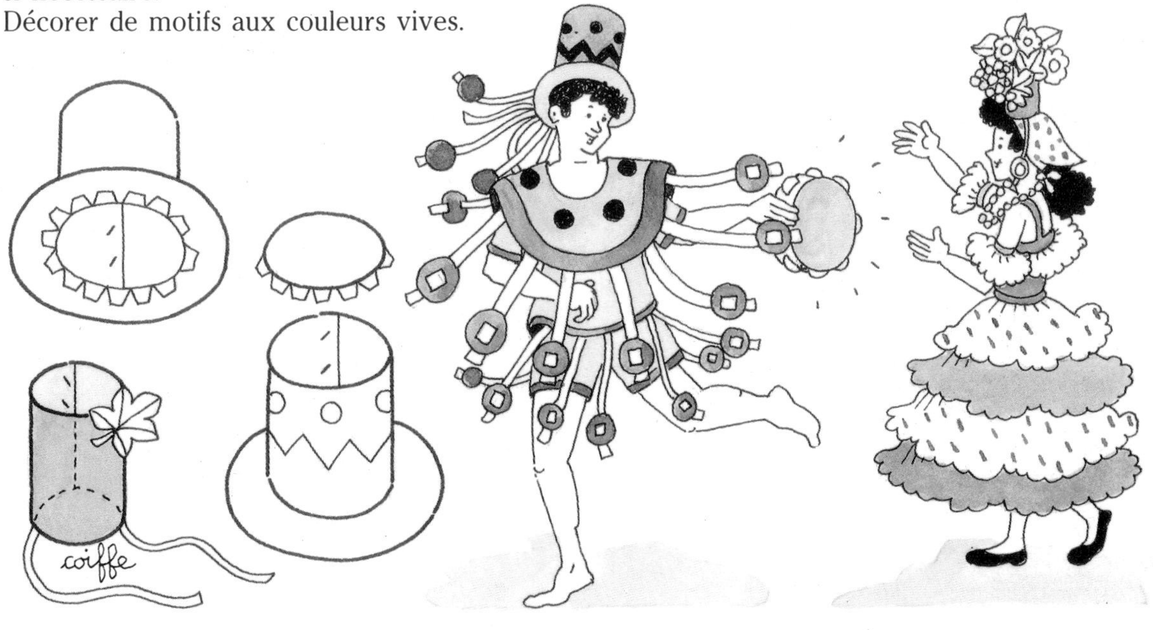

BRÉSIL

Le jaguar, le loup et le bœuf

Matériel : *grands sacs en papier ou papier kraft blanc ou beige, gouache indélébile, gros pinceau, colle, vêtements assortis au thème choisi.*

Les jeunes enfants pourront facilement réaliser ces panoplies.
Sur le bord du sac, découper une fenêtre pour les yeux et le nez. Coller les oreilles et les cornes. Décorer à la gouache. Au besoin, ajouter quelques moustaches en papier, une queue à l'arrière, une langue pendante, etc.

40 à 45 cm
18 cm
90 cm

LES JEUX

Les piranhas et les pêcheurs

Nombre pair de joueurs : 12 maximum
Thème : *les piranhas, féroces poissons des eaux douces de l'Amazonie, sont guettés par des pêcheurs et tentent de leur échapper pour rejoindre le fleuve.*

Règle du jeu
On forme deux équipes égales : les piranhas et les pêcheurs. Les pêcheurs forment un cercle en se donnant la main. Les poissons se placent au milieu. Ils cherchent à s'évader en passant sous les bras des pêcheurs, qui les en empêchent en se baissant ou en se serrant les uns contre les autres pour former un filet infranchissable. Au bout de dix minutes, s'il reste plus de la moitié des poissons au centre, ce sont les pêcheurs qui ont gagné ; et vice-versa.

Un jeu de hasard :
les animaux

Nombre illimité de joueurs plus un meneur de jeu
Matériel : *15 fiches en carton de 10×15 cm, 15 images ou photos d'animaux, colle.*

Ce jeu est inspiré du célèbre *Jogo de bichos*, loterie officielle et ... illégale.
Coller chaque image d'animal sur une fiche en carton. Les retourner et les mélanger.

Règle du jeu
Les joueurs se placent devant le meneur de jeu qui tient toutes les fiches retournées. Il demande quel est le nom de l'animal représenté sur la fiche, dont il présente le verso. Chacun répond d'abord au hasard, puis par déduction, compte tenu des fiches déjà présentées. Une carte est nécessaire à chaque joueur pour inscrire ses points. Le gagnant est celui qui aura deviné le plus grand nombre d'animaux.

Les chercheurs d'or

Nombre de joueurs : 5 et un meneur de jeu
Matériel : *objets en métal doré, argenté, en bois, en porcelaine, en fer et en mousse, papier d'emballage, bolduc, foulard.*

Le meneur de jeu choisit les objets et les enveloppe dans du papier maintenu par du bolduc. Ne pas oublier d'inscrire la matière (fer, or, carton, etc.) sur l'emballage.

Règle du jeu
On dispose les paquets sur une table. Un premier joueur, les yeux bandés, s'approche de la table, tâte et soupèse les paquets. Après réflexion, il en choisit un ; s'il devine la matière, il marque un point et le paquet est ôté du jeu. Le gagnant est celui qui a deviné le plus d'objets en or.

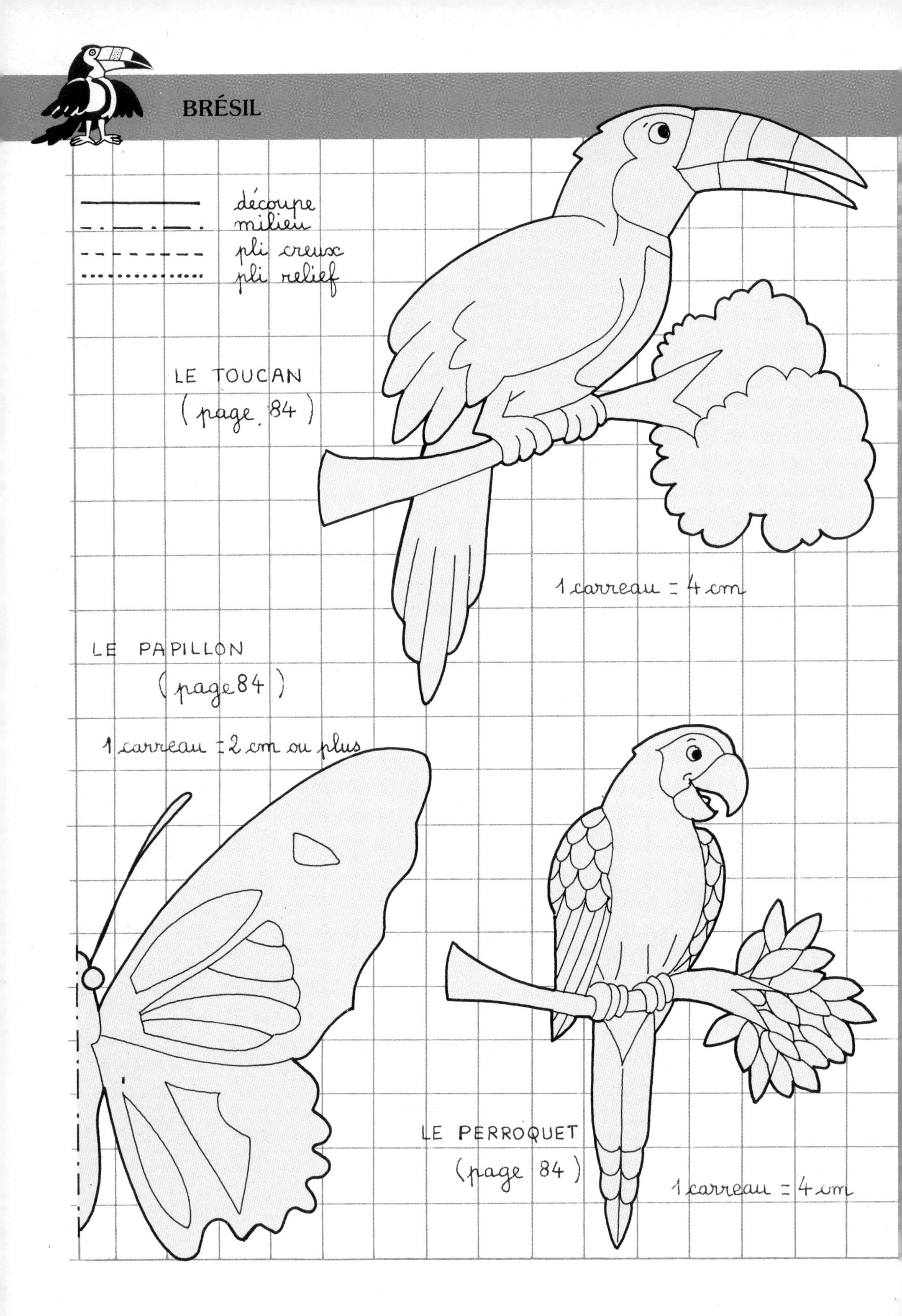

découpe
milieu
pli creux
pli relief
LE TOUCAN
(page 84)
1 carreau = 4 cm
LE PAPILLON
(page 84)
1 carreau = 2 cm ou plus
LE PERROQUET
(page 84)
1 carreau = 4 cm

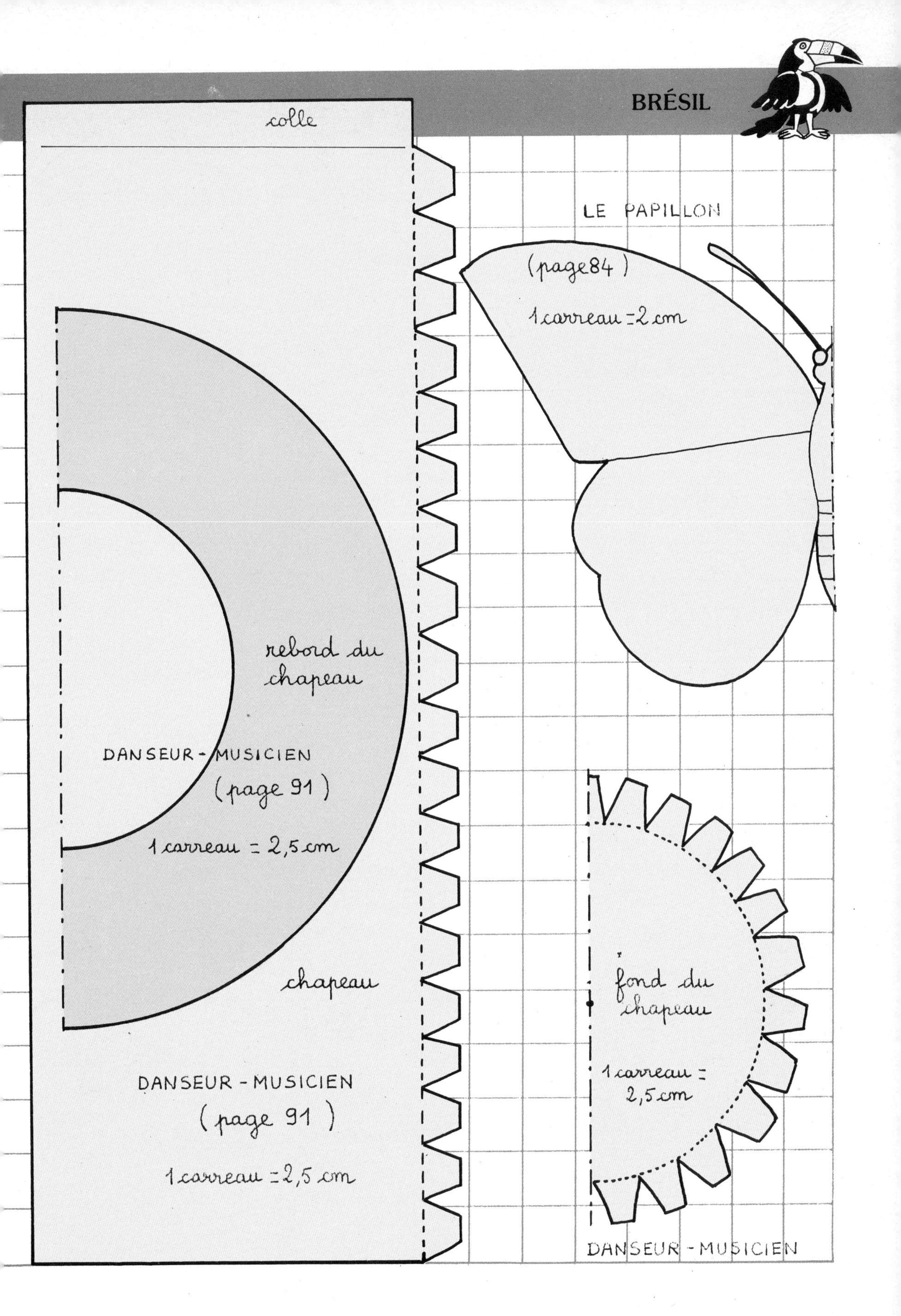
colle
LE PAPILLON
(page84)
1carreau =2cm
rebord du
chapeau
DANSEUR - MUSICIEN
(page 91)
1 carreau = 2,5 cm
chapeau
DANSEUR - MUSICIEN
(page 91)
1carreau =2,5 cm
fond du
chapeau
1 carreau =
2,5 cm
DANSEUR - MUSICIEN

Bibliographie

Bouteilles de sable coloré. Geneviève Ploquin. Série 101, Éditions Fleurus, 1985. (Un artisanat traditionnel du Brésil).

Le Brésil. Collection Monde et voyages. Larousse, 1984.

Brésil, Terre magique. Marcel Isy-Schwart. Presses de la Cité, 1981.

La gastronomie à travers le monde. Raymond Oliver. Hachette, 1963.

La cuisine des Amériques. Fabrienne Germain. RMC Édition, 1987.

Contes d'Amérique du Sud. Gründ.

Contes traditionnels du Brésil. Luis Da Câmera Cascudo. G.P. Maisonneuve et Larose, 1978.

Discographie

Musique du Haut-Xingu. Disque : OCO 558517 OCORA Harmonia Mundi - Cassette : OCO 4558517

Tiao do Brasil. Sebastiao Rocha. Compact disc : PS 65012 Auvidis

Grands carnavals d'Amérique. Compact disc : PS 65008 Auvidis

Le génie de Baden Powell. Disque : 114851 MUSIDISC

Musiques et chants du Brésil. Teca et Ricardo. Disque : 194471 MUSIDISC

MEXIQUE

Le pays

Passerelle entre les deux Amériques, le Mexique est un vaste pays de 2 millions de km², constitué essentiellement d'un plateau entouré de hautes chaînes de montagnes. Le centre du pays est une région volcanique, sujette à de fréquents séismes, dont le tremblement de terre qui a secoué Mexico en 1985 est l'un des récents et terribles exemples. Terre fabuleuse, riche en souvenirs précolombiens : Mayas, Olmèques, Zapotèques, Mixtèques et Aztèques. Depuis des millénaires, ces peuples avaient un haut degré de connaissance dans tous les domaines, astronomie, mathématiques, sculpture, architecture, orfèvrerie et céramique.

C'est du Mexique que sont originaires le maïs, depuis quatre millénaires, les haricots, le cacao, le coton, la tomate, l'agave, le blé et le riz, ainsi que la vanille et le tabac. Le dindon est également d'origine mexicaine.

Grâce à ses multiples origines, le Mexique connaît un folklore étonnant. Très nombreuses, les fêtes sont souvent un heureux mélange de rites catholiques venus d'Espagne et précolombiens. La musique et le costume y tiennent une place importante.

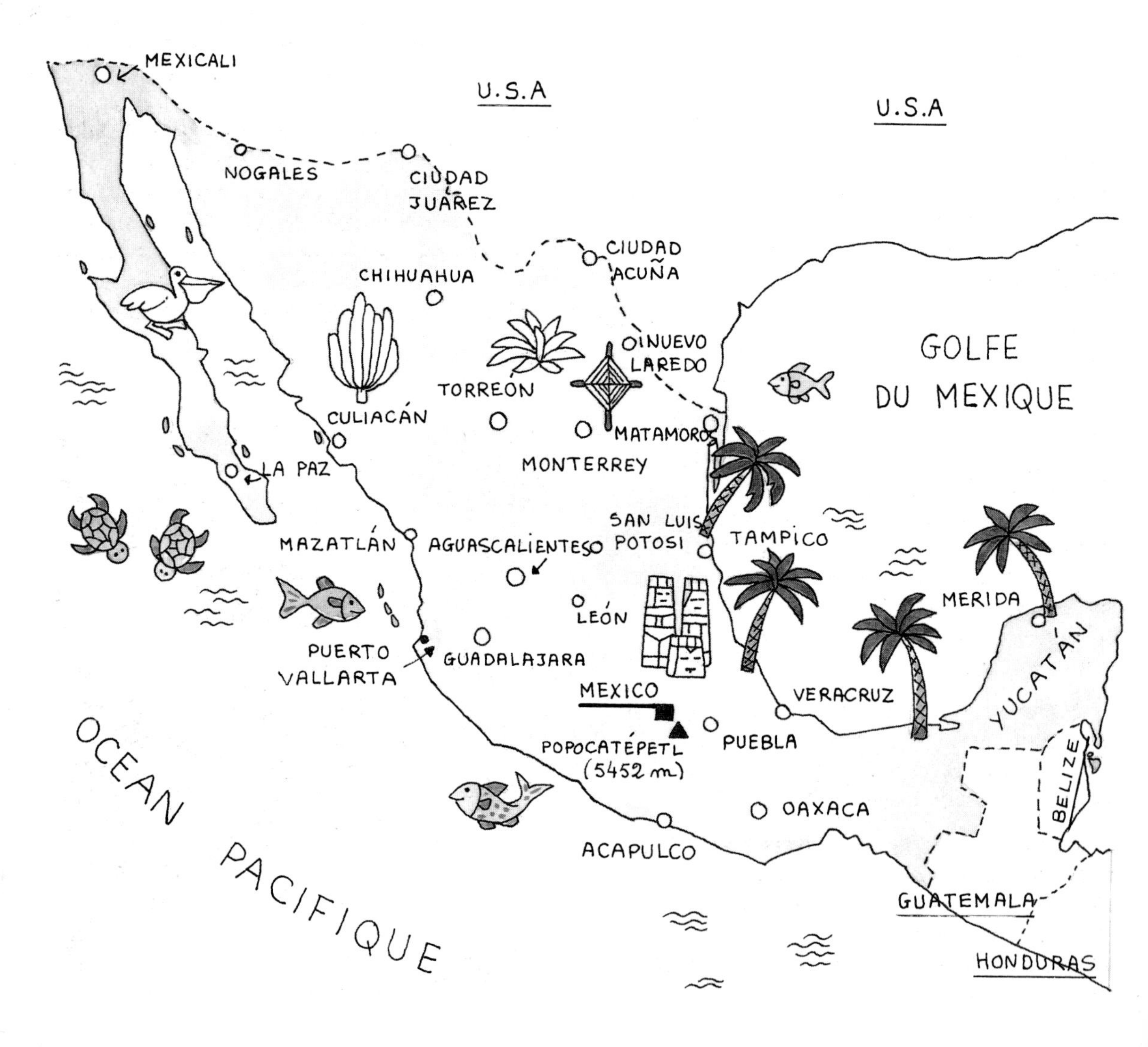

Les fêtes traditionnelles

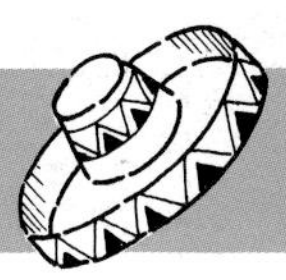

Le 6 janvier - *l'Epiphanie*: cette fête chrétienne est célébrée dans tout le pays. Ce jour-là, les enfants reçoivent des cadeaux.

Le 21 janvier - *la fête de Zinacantán*, ville de l'extrême sud du pays. Seuls les hommes participent à cette fête insolite. Certains, barbouillés de noir, représentent les « Géants », d'autres vêtus de capes de mousse, symbolisent les montagnes ; d'autres encore, un épi dans la bouche, figurent les oiseaux. Les hommes trépignent sur place et dansent... puis soudain s'élancent vers l'église du village en brandissant des écureuils empaillés.

Le 8 mai - *la fête de Ixtepec*: les paysans et ouvriers des montagnes environnantes se mettent en route pour Ixtepec, ville du Sud, trois jours avant la fête. La procession chemine sur une centaine de kilomètres, précédée d'un danseur-flûtiste. Une statue de la Vierge est portée sur un brancard et suivie de merveilleuses bougies ciselées en forme de fleurs.

Le 16 septembre - *la fête nationale de l'Indépendance*: dans tout le pays, les Mexicains se retrouvent sur les places publiques pour le cri de l'Indépendance. De superbes feux d'artifice illuminent la nuit.

Le 24 octobre - *la fête de Ciudad Acuña*, ville au nord-est, à la frontière des États-Unis: grands défilés de chars allégoriques.

Du 1er au 3 novembre - *la fête des Morts*: les boulangeries mexicaines présentent des devantures chargées de têtes de morts moulées en sucre, aux yeux multicolores. Sur leur front est écrit un prénom et chacun offre à sa compagne... une délicieuse tête de mort en sucre à son nom !
A Merida (Yucatán), repas à base de poulet (recette maya).

Le 30 novembre - *la fête de la Saint-André*: dans certaines villes du Sud, les habitants célèbrent la Saint-André par de grandes processions et des réjouissances hautes en couleur.

Décembre - *Noël*: nombreuses processions nocturnes, et organisations de *Piñata*. Il s'agit d'un jeu traditionnel. On confectionne une marionnette creuse (poupée, oiseau ou autres animaux, fruit ou bouquet de fleurs), à l'intérieur de laquelle on met des sucreries et des petits objets. La Piñata est agitée, tandis que les enfants, les yeux bandés, un bâton à la main, la frappent à tour de rôle pour la briser et en faire tomber les sucreries. On organise aussi cette fête dans les écoles.

Ambiance et décor de la table

La pièce où se tient le repas peut être décorée de guirlandes multicolores en papier et de faux fruits et légumes. On recouvrira des boules de polystyrène avec du papier de soie froissé et du papier crépon de la couleur du fruit. On ajoutera des feuilles. Ces chapelets de fruits orneront les encadrements des portes et des fenêtres. Sur le sol, disposer de grandes plantes vertes en pot et quelques jolis paniers ou corbeilles en osier remplis de fruits exotiques: ananas, mangue, orange...
Disposer petits bouquets et grands napperons colorés en dentelle de papier. De jolis tissages de lanières de papier de couleur feront également d'agréables sets de table.
Utiliser de la vaisselle en terre cuite émaillée.

L'ART CULINAIRE MEXICAIN

La cuisine mexicaine est très variée, simple, haute en couleur et en saveur. Elle est aussi économique, les produits de base (maïs, haricots, piments, poivrons, tomates, oignons) étant très bon marché.

Les Tortillas

Pour 20 tortillas
Préparation : 5 minutes
Cuisson : entre 45 et 60 minutes
Ingrédients : *200 g de farine de maïs, 150 g de farine de blé, un verre d'eau, 75 g de beurre, 1 œuf, sel.*

Ces galettes de farine de maïs remplacent notre pain. La tortilla fait traditionnellement office d'assiette, de fourchette et de cuiller.
Dans un grand saladier, verser les farines. Faire un puits et y casser l'œuf. Mélanger avec une cuiller en bois.
Ajouter l'eau, le sel et le beurre fondu. Remuer à nouveau.
Former des boulettes et les aplatir entre les deux paumes. Former ainsi des disques de 12 cm de diamètre environ.
Faire dorer les tortillas comme des crêpes, dans une poêle huilée, deux minutes de chaque côté. Les maintenir au chaud dans du papier aluminium.
On peut farcir les tortillas de gruyère râpé, de parmesan, de guacamole (sauce mexicaine, voir page 101).

Les poivrons farcis

Pour 5 personnes
Préparation : 25 minutes
Cuisson : 20 minutes
Ingrédients : *10 petits poivrons verts, 500 g de steak haché, 3 piments verts et doux, 1 piment vert et fort, 3 oignons, 2 gousses d'ail, 1 tomate, 2 pommes, 50 g de raisins secs, 50 g de beurre, 2 œufs, sel, poivre.*

Sur chaque poivron, découper une petite calotte, puis retirer les graines. Placer les poivrons dans un grand plat allant au four.
Hacher finement les pommes, la tomate, les oignons, l'ail et le piment et ajouter la viande hachée.
Casser les œufs, saler, poivrer et remuer.
Faire fondre le beurre dans une poêle et y verser toute la farce. Cuire à feu doux une dizaine de minutes. Farcir tous les poivrons. Faire cuire au four 20 minutes minimum. Arroser les poivrons farcis avec une sauce au chile*.

* en vente dans les épiceries exotiques.

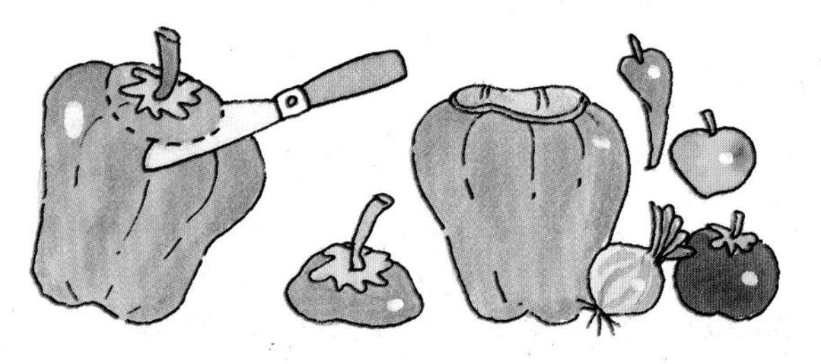

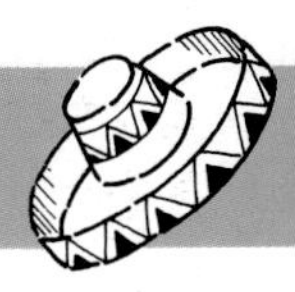

La Guacamole

Pour 6 personnes
Préparation : 10 minutes
Ingrédients : *3 tomates, 4 avocats bien mûrs, une cuiller à soupe de jus de citron, 2 cuillers à soupe d'huile d'olive, 1 poivron vert ou 3 piments frais et doux, coriandre en poudre, persil, 1 gros oignon, sel, poivre.*

Cette sauce accompagne le riz, les tortillas, le jambon et la viande rouge.
Hacher très finement les tomates, les piments ou le poivron, et l'oignon. Réduire la chair des avocats en purée. Ajouter le citron et mélanger. Saler, poivrer et saupoudrer de persil et de coriandre. Remettre le noyau au milieu de la sauce pour éviter que les avocats noircissent.

Les champignons à la tomate

Pour 5 à 6 personnes
Préparation : 35 minutes
Cuisson : 30 minutes
Ingrédients : *1 kg de champignons de Paris, 2 grosses tomates, 2 oignons, 1 poivron vert, 1 piment vert et fort (facultatif), 50 g de beurre, sel, poivre.*

Couper la partie sableuse des champignons, les essuyer et les couper en épaisses lamelles. Couper les tomates en petits morceaux. Ôter les graines du poivron et du piment. Les hacher finement ainsi que les oignons.

Faire fondre le beurre dans une grande poêle et y faire sauter tous les ingrédients. Saler et poivrer. Faire cuire à feu doux une trentaine de minutes, jusqu'à ce que le liquide soit évaporé.

Le riz à la mexicaine

Pour 6 personnes
Préparation : 10 minutes
Cuisson : 25 minutes
Ingrédients : *2 grands verres de riz, 3 piments verts et doux, 1 gros oignon coupé en six, 3 gousses d'ail hachées, 6 cuillers à soupe de petits pois en boîte, 3 cuillers à soupe de concentré de tomate dilué dans quatre grands verres d'eau, 3 cuillers à soupe d'huile, sel, poivre.*

Faire légèrement dorer le riz dans l'huile avec l'ail et l'oignon. Ajouter le concentré de tomate dilué, puis les trois piments hachés très finement et les petits pois. Saler et poivrer. Faire cuire à feu doux 25 minutes.

La salade de cresson

Pour 6 personnes
Préparation : 20 minutes
Ingrédients : *2 bottes de cresson, quelques gros radis, 3 piments verts et doux, 1 petit poivron, 2 avocats, 1 oignon, vinaigrette.*

Laver le cresson, l'éplucher et le verser dans un grand saladier. Couper les radis en rondelles, ajouter les piments et le poivron hachés menu. Couper les avocats en morceaux et l'oignon en fines lamelles. Ajouter une vinaigrette et mélanger avant de servir.

Un poisson cru mariné :
le ceviche

Pour 3 personnes
Préparation : la veille
Ingrédients : *500 g de poisson cru sans arêtes, 1 grande tasse de jus de citron vert, 1 petit piment vert au vinaigre, 1 oignon, 1 gousse d'ail, feuilles de laurier, marjolaine, sel, poivre.*

Faire mariner toute la nuit le poisson coupé en petits morceaux dans le jus de citron additionné de laurier, marjolaine, ail, oignon et piment finement hachés, sel et poivre.

Les meringues

Pour 8 à 10 personnes
Préparation : 15 minutes
Cuisson : très longue (à surveiller)
Ingrédients : *10 blancs d'œufs, 500 g de sucre glace, 2 cuillers à café d'extrait de vanille liquide ou en poudre, 200 g de chocolat noir.*

Recouvrir de papier aluminium deux plaques du four. Préchauffer le four (3 au thermostat).
Monter les blancs d'œufs en neige très ferme.
Ajouter progressivement le sucre glace sans arrêter de battre, puis l'extrait de vanille.
Déposer des cuillerées à soupe de cette préparation sur les plaques du four, en quinconce.
Faire cuire les meringues jusqu'à ce qu'elles jaunissent très légèrement.
Ôter les meringues des plaques avec une spatule ou une pelle à tarte et les poser sur un plat.
Faire fondre le chocolat au bain-marie. Ajouter un peu d'eau. Au moment de servir, verser le chocolat fondu sur les meringues.

Desserts et boissons

Les glaces (*helados*) et les salades de fruits exotiques arrosées de xérès* font également d'excellents desserts.

On servira des jus de fruits, des cocktails de fruits, de la bière, du vin, du café et de la tequila (alcool d'agave). Attention, car cet alcool est très fort.

* Xérès : vin blanc sec du sud de l'Espagne.

DÉCORS ET DÉCORATIONS

L'oiseau de laine

Matériel : *carton de taille au choix, grosse laine aux couleurs vives, noire, blanche, colle.*

Le collage de laine est un art ancien du Nord-Ouest du pays : des tableaux décoratifs étaient offerts aux dieux.
Reproduire le motif ci-dessous sur le carton et coller la laine en suivant le tracé.

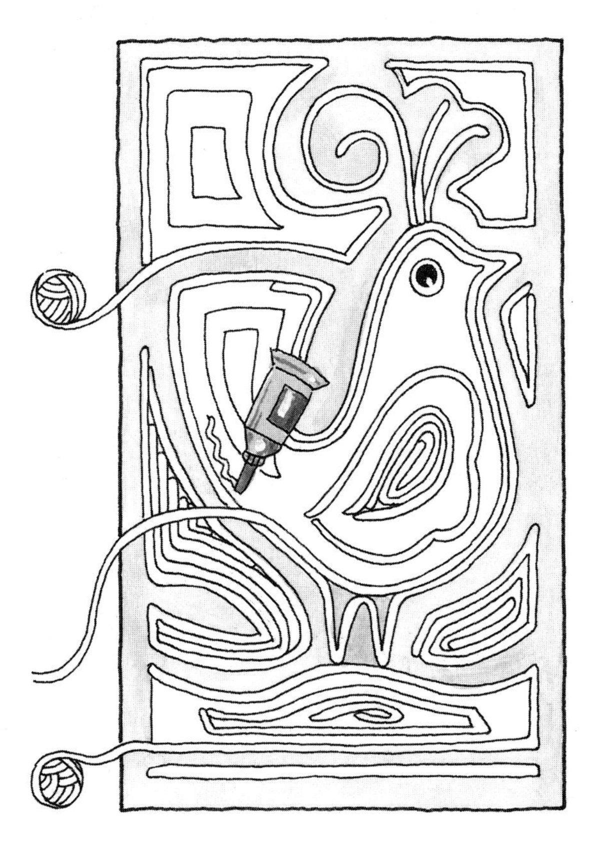

Les boîtes à suspendre

Matériel : *petit ballon de plage, boîte cylindrique ou bouteille en plastique, laines de couleurs, colle.*

Pour obtenir une boîte sphérique, ôter une calotte au ballon. Pour une boîte cylindrique, découper la bouteille à 13 cm de sa base. Encoller les zones à décorer et y placer des brins de laine. Si l'on utilise un ballon décoré de motifs stylisés, on pourra en suivre les contours et les recouvrir de brins de laine.
Pour suspendre la boîte décorée, réaliser une longue tresse multicolore de 90 cm. Utiliser des brins de laine de 1,80 m. Fixer la tresse sur la boîte et la décorer de pompons de couleur. Ajouter quelques rubans.

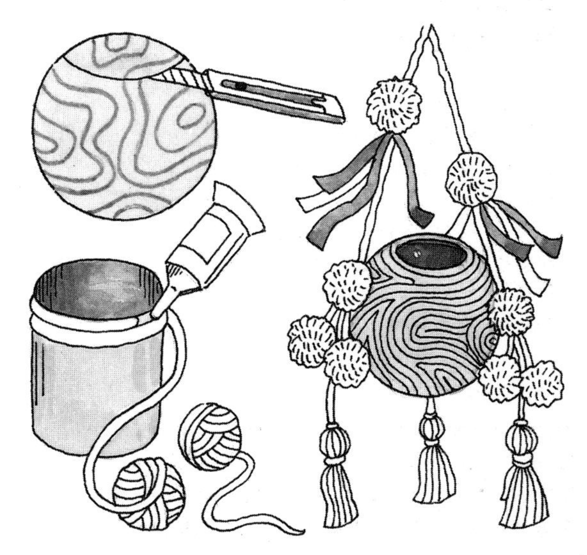

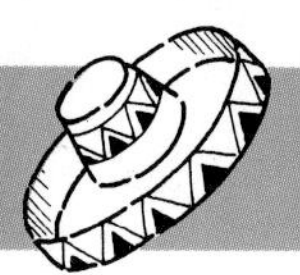

MEXIQUE

L'arbre de vie

Matériel : *pâte à modeler durcissant à l'air (2 ou 3 paquets de 1 kg), fil de fer, baguette de bois de 35 cm de long, une pierre arrondie ou un gros galet, gouache indélébile blanche et de couleurs vives, vernis à gouache.*

Cet arbre décoratif, très coloré, est un symbole de vie et de mort. Les artisans de la région de Puebla, au sud de Mexico, en réalisent de toutes dimensions.
Suivre les croquis, peindre (p. 97) et vernir.

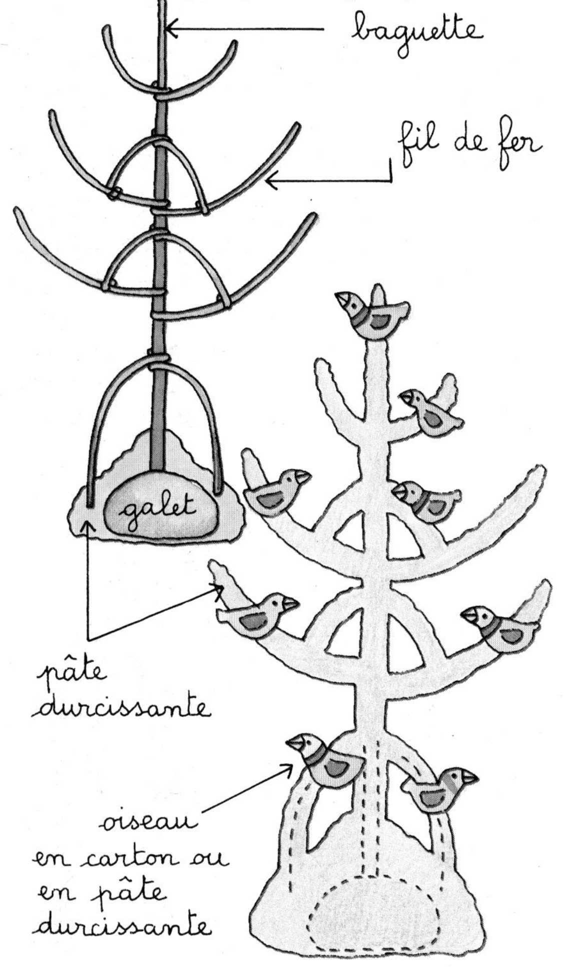

El ojo de Dios

Matériel : *2 baguettes de 20 ou 25 cm de long et de 5 mm de diamètre, pelotes de laine de couleurs vives (4 coloris), colle.*

L'œil de Dieu représente les actions de l'homme durant sa vie. Dans certaines régions d'Amérique du Sud, on réalise cet *ojo de Dios* pour chaque année de vie d'un enfant, comme porte-bonheur.
Suivre les croquis et décorer les extrémités avec des rubans de couleur, des oiseaux, des perles ou des coquillages.

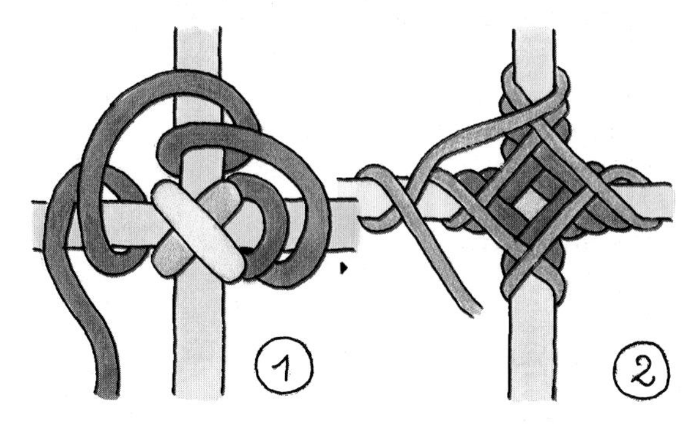

Les oiseaux multicolores

Matériel : *boules de polystyrène, galets ronds, pâte à modeler durcissante, gouache indélébile.*

Recouvrir les boules ou galets d'une épaisse couche de pâte. Modeler pour obtenir des formes stylisées d'oiseaux. Ne pas affiner les détails. Laisser sécher plusieurs jours. Passer une couche de gouache blanche et laisser sécher. Décorer de motifs multicolores.

La statuette décorative

Matériel : *carton léger, carré de bois ou carton fort de 10 cm de côté, pour le socle, plumes de couleur, gouache de couleurs vives, papier calque, colle.*

Pendant certaines fêtes traditionnelles, les Indiens du Mexique dansent autour de statuettes sculptées dans le bois. Les enfants les reçoivent en cadeau à la fin des festivités.
Décalquer le patron (p. 110) de la statuette et le reproduire en double exemplaire sur le carton. Découper les deux silhouettes et les coller l'une sur l'autre, à l'exception des pieds.
Décorer à la gouache ou aux feutres.
Plier les pieds vers l'avant et les coller sur le socle en bois.
Coller quelques plumes sur la coiffe.
Réduite ou agrandie, cette statuette d'inspiration maya, deviendra décor de table, poupée décorative ou panneau mural.

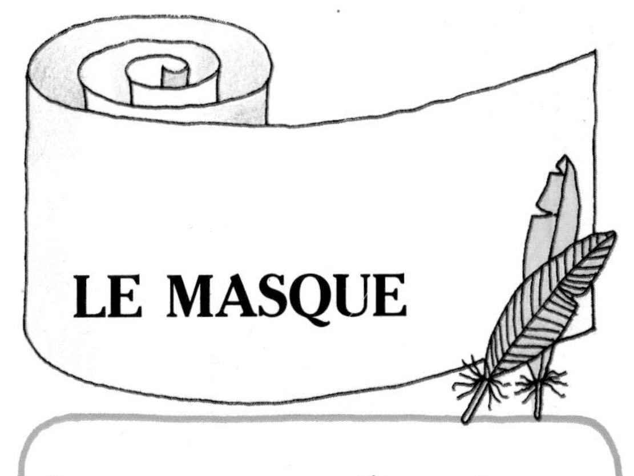

LE MASQUE

Le masque zapotèque

Matériel : *carton léger, cutter, gouache, plumes véritables de couleur, fil élastique.*
Patrons pp. 110-111.

Agrandir le dessin du masque sur le carton en traçant les yeux et le nez à la bonne hauteur. Découper les yeux au cutter ainsi que les arêtes du nez. Découper le masque et le décorer à la gouache.
Sur les plumes du masque, coller de véritables plumes.
Percer deux trous au niveau des yeux et y fixer un fil élastique. On peut également fixer au verso une structure de soutien faite de deux lanières en papier.

Reproduire le motif du **pendentif** dans du carton ou du métal à repousser, et le fixer à une cordelette, pour accompagner le masque.

Le costume masculin est très simple à réaliser : une chemise blanche à manches longues, un pantalon blanc ou un jean clair et une grande couverture, appelée *sarape*, que l'on porte pliée sur l'épaule. Pour confectionner la *sarape*, choisir un grand rectangle de tissu à rayures très colorées et y coudre de longues franges de laine. On porte aussi le traditionnel poncho, appelé *jorongo*. C'est un grand rectangle de lainage fendu en son centre pour y passer la tête.

Le costume féminin est également facile à réaliser : un T-shirt blanc à manches courtes ou un chemisier décolleté, sur lequel il faut coudre des galons brodés au bas des manches et autour du col. La jupe est réalisée dans un grand rectangle de tissu de couleur, froncé à la taille et orné de galons de couleur. Coudre également les fronces à 5 cm du bord du tissu. La jupe est retenue par une ceinture. Faire dépasser les fronces au-dessus de la ceinture. Ajouter quelques rangs de perles autour du cou, des anneaux aux oreilles et des fleurs dans les cheveux. Voir le dessin page 97.

Le chapeau mexicain

Matériel : *3 feuilles de papier à dessin fort (300 g) de 50×65 cm, colle, punaise, fil solide, petit crayon, gouache, agrafeuse.*

Reproduire les pièces A, B, C du patron de la page 111 (taille adulte) sur du papier fort. Construire le chapeau suivant les croquis. Coller et agrafer. Décorer le rebord de motifs géométriques.

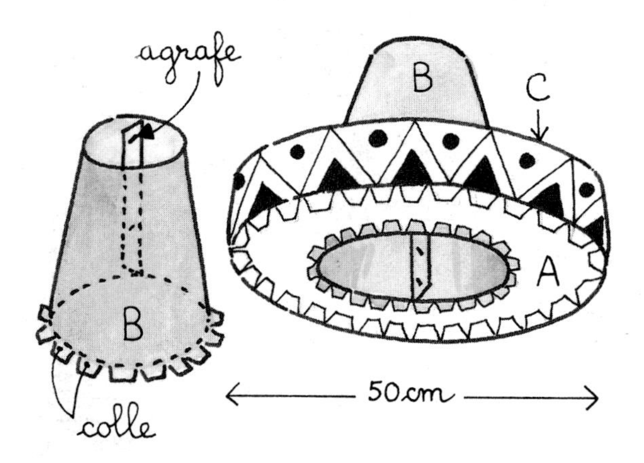

Le danseur indien de Mexico

Matériel : *feutrine, papier crépon rouge, vert et jaune, colle forte, rectangle de tissu satiné de 1 × 1,50 m pour la cape, fil de laiton, boules de cotillon, agrafeuse, ruban effrangé*, carton.*

Prévoir un T-shirt blanc et un short (ou un maillot de bain).
Dans de la feutrine pliée en double, découper le diadème. Ajouter des pendentifs de papier de couleur au niveau des oreilles et décorer de morceaux de feutrine de couleur. Agrafer les extrémités.
Réaliser de grandes plumes en papier crépon montées sur un fil de laiton. Les agrafer à l'arrière du diadème.
Réaliser le plastron dans une seule pièce de feutrine. Marquer les pliures des épaules au fer à repasser et ouvrir le dos. Décorer de motifs de feutrine collés. Sur le pourtour du plastron, coudre à grands points du ruban effrangé.
Découper deux pagnes identiques en feutrine et les décorer de motifs de feutrine de couleur. Ajouter des franges sur le pourtour. Fixer à grands points les deux pièces de feutrine sur l'élastique du short ou du maillot. Froncer la largeur du rectangle de tissu satiné et coudre deux rubans d'attache.

Les hauts bracelets des poignets et des bras sont réalisés en feutrine de couleur, ainsi que les ornements des jambes.
Confectionner deux bracelets de cheville en carton et les orner de boules de cotillon.

Les patrons (plume, plastron, pagne) se trouvent pages 110-111.

* vendu dans les merceries.

LES JEUX

La piñata

Nombre de joueurs : illimité
Matériel : *papier journal déchiré en petits morceaux et colle de tapissier pour le papier mâché, ballon gonflable, grosse boule de polystyrène, carton, papier crépon, gouache indélébile, cutter, corde mince, bonbons et petits jouets, un bâton pour chaque joueur.*

Préparer la colle à papier peint et y tremper le papier déchiré.
Gonfler le ballon et ligaturer l'embouchure. Puis le recouvrir entièrement d'une épaisse couche lisse de papier mâché détrempé et former une queue.
Appliquer la boule de polystyrène sur le corps de l'oiseau et l'enduire de papier mâché. Former le bec. Ajouter deux ailes de carton et les enduire de papier mâché. Laisser sécher. Sur le dos, à l'aide d'un cutter, découper soigneusement un cercle de 10 cm de diamètre. Procéder doucement pour que le ballon se dégonfle sans éclater, et l'enlever. Percer un trou de chaque côté et accrocher la corde. Verser des bonbons et des petits jouets à l'intérieur de l'oiseau. Refermer.
Peindre la piñata à la gouache indélébile et la décorer de lanières de papier crépon.

La piñata en carton
Percer deux trous dans le fond d'une boîte à chaussures et y fixer la corde. Mettre des bonbons dans la boîte et coller le couvercle. Coller quatre oreilles, deux ailes et deux pattes. Décorer la boîte au recto et au verso à la gouache. Suspendre le hibou.

Règle du jeu
Passer la corde de la piñata au-dessus d'une branche d'arbre ou d'une poutre horizontale. Un adulte se charge de lever et d'abaisser l'oiseau. Les enfants, les yeux bandés, s'approchent chacun à leur tour et frappent l'oiseau avec leur bâton. Dès que l'oiseau commence à se casser et à perdre son contenu, les enfants enlèvent leur bandeau et se précipitent pour ramasser les sucreries tombées de la piñata.

Les oreilles et la queue de l'âne

Nombre de joueurs : 5 ou 6
Matériel : *grande feuille de papier kraft blanc, feutres, foulard.*

Règle du jeu
Fixer sur un mur ou un panneau la grande feuille de papier kraft sur laquelle un âne sans queue ni oreilles a été dessiné. Chaque joueur choisit un feutre (une couleur par joueur). On bande les yeux du premier joueur, qui ne doit en aucune façon toucher le panneau avec ses mains. Avec son feutre, il doit dessiner les oreilles et la queue de l'âne. Le second joueur tente aussi sa chance et ainsi de suite, jusqu'à ce que quelqu'un place les oreilles et la queue au bon endroit. Les résultats sont pour le moins surprenants !

La place du marché

Nombre de joueurs : 5
Matériel : *5 plateaux identiques à rebord étroit, contenant chacun un œuf dur et quatre balles de couleur (rouge, verte, bleue, jaune) ; un chronomètre, des chaises, des bûches, des bancs, bandes de tissu bleu de 70 cm de large pour figurer des ruisseaux.*

Tracer sur le sol une ligne de départ. Délimiter un parcours comprenant des obstacles : chaises à escalader, bancs et ruisseaux à enjamber, bûches, et arrivant « place du marché »... Numéroter ces obstacles.

Règle du jeu
Le premier concurrent se place sur la ligne de départ, son plateau rempli sur la tête. Il le tient d'une main, l'autre devant rester dans le dos. Il doit suivre le parcours le plus vite possible, sans faire tomber les objets. A l'arrivée, on comptabilise ses objets et l'on inscrit son temps sur une fiche. Et ainsi pour chaque concurrent. Si un joueur tombe ou se trompe d'obstacle, il est éliminé. Le gagnant est celui qui est arrivé sur la place du marché dans le meilleur temps, avec un maximum de balles sur son plateau.

MASQUE ZAPOTEQUE
(page 105)
1 carreau = 3 cm
LA STATUETTE
(page 105)
grandeur réelle
L'AMULETTE
(page 105)
1 carreau = 2 cm
découpe
milieu
pli creux
pli relief

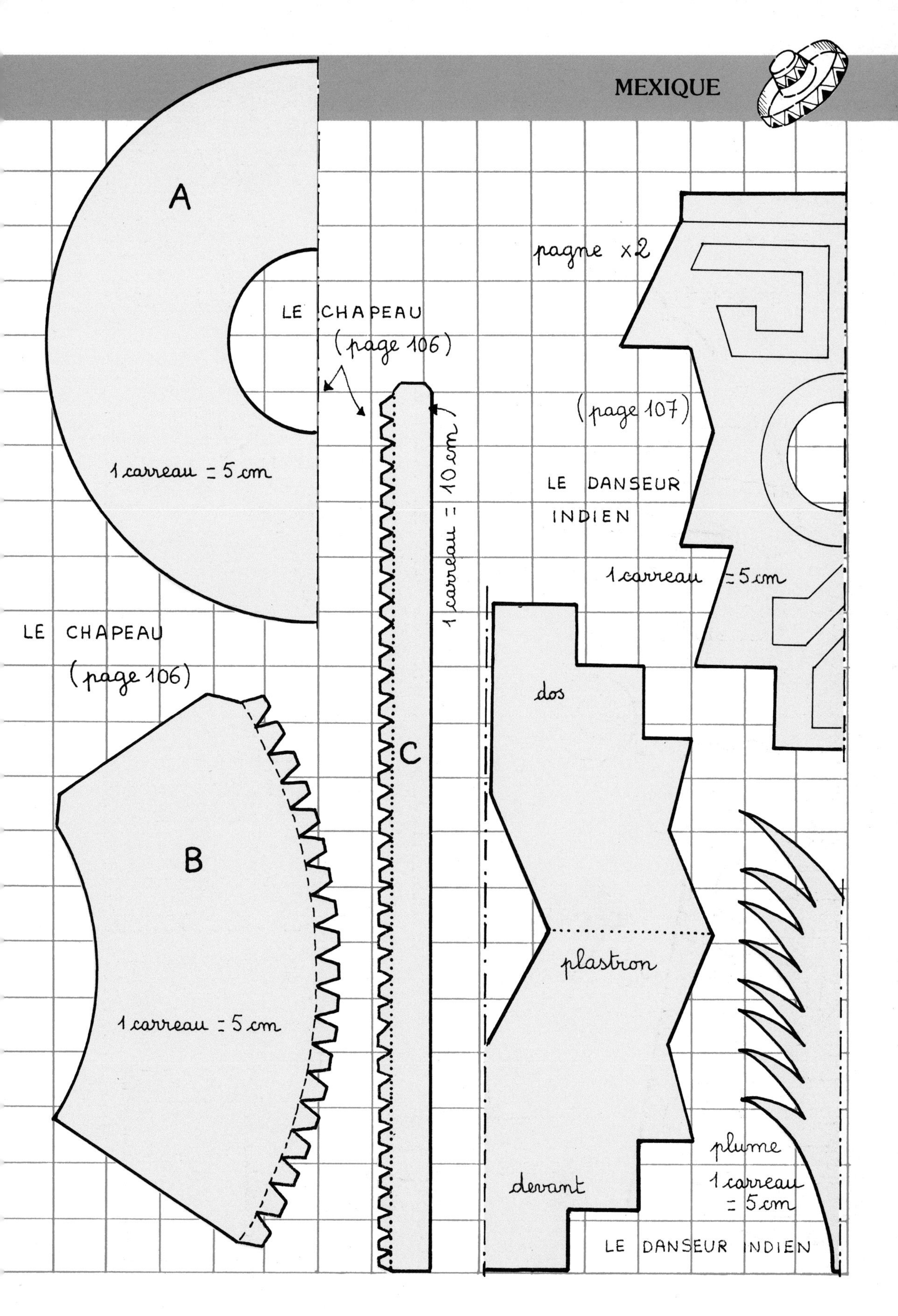
A
LE CHAPEAU
(page 106)
1 carreau = 5 cm
C
1 carreau = 10 cm
LE CHAPEAU
(page 106)
B
1 carreau = 5 cm
pagne x2
(page 107)
LE DANSEUR INDIEN
1 carreau = 5 cm
dos
plastron
devant
plume
1 carreau = 5 cm
LE DANSEUR INDIEN

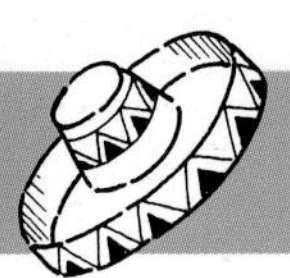

Bibliographie

Le Mexique. Collection Monde et voyages. Larousse, 1987.
Mexique. Guide Arthaud, 1987.
La cuisine des Amériques. Fabienne Germain. RMC Édition (Éditions de Radio Monte-Carlo), 1987.
Cuisine mexicaine. C.I.L. vie pratique / cuisine, 1985.
Papier mâché. Renaud Legrand. Série 101, Éditions Fleurus, 1985.
Activités aux couleurs du Mexique. Claude Soleillant. Série 105, Éditions Fleurus, 1975

Discographie

Fiesta mexicana. FRANCISCO ARAIZA. Compact disc et disque DGG Polygram

Los Mariachis. Mariachi MIGUEL DIAZ. Compact disc : 300122 MUSIDISC

Viva Mexico ! Mariachis et Marimbas. Compact disc : PS 65001 Auvidis

USA

Le pays

Christophe Colomb et les explorateurs espagnols du Nouveau Monde appelèrent les indigènes « Indiens », car ils pensaient avoir rejoint le bout du monde connu, l'Inde. Malgré une immigration cosmopolite dès le XVIIe siècle, le pays garda une forte empreinte « indienne ».

Les États-Unis sont une fédération d'Etats immenses et parfois éloignés, comme l'Alaska, Hawaii et Porto Rico : un territoire de plus de dix millions de km². La population totale est de 240 millions d'habitants, d'où une densité relativement faible. Et il faut savoir que 25% des Américains vivent à la campagne.

Des neiges de l'Alaska aux terres brûlantes du Sud-Ouest, des régions tempérées de l'ouest à la Floride tropicale, chaque parcelle de terre marque la diversité du pays. Forêts luxuriantes, déserts (la vallée de la Mort), marais saumâtres, chaînes de montagnes : une géographie démesurée. Ours polaires, bisons, coyotes, crotales, alligators de Floride, tortues géantes du Texas : une faune extraordinaire. Cactus-cierges des déserts, orchidées, bambou et palmiers d'Hawaii, séquoias géants de Californie : une flore exubérante.

Outre les fêtes locales de plein air et les fabuleux parcs d'attraction, il subsiste aussi beaucoup de fêtes traditionnelles célèbres dans le monde entier.

Les fêtes traditionnelles

Janvier - *le carnaval de la Nouvelle Orléans* : les rues de la cité du jazz sont envahies d'immenses chars fleuris, de costumes somptueux et extravagants, de flambeaux et de... jazz.

Avril - *le dimanche de Pâques* : à l'ombre des gratte-ciel new-yorkais, une parade populaire défile. Chapeaux merveilleux ou cocasses, ornés de fleurs artificielles, s'exhibent allègrement.

4 juillet - *le jour de l'Indépendance* : c'est la fête nationale ; fanfares, défilés de chars, déguisements, bruits de pétards...

31 octobre - *Halloween* : ou la fête des esprits et des sorcières. A l'aide de potirons évidés, peints à l'image de leurs héros favoris, les enfants confectionnent des lanternes. A la tombée de la nuit, déguisés, leur lanterne à la main, ils font la tournée des maisons de leur quartier pour quémander quelques pièces de monnaie et des sucreries.

4e jeudi de novembre - *Thanksgiving day* : cette fête commémore l'arrivée des colons anglais sur le sol du Nouveau Monde en 1621. Depuis lors, on se réunit autour d'une dinde (anciennement un dindon sauvage) aux airelles et d'une tarte au potiron.

La période de Noël : durant tout le mois de décembre, les rues, les écoles, les magasins et les maisons sont décorés de couronnes de houx et de sapins illuminés.

La décoration de la table et l'ambiance du brunch

Les Anglais décoraient autrefois leurs tables de fête avec des ananas, devenus outre-Atlantique symboles d'hospitalité. Placer quelques ananas sur la table en les calant avec des petits bouquets de fleurs.
Pour donner une soirée dans la plus pure tradition américaine, habiller la table d'une grande nappe à carreaux ou à motif écossais. Décorer le centre de la table de couronnes de feuillages piquées de fleurs séchées. Confectionner un décor floral miniature à côté de chaque assiette : fleurs des champs, petites couronnes, nids de mousse surmontés de pommes de pin dorées ou multicolores.

Pour un week-end estival, organiser sur une terrasse ou dans le jardin un brunch* au soleil entre amis.
Préparer un buffet simple et varié où chacun grignotera selon son appétit : corbeilles de brioches, de pains aux raisins, aux noix, saucisses-cocktail, quelques salades variées, olives, fromages, fruits, gâteaux secs salés et sucrés, lait vanillé, Coca-Cola et café.
Composer à l'avance des bouquets de petites fleurs noués avec des rubans de couleur, pour offrir aux invités. Pour les enfants, préparer une caisse remplie de petits jouets, gadgets, billes, jeux de cartes, badges de stars, cassettes de chanteurs rock.

* A mi-chemin entre le « breakfast » et le « lunch », le brunch est une tradition typiquement américaine.

L'ART CULINAIRE AMÉRICAIN

Non ! Les Américains ne mangent pas que des hot-dogs, des hamburgers et ne boivent pas que du Coca-Cola. Il en est souvent tout autrement. En voici la preuve.

La dinde farcie aux airelles

Pour 10 personnes
Préparation : 40 minutes
Cuisson : 4 heures
Ingrédients : *une dinde de 7 kg ou plusieurs gros poulets, 150 g de beurre.* **Pour la farce :** *500 g de pain rassis émietté, 500 g de chair à saucisse, le cœur et le foie de la dinde, 50 cl de lait ou de bouillon de poule, 2 gros oignons, 150 g de beurre, zestes d'orange, 200 g d'amandes effilées, persil et herbes de Provence, sel et poivre.* **Pour la sauce :** *500 g d'airelles* au naturel, 200 g de sucre en poudre, un demi-citron pressé.*

Faire fondre le beurre dans une poêle et y faire dorer les oignons coupés en petits morceaux. Retirer du feu.
Dans un saladier, mélanger le pain émietté, la chair à saucisse, le persil, les herbes, le foie et le cœur hachés, des zestes d'orange et les amandes. Pétrir et ajouter le lait ou le bouillon.

* en vente dans les grandes surfaces.

Pétrir à nouveau, verser les oignons et le beurre fondu. Saler et poivrer. Placer la farce à l'intérieur de la dinde et coudre l'orifice.
Mettre les airelles égouttées dans une casserole à fond émaillé, y ajouter un peu d'eau et le jus du citron.
Faire frissonner quelques minutes sur le feu en écrasant légèrement les baies avec une cuiller ; au besoin, ajouter de l'eau, puis le sucre en poudre.
Remettre à feu doux pendant dix minutes.
Laisser reposer au frais quelques heures.
Mettre la dinde dans un grand plat allant au four. Arroser de jus d'orange, saler, poivrer et parsemer de noisettes de beurre.
Faire rôtir 4 heures à 165°C (3-4 au thermostat). Vérifier la cuisson de temps en temps et arroser régulièrement.
Servir avec la sauce aux airelles réchauffée et une salade verte aux noix.
Pour une ambiance de *Thanksgiving*, décorer la table de pommes de pin peintes, de châtaignes, de petits bouquets de fleurs séchées...

Les brochettes

Pour 6 personnes
Préparation : 25 minutes
Cuisson : selon le goût
Ingrédients : *1 kg de viande de bœuf, 2 poivrons verts, 3 oignons, sel, poivre.*

Couper les oignons et les poivrons en morceaux.
Découper la viande en dés de 3×3 cm.
Enfiler le tout sur des brochettes métalliques.
Saler et poivrer. Cuire au four ou au barbecue.

La sauce Barbecue

Préparation : 20 minutes
Cuisson : 25 minutes
Ingrédients : *2 oignons finement hachés, 3 gousses d'ail émincées, 2 cuillers à soupe d'huile d'olive, 1 cuiller à soupe de moutarde, une pincée de cannelle en poudre, 1 cuiller à soupe de sucre semoule, 2 cuillers à soupe de vinaigre de vin, sel de céleri, poivre et herbes de Provence, concentré de tomate, paprika.*

Faire dorer les oignons et l'ail une dizaine de minutes dans l'huile d'olive.
Ajouter le concentré de tomate dilué dans 20 cl d'eau. Remuer et ajouter les autres ingrédients.
Faire mijoter un quart d'heure à feu doux.

Un plat au four :
les baked potatoes

Préparation : 20 minutes
Cuisson : fonction de la grosseur des pommes de terre
Ingrédients : *grosses pommes de terre, crème fraîche, ciboulette, sel, poivre, papier aluminium.*

Bien nettoyer les pommes de terre et les essuyer.
Les envelopper avec leur peau dans le papier aluminium.
Les placer sur la grille au milieu du four et cuire à feu moyen (5 au thermostat).
Verser la crème fraîche dans un grand bol ; y ajouter la ciboulette hachée, le sel et le poivre.
Sur chaque pomme de terre chaude, faire deux entailles sur le dessus. Écarter les fentes et verser la sauce.
Les *baked potatoes* accompagnent les viandes rouges, les steaks, les rôtis et les brochettes.

USA

Le poulet Maryland

Pour 6 personnes
Préparation : 20 minutes
Cuisson : 45 minutes
Ingrédients : *un poulet de 1,2 kg, tranches de bacon, chapelure, 2 jaunes d'œuf, farine, huile, sel, poivre.*

Les Américains aiment le poulet (*chicken*) et l'accommodent de mille manières. En voici une très simple.
Découper le poulet en six morceaux.
Enfariner chaque morceau, puis étaler du jaune d'œuf au pinceau et tremper dans la chapelure. Saler et poivrer.
Faire sauter le poulet dans un poêlon avec de l'huile.
Disposer les morceaux de poulet bien dorés dans un grand plat sur des tranches de bacon grillé. Servir avec une sauce à la crème fraîche et à la ciboulette, et une salade verte.

Une salade sucrée-salée :
La salade Waldorf

Pour 6 personnes
Préparation : 25 minutes
Ingrédients : *branches de céleri, 2 pommes vertes, 2 pommes rouges, 1 banane, feuilles de salade verte émincées, 200 g de noix sèches décortiquées, le jus d'un citron.*

Couper le céleri et les pommes non épluchées en petits dés, et la banane en rondelles.
Verser dans un grand saladier, ajouter la salade émincée et les noix. Arroser avec le jus de citron et mélanger.
Servir avec une mayonnaise bien relevée.

La tarte au potiron : le Pumpkin Pie

Pour 6 personnes
Préparation : 30 minutes
Cuisson : 1 heure
Ingrédients : *500 g de purée de potiron, 4 œufs, 250 g de crème fraîche, 6 à 7 cuillers de lait entier, 4 cuillers à soupe de sucre blanc, 6 cuillers à soupe de sucre brun, 1 cuiller à café de gingembre en poudre, quelques pincées de cannelle en poudre, sel, 300 g de pâte brisée en sachet (surgelée ou non).*

Pour la purée de potiron : couper le potiron en deux et ôter les graines. Extraire la pulpe et faire fondre dans une casserole avec un peu de lait ou d'eau.
Dans un saladier, battre longuement les œufs et les deux sortes de sucre. Lorsque le mélange est mousseux, verser la purée de potiron et les épices. Mélanger et ajouter le lait et la crème fraîche.
Huiler un moule à tarte de 25 cm de diamètre minimum et le garnir de pâte brisée.
Verser la mousse de potiron. Bien l'étaler sur la pâte.
Faire cuire au four, à feu fort pendant 8 à 10 minutes, puis réduire la chaleur (3-4 au thermostat). Laisser au four pendant 45 minutes.
Saupoudrer la tarte chaude de sucre brun. Laisser refroidir.

Les biscuits au chocolat : les Brownies

Pour 70 pièces environ
Préparation : 20 minutes
Cuisson : 30 minutes
Ingrédients : *250 g de beurre, 500 g de sucre en poudre, 1 cuiller à soupe de vanille liquide, 4 œufs, 250 g de chocolat noir en tablette, 250 g de farine, 150 g de noix coupées en morceaux.*

Couper le beurre et le chocolat en petits morceaux.
Faire fondre le chocolat dans une casserole à fond émaillé, à feu très doux, et y ajouter le beurre. Remuer constamment.
Dans un grand saladier, fouetter ensemble le sucre et les œufs. Lorsque le mélange est mousseux, ajouter la vanille, le chocolat fondu et mélanger.
Incorporer la farine petit à petit et ajouter les noix.
Sur une plaque creuse allant au four, recouverte de papier aluminium huilé, verser la pâte en une seule couche.
Faire cuire environ 30 minutes à feu moyen. Le milieu de la pâte doit rester tendre.
Laisser refroidir et découper en carrés de 4 à 5 centimètres de côté.

Les boissons

Selon les goûts de chacun, prévoir des cocktails de jus de fruits (alcoolisés ou non), du Coca-Cola, de la limonade, du vin de Californie, des milk-shakes, du thé et du café.

Le milk-shake à la fraise

Pour un verre
Préparation : 5 minutes
Ingrédients : *5 fraises bien mûres, 1 cuiller à soupe de sucre, 2 boules de glace à la vanille, 10 cl de lait.*

Nettoyer les fraises, les couper en morceaux et les écraser à la fourchette avec le sucre. Verser la purée de fraises dans un grand verre, ajouter la glace à la vanille et le lait. Passer le tout au mixer ou battre à la fourchette. Servir aussitôt avec une paille.

On peut évidemment remplacer les fraises par des poires, de la pulpe de noix de coco en poudre, des framboises, du chocolat en poudre ou du sirop de fruit.

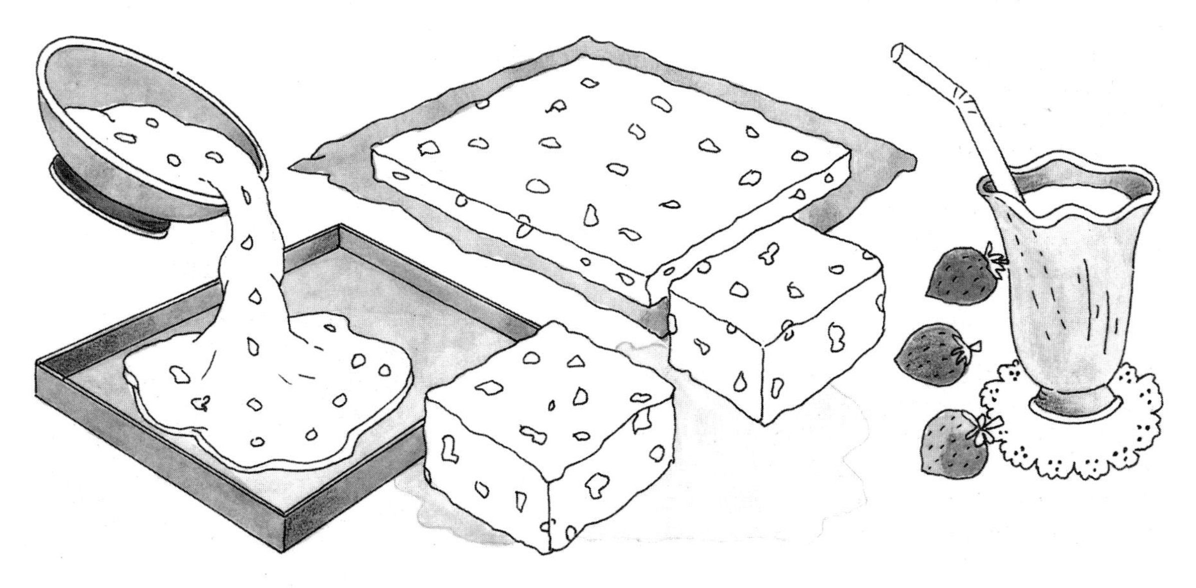

DÉCORS ET DÉCORATIONS INDIENS

La faune si typique d'Amérique du Nord inspirera de nombreux motifs stylisés pour décorer les murs, les sols, les nappes et les déguisements : aigles, ours, cerfs, bisons, castors, coyotes... Motifs ci-dessous et pp. 134-135. Les motifs peuvent être réalisés au pochoir sur du tissu, du papier, du carton ou découpés dans du papier de couleur ou de la feutrine. Les motifs géométriques inspirés des tissages de perles des Indiens du Nord ou du Nouveau Mexique sont également de très bons supports.

Le totem

Matériel : *boîtes et grands cartons d'emballage, chutes de papier couleur, gouache indélébile, cutter, colle cellulosique, agrafeuse murale ou ruban adhésif double face, escabeau.*

Totem est un mot d'origine indienne, de la tribu des Algonquins. Il s'agit d'une haute sculpture en bois peint, représentant le plus souvent un animal ou une plante symbolique d'un clan précis.
Si l'imagination reste le meilleur guide, il est tout de même conseillé de s'inspirer des motifs proposés pour avoir une idée de l'apparence du totem.
Décorer toutes les boîtes des motifs choisis. Ajouter quelques matériaux complémentaires : plumes véritables, morceaux d'écorce peinte, papier de couleur, branchages...
Coller les boîtes l'une sur l'autre, en s'aidant d'un escabeau si le totem dépasse 1,50 m.

La tente indienne : le tipi

Matériel : *grand rectangle de tissu de 4×2 m, 5 perches en bois de 2,50 m, une douzaine de bâtonnets de 15 à 20 cm, peinture acrylique, ficelle.*

Le tipi abritait toute la famille. L'entrée était toujours orientée dans la direction opposée aux vents violents qui balayaient la plaine. Il est très facile de réaliser un tipi avec de vieux draps ou une grosse toile.

Découper un demi-cercle de 1,90 mètre de rayon. Patron pp. 134-135.
Au centre de la base, découper un demi-cercle de 13 centimètres de rayon, ainsi que l'ouverture circulaire du devant (deux demi-cercles de 45 centimètres de diamètre).
Planter dans le sol les cinq perches et les fixer entre elles au sommet.
Avant de dresser le tissu sur son armature, le tipi peut être décoré à la gouache acrylique. Utiliser des motifs d'animaux stylisés disposés en frises.
Monter le tipi et refermer les bords à l'aide de bâtonnets passés dans les trous.

LES COURONNES DE NOËL

La confection de couronnes est une activité artisanale qui remonte au Xe siècle av. J.C. La couronne, symbole d'immortalité, est une parure traditionnelle que les peuples anglo-saxons aiment encore réaliser pendant la période de Noël. On peut utiliser tous les matériaux : papier, coton, grillage, rubans, perles, bonbons, boules de cotillon. Voici quelques idées de couronnes pour décorer une table de fête, une terrasse ou le seuil d'une maison durant le mois de décembre.

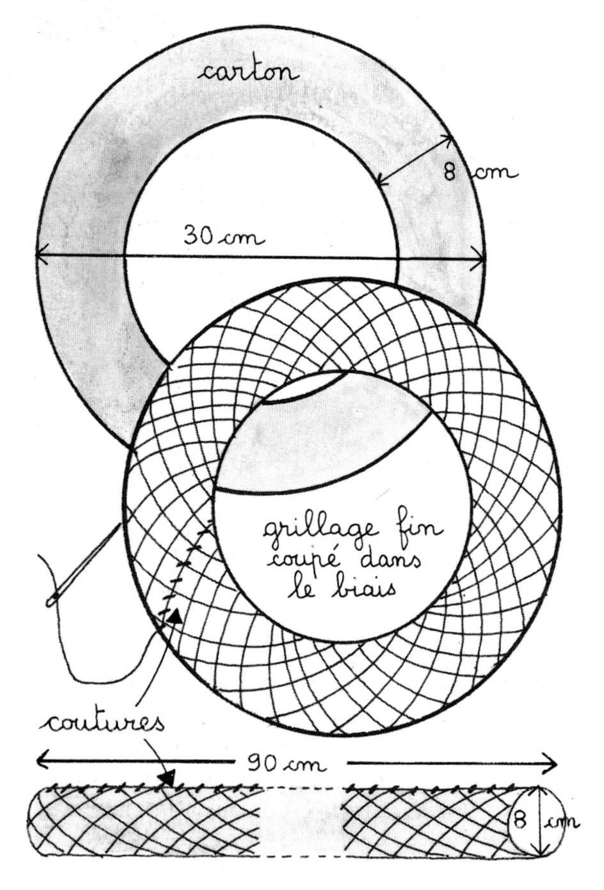

La couronne de houx

Matériel : *anneau de carton ou fin grillage en plastique* ou anneau de polystyrène**, brindilles de sapin, houx, papier de couleur, paillettes, colle.*

A défaut de houx véritable, utiliser des feuilles de papier de couleur.
Ajouter des brindilles de sapin, des nœuds de couleur et saupoudrer de paillettes.

* en vente dans les grandes surfaces ou chez les fleuristes. ** en vente dans les magasins d'articles de travaux manuels.

La couronne de bonbons

Matériel : *grillage fin, bonbons en papillote, sucettes, long ruban de couleur, ruban adhésif double face ou cure-dents.*

Former la couronne et l'habiller d'un long ruban de couleur.
A l'aide de petits morceaux de ruban adhésif double face ou de cure-dents, fixer une grande quantité de bonbons et de sucettes.

La couronne étoilée

Matériel : *carton, ruban, peinture argent ou or, papier de couleur.*

Découper une étoile de carton de 40 centimètres de diamètre et la peindre en argent ou or. Patron p. 134.
Entre chaque branche fixer un ruban.
Décorer d'escargots de papier, d'étoiles, de paillettes, de pommes de pin...

La couronne de tulipes

Matériel : *anneau en carton, papier de soie vert cru, papier de couleur, carton, ruban de couleur, bolduc.*

Sur l'anneau, coller six touffes de papier de soie froissé, denses et volumineuses.
Entre chaque touffe fixer un ruban.
Découper six tulipes en carton et les peindre.
Planter une tulipe au centre de chaque touffe et maintenir avec de la colle.

AUTOUR D'HALLOWEEN

Squelettes, chats noirs, sorcières, crapauds, chauves-souris, corbeaux... Halloween est la fête des esprits ! Pour créer une ambiance inquiétante, enregistrer sur une cassette des bruits terribles et insolites : cris, plaques de métal agitées pour imiter le bruit du tonnerre, miaulements, vent, clapotis d'eau...

Guirlande de fantômes et de chauves-souris

Matériel : *boules de polystyrène, tissu blanc, feutre noir, carton léger noir, fil.*

Recouvrir les boules de polystyrène d'un morceau de tissu blanc. Marquer les yeux et la bouche au feutre noir.
Agrandir le dessin de la chauve-souris (en fin de chapitre), le reproduire sur le carton et le découper.
Former une longue guirlande en intercalant fantômes et chauves-souris. Ajouter quelques croissants de lune en carton.

La lanterne potiron

Matériel : *un potiron bien rond, couteau de cuisine ou cutter, feutre noir, branches mortes, bolduc.*

Découper une calotte assez grande au sommet du potiron et enlever toute la pulpe à la cuiller. Dessiner les yeux et la bouche au feutre. Les découper au couteau ou au cutter. Ajouter une chevelure de branches mortes ou de bolduc. A l'intérieur du potiron, piquer des bougies.
Attention : il ne faut pas préparer la lanterne trop longtemps à l'avance.

La guirlande de potirons

Matériel : *papier crépon de deux teintes contrastées, papier de couleur orange et vert.*

Avec deux longues lanières de papier crépon, réaliser une torsade bicolore.
Découper des potirons de papier orange de différentes grandeurs. Ajouter une queue verte. Marquer les yeux, le nez et la bouche au feutre noir. Agrafer les potirons sur la torsade.
Motif de potiron en fin de chapitre.

La ribambelle de potirons

Matériel : *bande de papier orange de 160×32 cm, papier vert, feutres.*

Plier cinq fois la bande de papier en accordéon. Sur la face supérieure, dessiner la silhouette d'un potiron. Découper en prenant toutes les épaisseurs.
Dessiner les yeux, le nez et la bouche.
Agrémenter la ribambelle de feuilles vertes.

La ribambelle de sorcières

Matériel : *bande de papier noir de 90×27 cm.*

Agrandir le dessin de la sorcière donné en fin de chapitre et le reproduire sur la bande de papier noir, plié en cinq parties égales. Découper et décorer.

USA

La célébration d'Halloween pourra donner lieu à un concours de masques de monstres. Tous les excès sont permis : diables, vampires, vaches-dragons et chats furieux !

Une figurine en papier : **la sorcière**

Matériel : *papier noir, laine, ciseaux, agrafeuse, colle.*

Dans un rond de papier noir de 10 centimètres de rayon, découper une portion de cercle. Former un cône et agrafer.

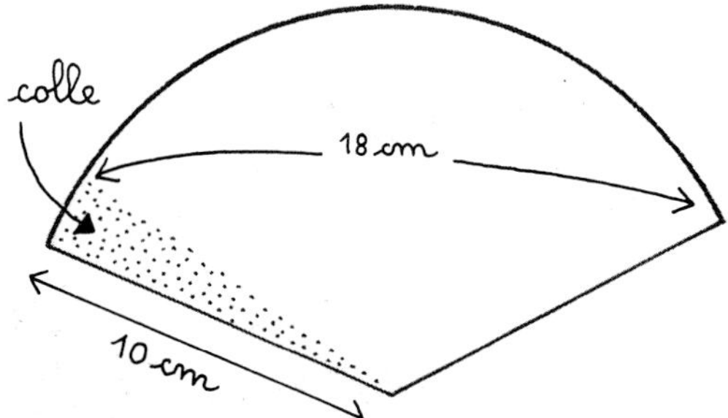

Pour figurer le rebord du chapeau, enfiler une rondelle de papier sur la pointe.
Coller quelques brins de laine pour les cheveux, ajouter un visage, des bras et un balai.
Réaliser dans du papier noir son éternel compagnon, le maléfique chat noir.

LES MASQUES

Le coyote

Matériel : *carton souple, papier calque, gouache, deux attaches parisiennes.*

Agrandir le patron donné en fin de chapitre. Reproduire le masque sur du carton souple et le peindre. Découper les yeux et percer les quatre points noirs.
Plier suivant les pointillés et fixer le museau. Dans le carton souple, découper la mâchoire inférieure, identique à la première et la décorer. Plier suivant les pointillés et la fixer sur la mâchoire supérieure à l'aide des attaches parisiennes.

L'Indien

Matériel : *carton souple, papier fort, papier calque, gouache, cutter, ciseaux, plumes, élastique.*

Agrandir le visage donné en fin de chapitre et le reproduire sur le carton.
Découper au cutter le trou du nez et les yeux.
Découper également les deux fentes supérieures et celles du nez.
Décorer à la gouache ou coller des morceaux de papier de couleur.
Donner du volume au sommet de la tête.
Agrafer deux formes de papier fort aux couleurs vives pour figurer des feuillages, ou de grandes plumes. Ajouter quelques plumes véritables.
Agrafer un bandeau de papier fort décoré et fixer le nez. Poser un élastique à hauteur des yeux.

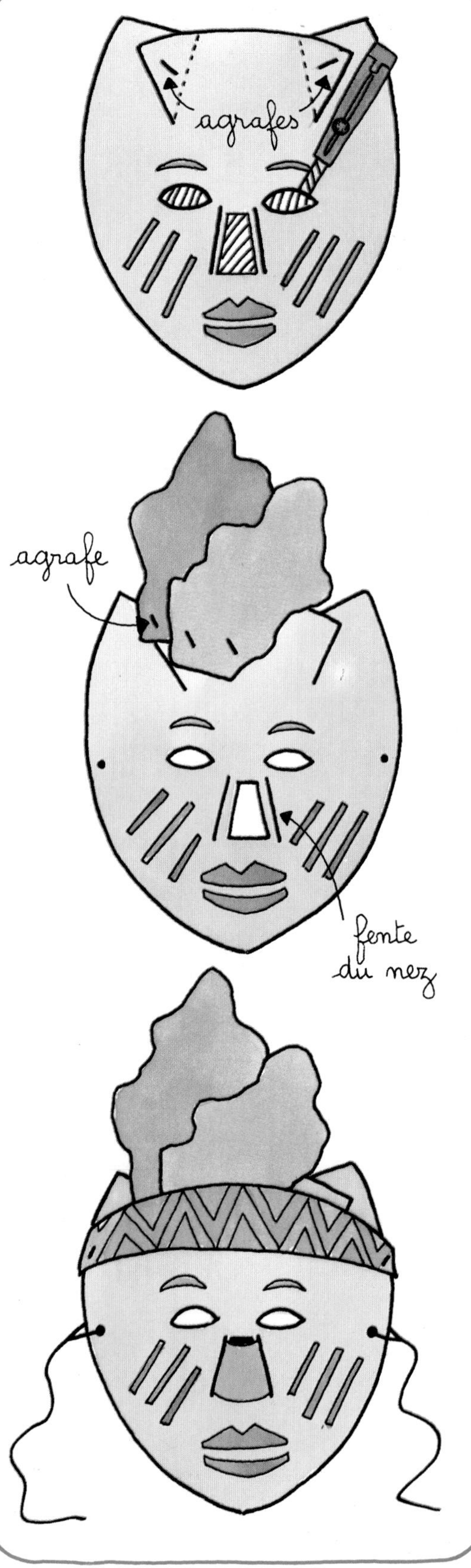

LES CHAPEAUX

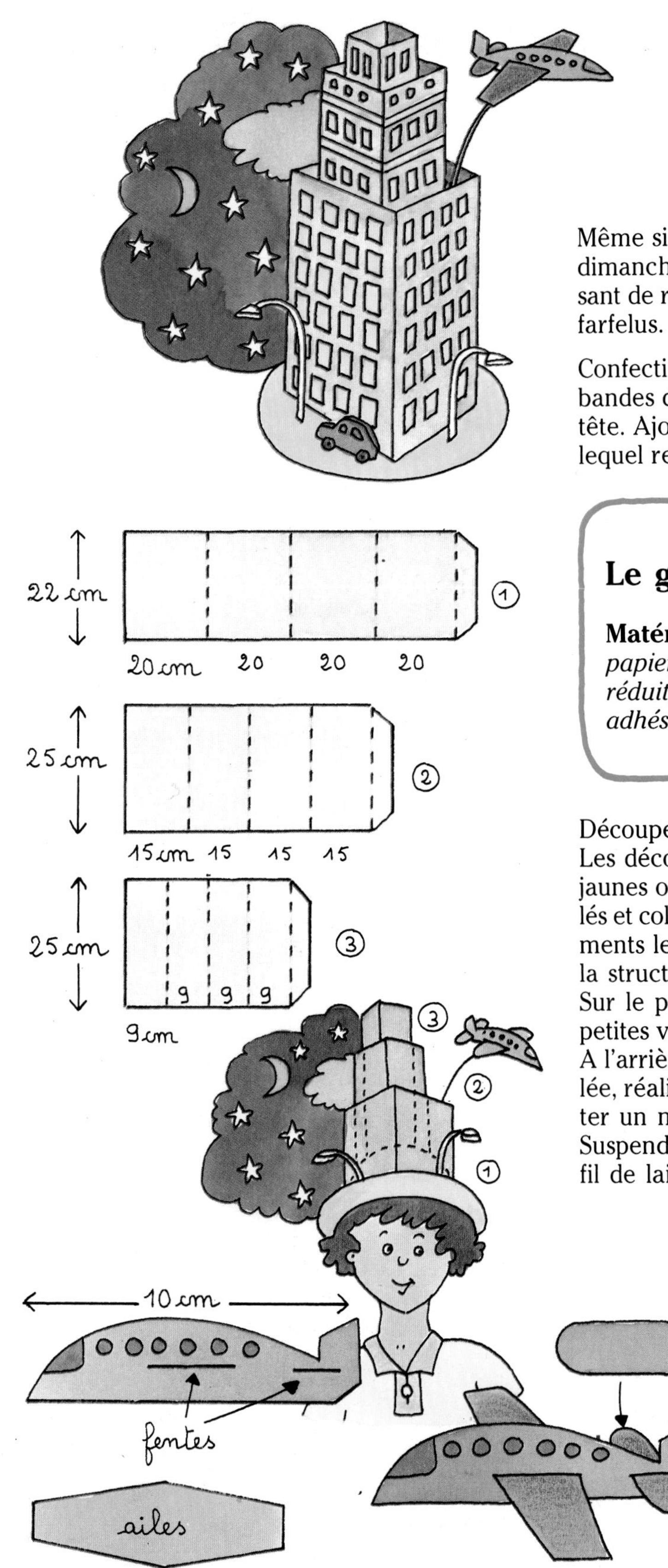

Même si l'on ne participe pas à la parade du dimanche de Pâques à New York, il est amusant de réaliser des chapeaux excentriques et farfelus.

Confectionner une structure de base avec 3 bandes de carton aux dimensions du tour de tête. Ajouter un grand anneau de carton sur lequel reposera le décor (croquis ci-dessous).

Le gratte-ciel illuminé

Matériel : *papier de couleur, carton, papier doré, petites voitures en modèle réduit, fil de laiton, colle, ruban adhésif.*

Découper trois bandes de papier de couleur. Les décorer de fenêtres lumineuses, dorées, jaunes ou argentées. Plier suivant les pointillés et coller les deux extrémités. Placer les éléments les uns dans les autres et les fixer sur la structure de base avec du ruban adhésif. Sur le pourtour du chapeau, fixer quelques petites voitures et des lampadaires de carton. A l'arrière du gratte-ciel, coller une nuit étoilée, réalisée dans du papier de couleur. Ajouter un nuage et la lune.
Suspendre un avion dans le vide à l'aide d'un fil de laiton.

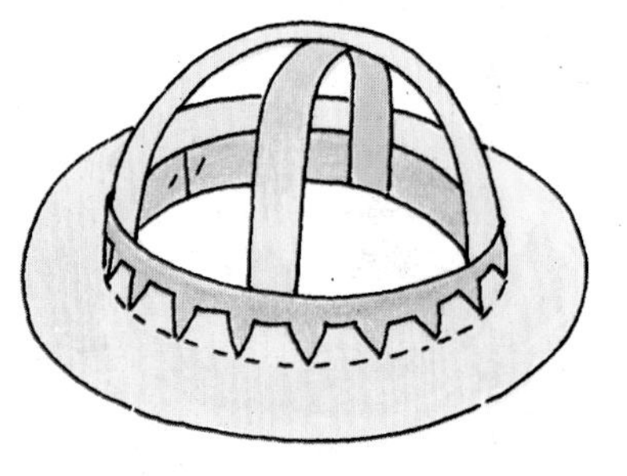

Le chapeau fleuri

Matériel : *papier de couleur, papier de soie, bolduc, rubans...*

Fabriquer la structure du chapeau (voir page précédente).
Découper la couronne dentelée en papier fort vert et la fixer sur la structure.
Dans du papier multicolore, réaliser des fleurs, des feuilles et des spirales. Les agencer de façon originale sur le chapeau. Décorer de rubans de bolduc.
Ajouter des paillettes, des plumes, des perles et des boules de cotillon.

Le chapeau animé

Matériel : *papier de couleur, papier de soie, carton souple peint en vert, 5 bâtonnets de tourillon de 22 cm et de section circulaire (0,5 cm), ruban adhésif, colle, 5 clous fins de 1,5 cm.*

Fabriquer la structure du chapeau (voir page précédente) et fixer une couronne verte dentelée en carton souple. Réaliser cinq moulinets. Coller une pastille de papier au centre. Fixer chaque moulinet à l'extrémité d'un tourillon. Coller les moulinets autour de la couronne. Ajouter des fleurs de papier de soie froissé et du feuillage.

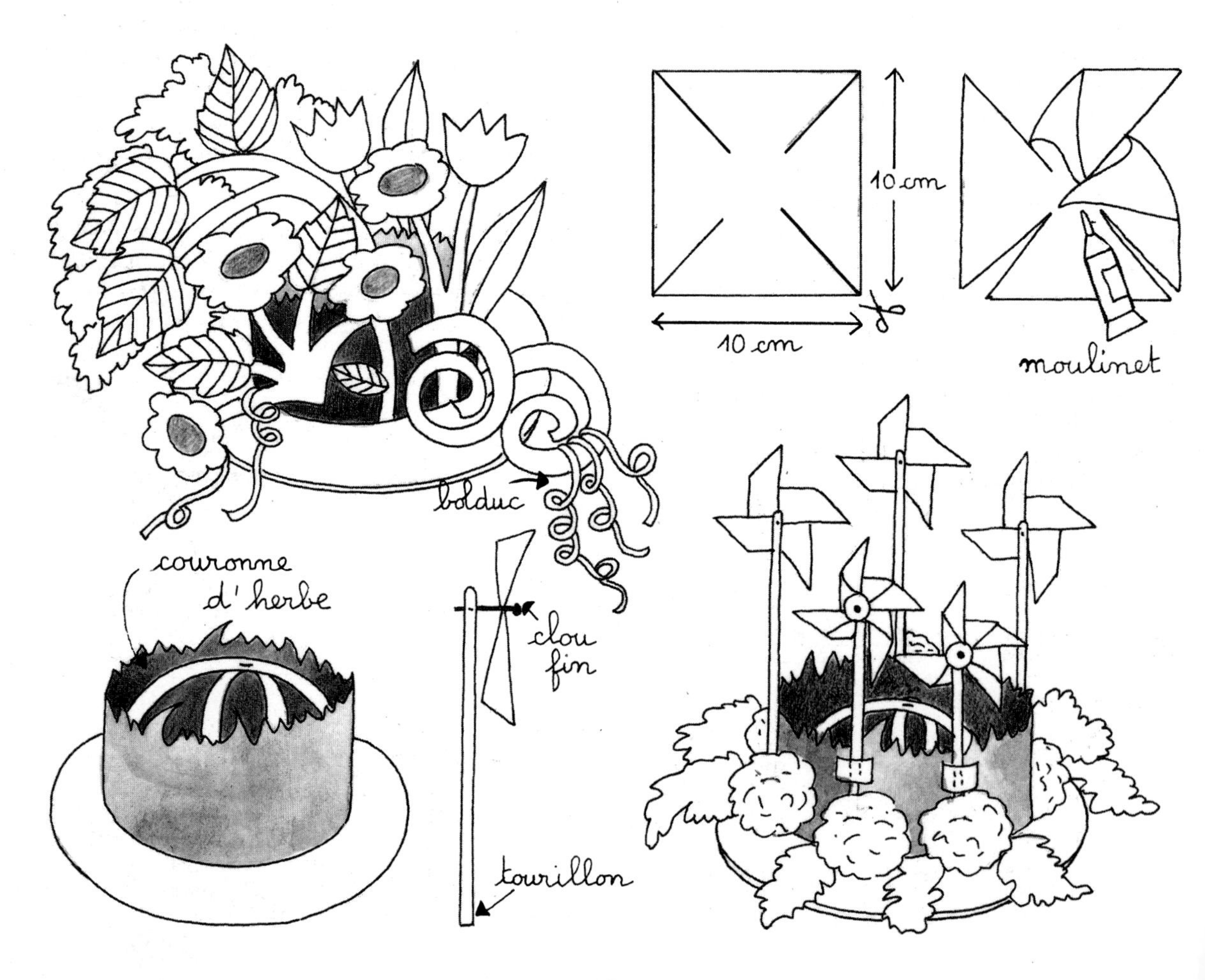

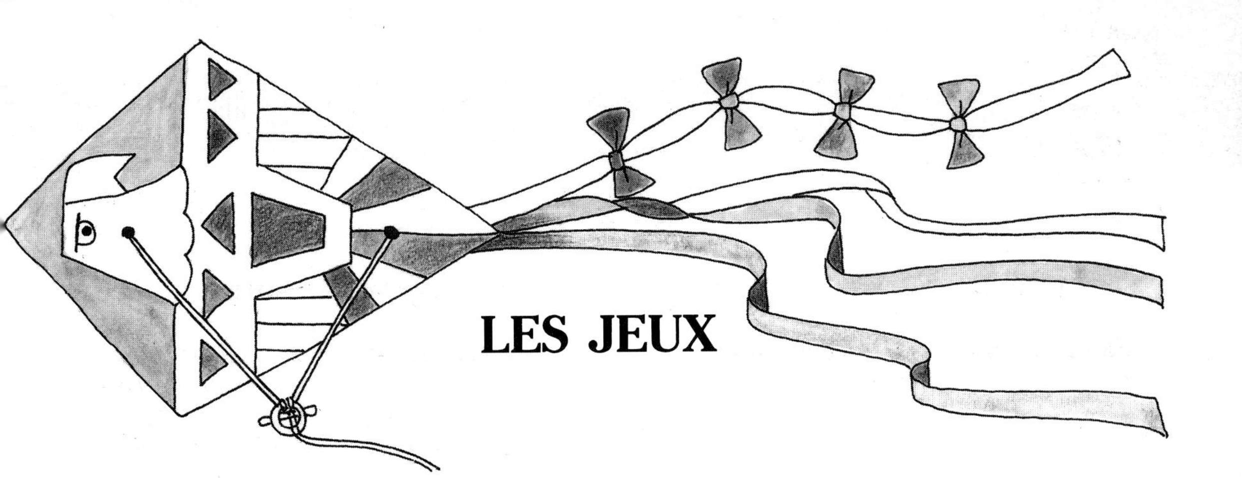

LES JEUX

Le cerf-volant en losange

Matériel : *2 baguettes de noisetier ou de pin, fines, souples et solides, ou du tourillon de 4 mm de diamètre, colle vinylique ou cellulosique, ruban adhésif, ficelle de lin, papier kraft blanc ou sac poubelle en plastique, feutres, gouache indélébile ou encre de couleur, anneau de rideau.*
Pour la queue : *rubans ou lanières de papier crépon de 2,50 m.*

Parmi les jeux traditionnels, les cerfs-volants gardent la faveur des jeunes. Les plus célèbres sont originaires de Chine, du Japon et de Corée. Mais ils existent également en Amérique Centrale, au Guatémala et au Honduras, où des cerfs-volants géants sont lancés le 2 novembre, jour de la fête des morts. Aux États-Unis, des ateliers spécialisés sont créés, pour que les jeunes apprennent les bases de l'aérodynamique.

Fixer les baguettes en croix et ajouter un point de colle. A l'aide d'un canif, faire de légères entailles à chaque extrémité.
Passer une ficelle dans ces entailles.
Placer l'armature sur le papier kraft ou le plastique. Découper en laissant dépasser 4 ou 5 centimètres.
Rabattre les bords du papier ou du plastique sur la ficelle et les coller.
Retourner le cerf-volant et le décorer.
Fixer la bride à l'aide d'une grosse aiguille à canevas. Elle transperce la surface décorée et s'attache sur la baguette verticale. Renforcer les points d'attache avec de la colle.
Fixer la queue. La décorer de nœuds de papier crépon.

Le dévidoir : indispensable pour enrouler et dérouler la ficelle. Le fabriquer en bois.
Fixer la ficelle à l'anneau de la bride.
Et maintenant, que le vent se lève !

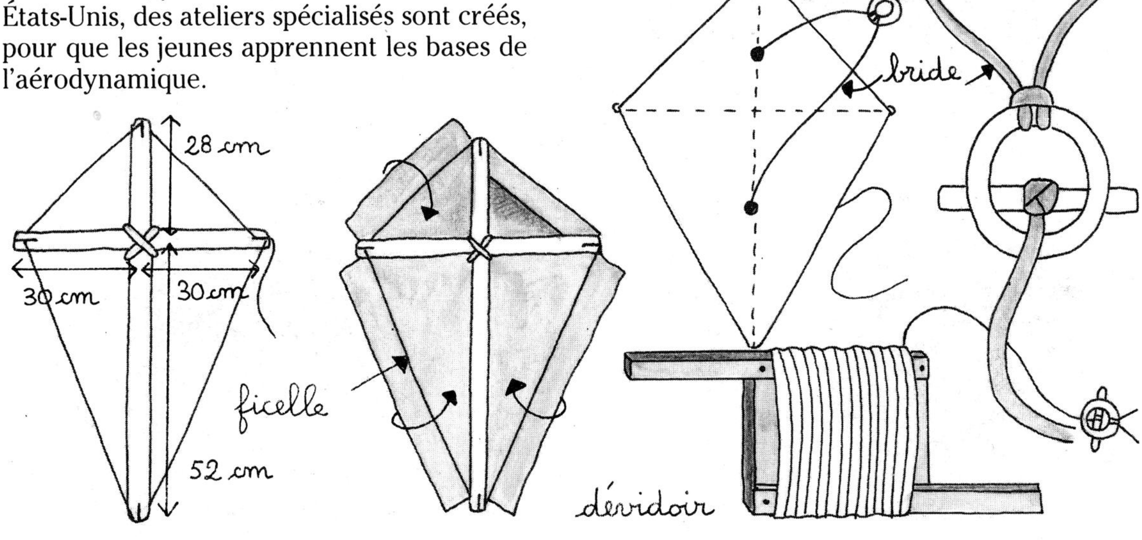

Le rodéo

Nombre de joueurs : illimité
Matériel : *papier fort de couleur, noir et gris, ou carton léger, un grand rectangle de tissu noir, feutrine noire, Velcro ou boutons-pression.*

Agrandir le demi-patron du masque de taureau donné en fin de chapitre et le reproduire sur le papier fort ou le carton, cornes et oreilles comprises.
Percer les yeux et découper les fentes du nez pour la respiration.
Fixer les cornes et les oreilles.
Attacher un fil élastique pour le tour de tête.
Prendre un grand rectangle de tissu noir pour la cape. Le taureau doit la tenir solidement vers l'avant, ce qui limite ses mouvements.
Découper la queue dans de la feutrine noire et la fixer au bas de la cape avec du Velcro.

Règle du jeu

Un taureau est lâché sur un terrain délimité à l'avance. Les joueurs, chacun à leur tour, essaient durant un temps chronométré (3 minutes, par exemple) de dépouiller progressivement le taureau. Ils doivent lui ôter, dans l'ordre, le masque (10 points), la queue (20 points) et la cape (50 points).

Le totem passe-boule

Nombre de joueurs : illimité
Matériel : *carton fort de récupération, cutter, gouache indélébile, ficelle, balles de tennis ou châtaignes.*

Fabriquer un grand totem stylisé en carton de 1,50 m de haut et le décorer.
Au centre, découper une fenêtre ronde ou carrée. Fixer le totem entre deux arbres ou deux poteaux.

Règle du jeu

Le jeu consiste à viser le trou avec les balles. Chaque joueur, placé à 4 mètres du totem, a droit à cinq essais. Le gagnant est celui qui marque le plus de points en un quart d'heure. Pour corser le jeu, on peut ajouter des anneaux métalliques et viser les cornes de l'animal.

Les anneaux

Nombre de joueurs : illimité
Matériel : *tourillon de 2 cm de diamètre, gouache indélébile, 7 balles de tennis usagées, colle cellulosique, anneaux de plage en caoutchouc.*

Découper sept morceaux de tourillon de différentes grandeurs et les peindre en rouge, jaune, vert et bleu.
A l'une des extrémités, planter une balle de tennis. Renforcer avec de la colle.
Planter assez profondément les bâtons dans la terre.

Règle du jeu
Les joueurs, munis d'un anneau de plage, se placent à 5 mètres des bâtons. Chaque joueur a droit à deux essais. Le gagnant est celui qui a le premier obtenu un minimum de 21 points. (On aura convenu auparavant par exemple : jaune 4 points ; bleu 3 points ; rouge 2 points ; vert 1 point).

Le jeu des marrons : « les conquérants »

Nombre de joueurs : 2 ou plusieurs équipes de 2 joueurs.
Matériel : *un gros marron par joueur, un lacet neuf, une vrille pour percer le marron.*

Bras tendu, chaque joueur essaie de fêler le marron des autres joueurs avec le sien. Attention aux visages et aux doigts !

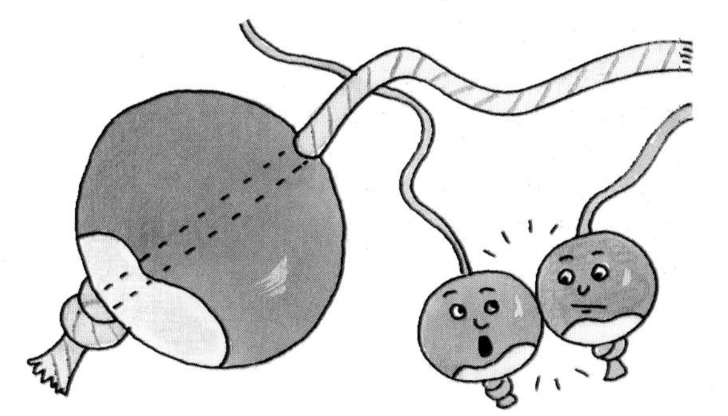

Le jeu des pommes d'Halloween

Matériel : *une bassine remplie d'eau, des pommes, si possible de trois variétés.*

Règle du jeu
Mettre les pommes dans l'eau. Essayer d'attraper les pommes flottantes avec la bouche, sans se servir de ses bras ni de ses mains. Le gagnant est celui qui a saisi le plus de pommes. On peut donner une valeur à chaque variété de pommes : pommes vertes (5 points), pommes rouges (10 points), pommes jaunes (1 point).

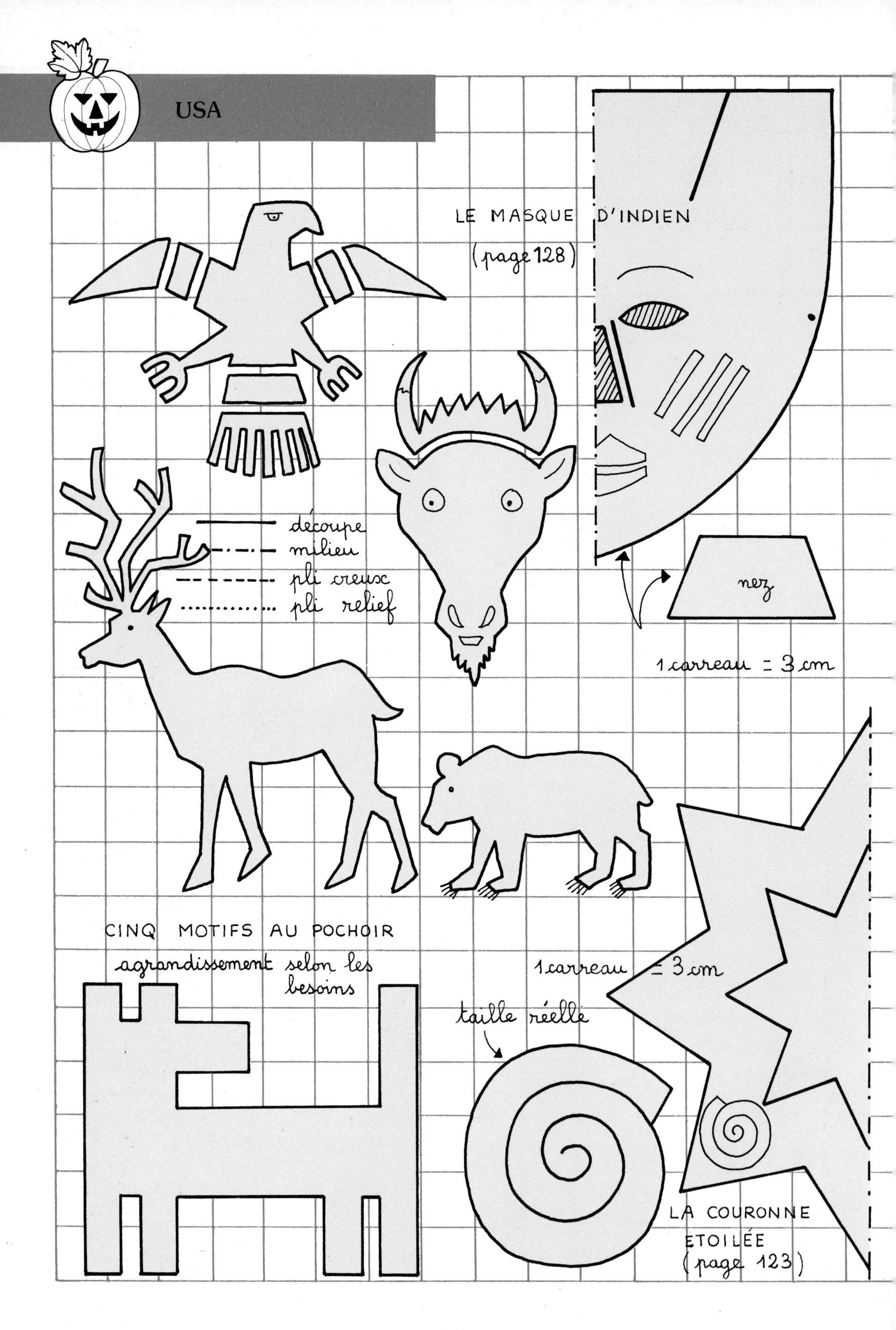

LE MASQUE D'INDIEN
(page 128)
nez
1 carreau = 3 cm
découpe
milieu
pli creux
pli relief
CINQ MOTIFS AU POCHOIR
agrandissement selon les besoins
1 carreau = 3 cm
taille réelle
LA COURONNE ETOILÉE
(page 123)

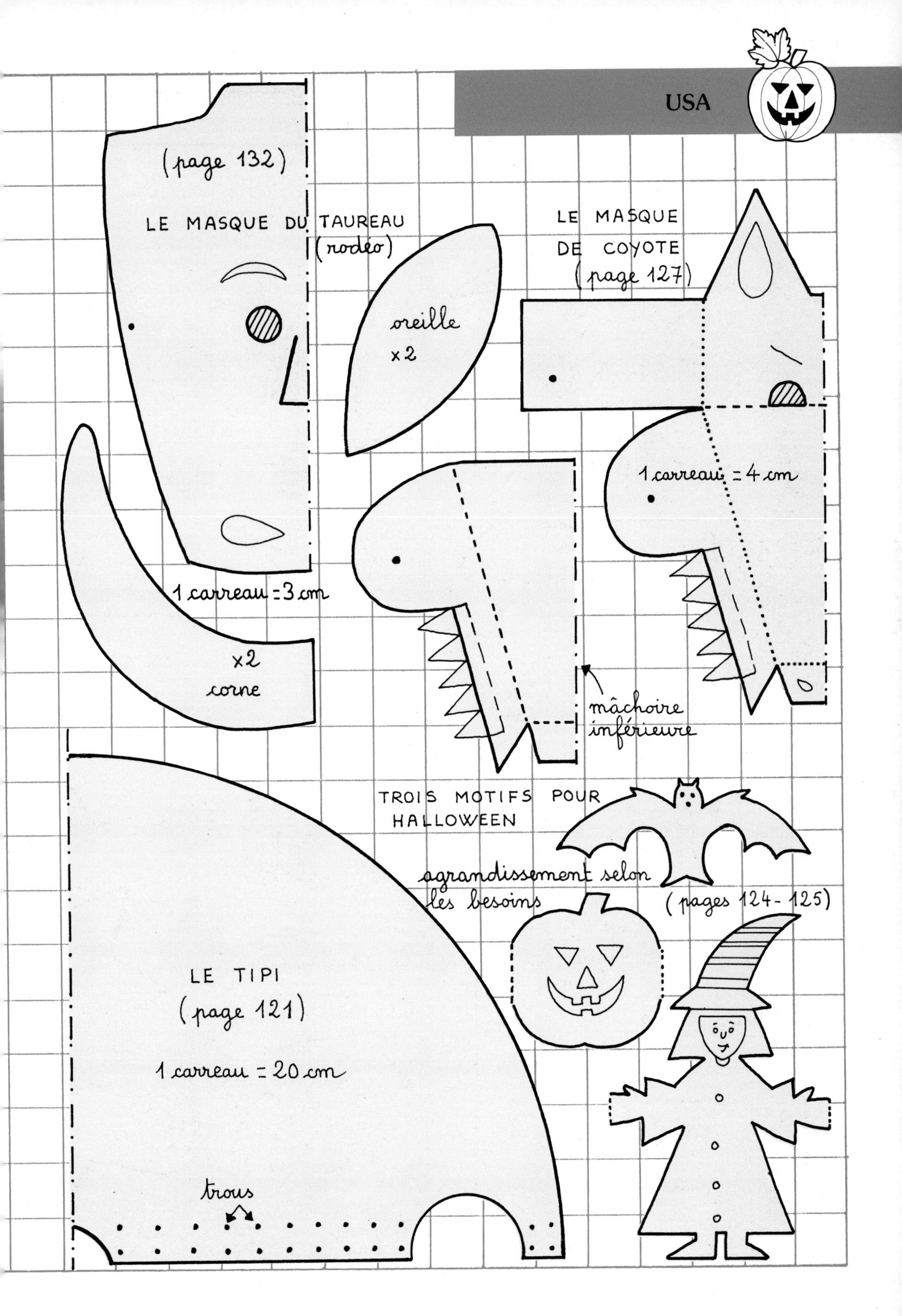
(page 132)
LE MASQUE DU TAUREAU
(rodéo)
oreille
x 2
1 carreau = 3 cm
x2
corne
LE MASQUE
DE COYOTE
(page 127)
1 carreau = 4 cm
mâchoire
inférieure
TROIS MOTIFS POUR
HALLOWEEN
agrandissement selon
les besoins
(pages 124-125)
LE TIPI
(page 121)
1 carreau = 20 cm
trous

Bibliographie

Etats-Unis. Monde et voyages. Larousse, 1987.

Le Carnaval. Jean-Yves Simon, illustrations de Jacques Lerouge. Berger-Levrault.

La cuisine des Américains. Julee Rosso et Sheila Lukins. Hachette, 1987.

Cerfs-volants faciles. Daniel Picon. Collection Loisirs-Plans. Editions Fleurus, 1987.

Halloween Fun. Judith Hoffman Corwin. Julian Messner, New York, 1983.

Halloween Handbook. The child's world. Elgin, Illinois.

Le chant des flûtes et autres légendes indiennes. Federop pour l'édition française, 1978.

Discographie

Street gospel songs. F. Molton, vocal. et E. Ellis, guitare. Disque : OCO 558684 OCORA Harmonia Mundi. Cassette : OCO 4558684.

Holy Dunn. Cornerstone country music. Cassette : 192494 MUSIDISC.

Judy Rodman. A place called love. 192514 MUSIDISC.

FRANCE

Le pays

La France, c'est 22 régions, 86 départements métropolitains, 4 départements outre-mer et des territoires éparpillés à travers le globe. vestiges d'un rayonnement jamais démenti. Carrefour de peuples et d'échange, l'hexagone sut tirer parti de ses contacts avec les civilisations qui ont marqué toutes les époques. Les régions françaises ont su préserver leur patrimoine propre : des fêtes et des foires, des carnavals à Nice, Dunkerque, Limoux et Peznas en témoignent.

Les fêtes traditionnelles

Début janvier - *l'Épiphanie ou Jour des Rois* : fêtée le 6 janvier, l'Épiphanie est célébrée par une délicieuse galette sucrée, parfois fourrée de frangipane, à l'intérieur de laquelle se cache une fève. Dans le sud de la France, la galette est devenue une couronne briochée garnie de fruits confits. Celui qui a la fève choisit sa reine (son roi) parmi les convives, la (le) coiffe d'une couronne dorée, puis jette la fève dans le verre de Sa Royale « Moitié ». Chacun boit et s'écrie : « La reine boit, le roi boit ! »

Février - *la Chandeleur* : quarante jours après Noël, on déguste beignets et crêpes au sucre, antique symbole de la roue solaire. Une coutume porte-bonheur : faire sauter la crêpe pour la retourner dans la poêle, une pièce d'or dans la main gauche.

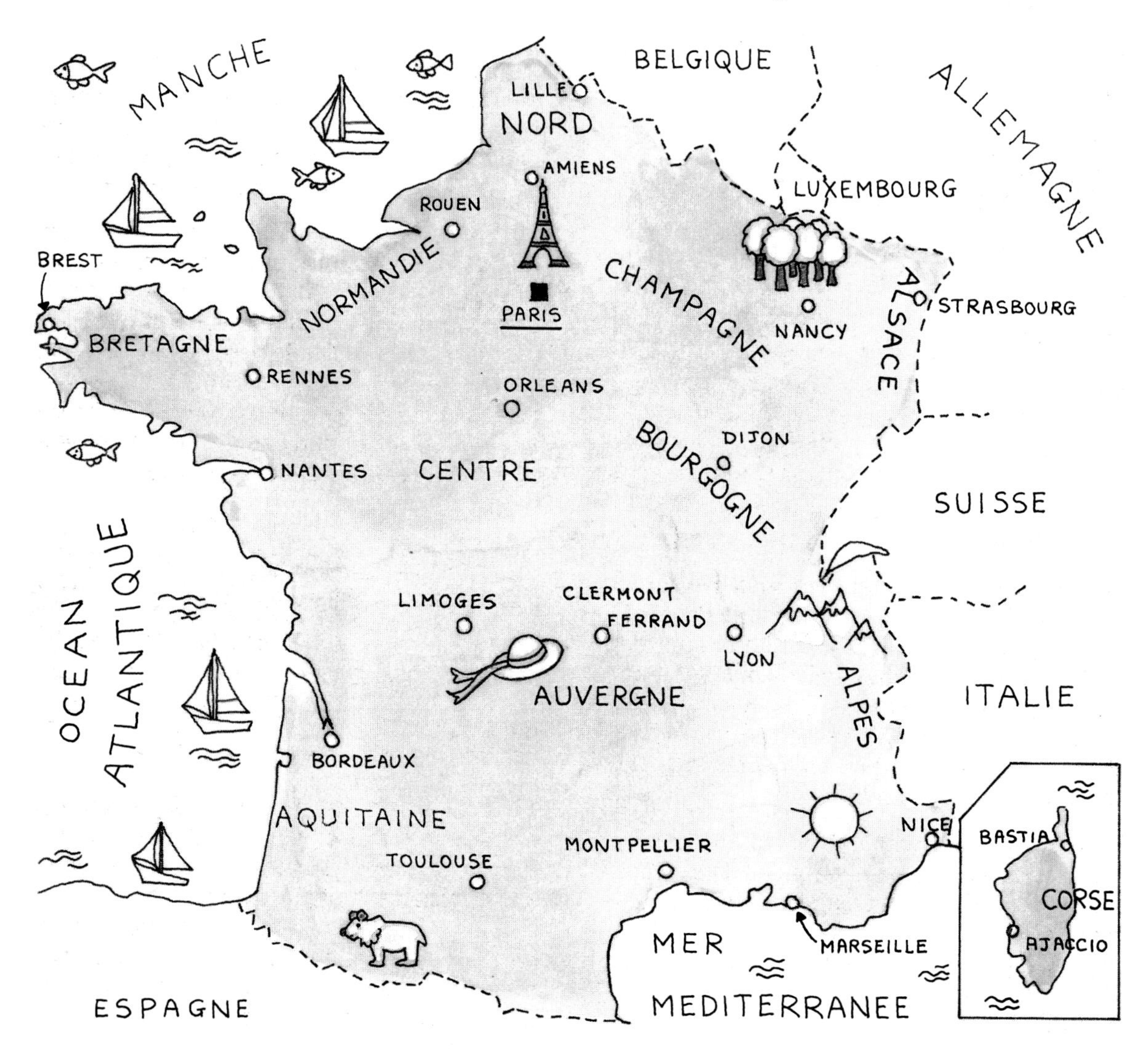

Mi-février - *Mardi-Gras* : à la veille du Carême, les écoliers et les étudiants se déguisent et lancent des œufs, de la farine et des confettis sur les passants et les voitures. A l'origine, le carnaval, comme les Saturnales de l'Antiquité, était le moment où les barrières sociales disparaissaient et où l'on pouvait transgresser les interdits.

Dimanche suivant Mardi-Gras - *la fête de l'ours* à Prat-de-Mollo (Pyrénées Orientales), une parodie d'ours sème la terreur parmi les habitants. Une danse endiablée clôt cette fête qui relate la légende de l'ours mangeur de bergères et d'enfants.

Deux dimanches de février - *le Carnaval de la bande des Pêcheurs* : les habitants de Dunkerque descendent dans la rue, masqués et vêtus de déguisements burlesques en l'honneur du carnaval. Les premiers rangs du cortège brandissent des parapluies bariolés aux longs manches multicolores. Un grand bal clôt le carnaval.

Mercredi de la Semaine Sainte - *La fête des Champs Golots* (« les champs qui coulent », en patois vosgien, ou la fonte des neiges). A Épinal, les enfants font défiler, sur le bassin situé place de la Mairie, des petits bateaux éclairés de bougies. Un jury décerne ses prix.

Dimanche suivant Pâques - *la Saint-Pansard* : à Trélon, dans le Nord, le bonhomme Pansard, mannequin de chiffon coiffé d'un bonnet de nuit, est promené dans la ville. On le projette en l'air, comme dans le jeu espagnol, le « pelele », immortalisé par Goya. A la tombée de la nuit, le mannequin est pendu et brûlé de ant la foule assemblée.

1er avril - *Les poissons d'Avril* : qui ne se souvient du poisson en papier épinglé dans le dos des parents, des professeurs et même du facteur, dès qu'ils avaient tourné la tête ? C'est le jour des farces entre amis, des coups montés et des canulars, jusque dans la presse et à la télévision.

FRANCE

Pâques : pas de fête de Pâques sans œufs en chocolat décorés, sans cloches ni friandises !

1er mai -.*Fête du travail* : dans les grandes villes, défilés traditionnels des syndicats. Vente sauvage de muguet porte-bonheur autorisée à tous les coins de rue.

1er dimanche de mai - *Fête de Papegai* : à Rieux, en Haute-Garonne, on fixe un Papegai, perroquet des bois, sur un mât de 45 m de hauteur. Des archers en costumes médiévaux visent l'oiseau avec leurs flèches.

La fête aux Lumas : à Cluis, dans l'Indre. Les Lumas sont des petits escargots préparés avec de l'ail et du persil. Pour célébrer ce délicieux gastéropode, les habitants décorent leur cité. Une drôle de cavalcade parcourt la ville à la suite du roi des escargots. Un défilé de chars représentant des personnages des *Fables* de La Fontaine, des bouteilles géantes et des animaux fantastiques envahit les rues.

Le 21 juin - *La fête de la Saint-Jean* : grands feux de joie et, depuis peu, fête de la musique avec bals populaires, concerts improvisés et bistrots pleins à craquer.
A Saint-Jean-de-Luz au Pays basque, tout le week-end est marqué par des attractions, des spectacles historiques... Le dimanche, à minuit, le « Toro de fuego » crache du feu !

Fin juin - *Les fêtes du Pont Neuf*: pour célébrer le plus vieux pont de Paris, des milliers de personnes assistent à une grande fête du jazz, de la danse, du cirque, du mime...

Fin juin, début juillet - *La course des garçons de café*: la Ville de Paris et l'Union des syndicats de l'industrie hôtelière organisent chaque année une course de garçons de café... tenant d'une seule main un plateau garni.

Dernier dimanche de juin - *La fête de la Tarasque*: à Tarascon en Provence, un dragon monté sur roulettes traverse la ville, en souvenir d'une légende: le dragon Tarasque, qui semait la terreur dans toute la région.

Dimanche suivant le 5 juillet - *Les fêtes de Gayant* et *Carnaval d'été à Douai* (Nord). Papa gayant (« géant » en picard) et son épouse, Marie Gagenon, dansent au son des tambours suivis de leurs trois enfants: Jacquot, Filiot et Bimbin.

Le 14 juillet - *La fête nationale* commémore la prise de la Bastille, prison d'État, en 1789. Dans toutes les villes, un feu d'artifice et un grand bal populaire clôturent les festivités.

Octobre - *La fête des vendanges* à Barr, dans le Bas-Rhin, a lieu un grand cortège au thème renouvelé chaque année: les corporations, les légendes à travers toute l'Europe... Autrefois, il était de coutume de barbouiller de jus de raisin le plus jeune des vendangeurs.

Le 25 novembre - *La Sainte-Catherine*: c'est la fête des « Catherinettes », les jeunes filles de moins de 25 ans, qui confectionnent une coiffe de dentelle et de rubans jaunes et verts. A Paris, le 25 novembre est devenu la journée de la haute-couture. Si vous rencontrez une Catherinette, n'oubliez pas de l'embrasser 25 fois!

Le 6 décembre - *La Saint-Nicolas*: fête des enfants dans certaines régions du Nord, de la Picardie et de l'Est. Le bon saint Nicolas a le privilège de passer avant le Père Noël pour combler les enfants sages de cadeaux, de sucreries et de gâteaux.
Durant tout le mois de décembre, rues et vitrines sont illuminées, décorées de façon féérique: guirlandes, sapins, crèches animées, et les Père Noël viennent rencontrer les enfants.

Le 25 décembre - *Noël* est fêté en famille par un réveillon dont le dessert est traditionnellement la bûche de Noël, gâteau roulé à la crème, décoré de champignons en sucre. D'origine anglo-saxonne, le Père Noël n'apparaît en France qu'au début du XXe siècle. Auparavant, selon les régions, les enfants attendaient saint Nicolas, le petit Jésus, le Père Janvier... Le sapin, arbre magique décoré pour Noël, vient d'Alsace et s'est généralisé à la fin du XIXe siècle.

Nuit du 31 décembre au 1er janvier - *la Saint-Sylvestre* est l'occasion de joyeux réveillons entre amis à grand renfort de confettis, serpentins etc. Aux douze coups de minuit, on fait sauter les bouchons de champagne, on s'embrasse sous le gui accroché en bouquet au plafond, et on souhaite mille vœux de bonheur et de bonne santé.

LA GASTRONOMIE FRANÇAISE

Un buffet froid

Prévoir un assortiment de fromages : gruyère, camembert, tomme de Savoie, cantal, comté, fromage de chèvre... Les couper en petits carrés ou en lamelles et les disposer sur des petites tranches de pain de mie ou de seigle. Ajouter moutarde, cornichons, olives, morceaux de pomme.

Prévoir un assortiment de légumes crus à croquer : lamelles de carottes, de céleri en branches, des radis, des tomates-cerises, des poivrons, des cornichons, etc.

La salade de gruyère (Alsace)

Pour 6 personnes
Préparation : 15 minutes
Ingrédients : *500 g de gruyère, 3 petits oignons, vinaigrette bien moutardée.*

Couper le gruyère en allumettes. Hacher les oignons. Mettre le tout dans un saladier avec la vinaigrette. Bien mélanger. On peut l'accompagner d'une salade d'endives ou d'une salade verte.

Les carottes râpées aux noix

Pour 6 personnes
Préparation : 15 minutes
Ingrédients : *500 g de carottes râpées, 100 g de noix mondées, 50 g d'amandes en lamelles, 50 g de raisins secs ou frais, vinaigrette moutardée, feuilles de salade verte, persil.*

Dans un saladier mélanger les carottes, les noix, les amandes, les raisins et la vinaigrette. Tapisser un grand plat de feuilles de salade et y déposer la préparation. Saupoudrer de persil. Servir frais.

LA FRANCE, PAYS DES DESSERTS

Le poulet aux champignons

Pour 5 personnes
Préparation : 15 minutes
Cuisson : 40 minutes
Ingrédients : *poulet de 1,2 kg, 3 tomates, 600 g de champignons de Paris, 2 échalotes, 2 verres de vin blanc, huile, sel, poivre, bouquet garni.*

Découper le poulet en huit morceaux. Les faire sauter dans une cocotte avec de l'huile. Saler et poivrer. Retirer le poulet. Couper les champignons en gros morceaux, hacher les échalotes et les faire dorer dans la cocotte, ajouter les tomates en morceaux, le bouquet garni et deux verres de vin blanc. Lorsque les tomates sont fondues, remettre le poulet, saler et poivrer. Couvrir et laisser cuire vingt minutes à feu doux. Ôter le bouquet garni et servir avec du riz ou des pommes de terre sautées.

Le lapin à la moutarde

Préparation : 10 minutes
Cuisson : 25 minutes
Ingrédients : *lapin de 1,5 kg, 3 cuillers à soupe de moutarde forte, pot de crème fraîche, huile, un demi-verre d'eau, un demi-verre de vin blanc sec, sel, poivre.*

Couper le lapin en six à huit morceaux. Dans une grande cocotte, verser tous les morceaux largement moutardés, salés et poivrés. Faire revenir quelques minutes à feu vif, puis ralentir la cuisson. Ajouter l'eau et le vin blanc. Laisser cuire à feu moyen en arrosant le lapin de temps en temps. Lorsqu'il est cuit, le déposer dans un grand plat. Dans la cocotte, ajouter au jus la crème fraîche, mélanger et faire cuire 2 min. Servir avec des pâtes fraîches.

La charlotte aux fraises

Pour 4 personnes
Préparation : 30 minutes
Ingrédients : *30 biscuits cuiller, 300 g de fraises fraîches, 25 cl de crème fraîche liquide, 3 cuillers à soupe de sucre glace, 2 cuillers à soupe de rhum dans un verre d'eau.*

Nettoyer les fraises et les couper en morceaux. Fouetter la crème fraîche dans un saladier jusqu'à obtention d'une mousse. Verser lentement le sucre glace et fouetter pour obtenir une crème ferme. Verser l'eau et le rhum dans une assiette creuse et y tremper rapidement chaque biscuit. En tapisser le fond et les parois d'un moule à charlotte à hauts bords. Verser la moitié de la crème dans le moule, puis tapisser d'une couche de fraises. Ajouter une couche de biscuits trempés, puis à nouveau la crème et les fraises. Recouvrir enfin de biscuits. Tasser la charlotte avec le dos d'une cuiller. Mettre 6 h au réfrigérateur. Démouler et servir froid.

L'ours en pain d'épices

Ingrédients : *tranches de pain d'épices, caramel chaud, clou de girofle, sucre glace mélangé à un blanc d'œuf battu en neige.*

Assembler quatre tranches de pain d'épices avec le caramel. Laisser refroidir dans une assiette. Découper la silhouette de l'ours (page 159) dans du bristol et la poser sur le pain d'épices. Découper avec un couteau bien pointu. Napper de sucre glace et piquer le clou de girofle à la place de l'œil.

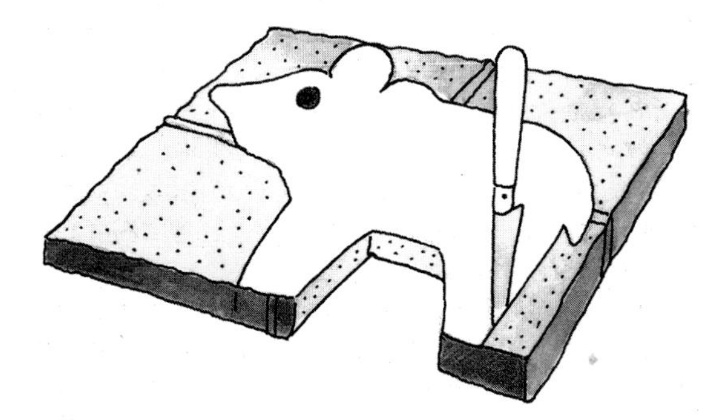

Le gâteau à l'ananas

Pour 4 personnes
Préparation : 15 minutes
Cuisson : 45 minutes
Ingrédients : *boîte d'ananas en tranches avec son jus, 100 g de beurre fondu, 100 g de farine, 100 g de sucre, 1 cuiller à café de levure, 2 œufs, caramel en sachet.*

Mélanger le beurre et le sucre dans un saladier afin d'obtenir une crème. Ajouter peu à peu la farine, les œufs, la levure et une cuiller à soupe de jus d'ananas. Caraméliser un moule à tarte à hauts bords. Tapisser le fond de tranches d'ananas et verser la pâte. Cuire 45 minutes à four moyen. Après cuisson, arroser avec un peu de jus d'ananas. Servir frais.

La tarte à l'envers des demoiselles Tatin

Pour 6 personnes
Préparation : 30 minutes
Cuisson : 40 minutes
Ingrédients : *200 g de farine, une cuiller à soupe de sucre en poudre, un œuf, 100 g de beurre, une pincée de sel pour la pâte. Et 1 kg de pommes, 200 g de sucre en poudre, 150 g de beurre, pour la garniture.*

Travailler la farine, le beurre en noisettes, le sucre, l'œuf, le sel et un peu d'eau pour obtenir une pâte souple. La rouler en boule. Beurrer un grand moule à tarte à haut bord et le saupoudrer de sucre. Tapisser de quartiers de pommes. Disposer dessus des noisettes de beurre et le reste du sucre. Poser sur le feu et faire caraméliser les pommes. Étaler la pâte au rouleau et en recouvrir les pommes, en enfonçant bien sur les bords. Faire cuire trente minutes à four chaud. Démouler et servir tiède.

La galette des Rois

Pour 4 personnes
Préparation : 10 minutes
Cuisson : 45 minutes
Ingrédients : *fève (haricot blanc sec) ou fève en porcelaine, 400 g de pâte feuilletée fraîche ou surgelée, jaune d'œuf, sucre glace, farine.*

Former deux boules de pâte de 200 g. Enfariner légèrement le plan de travail. Abaisser la pâte au rouleau. Former deux ronds de la taille d'un moule à tarte de 28 cm de diamètre. Humecter le moule. Y étendre un rond de pâte. Le saupoudrer de sucre glace et y placer la fève. Recouvrir avec l'autre rond de

pâte et lier les deux épaisseurs en pinçant les bords avec les doigts. Sur le dessus, dessiner des croisillons avec la pointe d'un couteau et étaler une couche de jaune d'œuf au pinceau. Saupoudrer de sucre glace. Faire cuire au four 45 minutes (10 minutes à feu vif, puis à feu doux). Servir chaud.

Les truffes en chocolat

Pour une quarantaine de truffes
Préparation : 30 minutes
Ingrédients : *250 g de chocolat noir très fin, 100 g de beurre, 3 jaunes d'œuf, 4 cuillers à soupe de kirsch ou de whisky, 60 g de cacao amer en poudre.*

Couper le chocolat en morceaux et le faire fondre à feu très doux avec l'alcool, dans une casserole à fond émaillé. Retirer la casserole du feu et travailler le mélange en pâte lisse. Ajouter de l'eau ou du lait si nécessaire. Incorporer les jaunes d'œuf dans la crème en battant vivement et en ajoutant le beurre par petits morceaux. Travailler le tout et laisser refroidir six heures au frais. Former des boulettes de la grosseur d'une noisette et les rouler dans le cacao en poudre. Les conserver au frais jusqu'au moment de servir.

Les fruits au vin rouge

Couper les fruits en morceaux (fraises, pêches ou poires) et les placer dans des coupes individuelles. Saupoudrer de sucre et arroser de vin. Mélanger et placer deux heures au réfrigérateur.

Les boissons

De l'eau et des jus de fruits pour les enfants. Du vin judicieusement choisi en fonction du repas pour les adultes. De multiples ouvrages sont consacrés aux vins français : Bordeaux, Touraine, Bourgogne, Beaujolais, Côtes du Rhône ou vins d'Alsace, blancs, rouges ou rosés. Un repas de fête peut être accompagné complètement d'un champagne ou d'un bon vin mousseux. Sans oublier le cidre (Bretagne et Normandie) ou la bière (Nord).
Pour terminer, une liqueur ou une eau de vie de fruits...

DES OBJETS DÉCORATIFS À CROQUER

La régate de croissants

Ingrédients et matériel : *des croissants, pailles en plastique, papier de couleur fantaisie très léger, colle.*

Pour chaque voile, découper un triangle de papier. Rabattre un des côtés sur 1 cm et coller sur la paille raccourcie. Planter la voile sur un croissant. Ajouter un drapeau au sommet de chaque mât.

La brioche « bonne femme »

Ingrédients et matériel : *petite brioche bien ronde, pâte d'amande, papier de couleur, chutes de tissu, napperons en papier dentelle, allumette, crayon-feutre.*

Égaliser la base de la brioche pour qu'elle tienne debout. Faire deux entailles latérales et y glisser deux bras en papier de couleur. Pour la tête, façonner une boule de pâte d'amande et la planter sur le dessus de la brioche avec l'allumette. Marquer les yeux et la bouche avec la pointe d'un feutre non toxique. Ajouter un fichu, une collerette et des chaussures en papier de couleur. Poser la brioche sur le napperon de papier dentelle. Les jeunes enfants pourront en confectionner pour un goûter d'anniversaire ou un buffet froid.

FRANCE

L'arbre à pommes de Plougastel-Daoulas

Ingrédients et matériel : *branche d'arbre assez droite et ramifiée, canif ou couteau, rondelle de bois coupé pour le socle (ou pot de fleurs rempli de sable ou de gravier), ruban adhésif double face, rubans et bolduc, bonbons, sucettes en papillotes, biscuits, pommes.*

Le jour de la Toussaint, dans le Finistère, l'arbre aux pommes, sans friandises était vendu aux enchères au profit des âmes des défunts*.
Pour célébrer un anniversaire, la venue de l'automne ou tout simplement pour donner un air de fête à une table, cet arbre fera son effet et étonnera les invités.

* Cf. Revue *Ar Men*, n° 17, Éd. Le chasse marée, Douarnenez.

Le gâteau Gargantua

Matériel : *grands cartons d'emballage, papier crépon, papier de couleur, papier fantaisie, agrafeuse, ruban adhésif toilé (très résistant).*

Voici un gros gâteau décoratif, orné de guirlandes, de paniers de fruits et de friandises, de fleurs en papier... Il se compose de quatre niveaux. Chaque niveau est formé d'une grande bande de carton fixée sur un cercle.

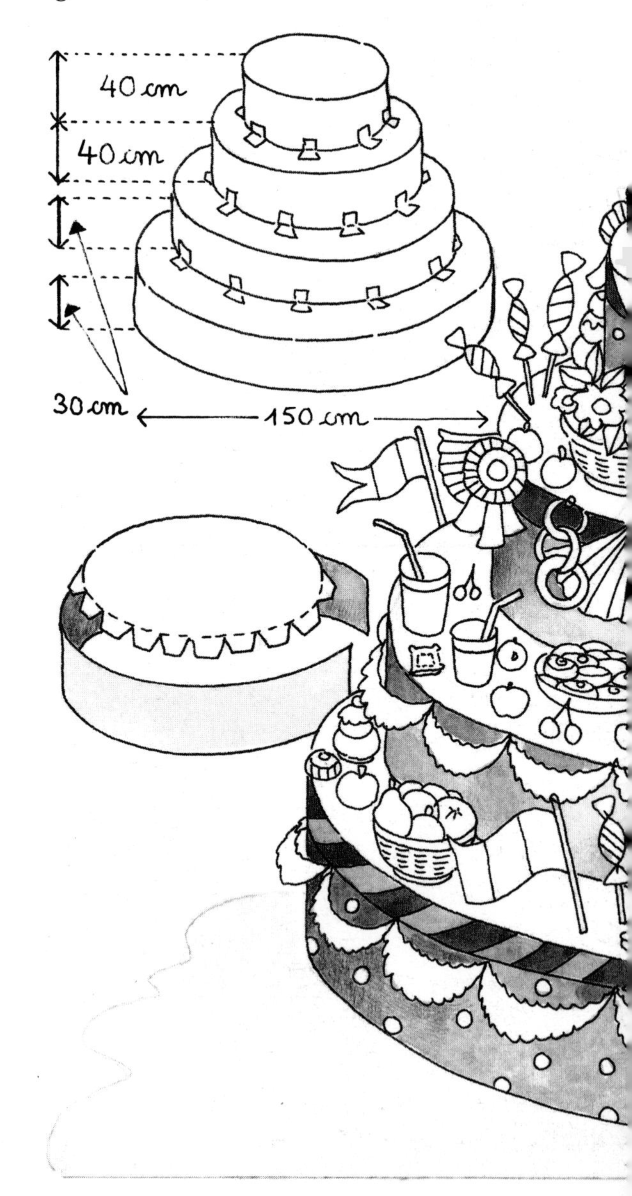

Replier les crans et les coller sur la bande avec du ruban adhésif toilé. Fixer les quatre boîtes l'une sur l'autre dans l'ordre décroissant de diamètre. Recouvrir le gâteau de papier fantaisie ou le peindre. Décorer de guirlandes, de bougies, de drapeaux, de fleurs en papier crépon, de ruban et de ribambelles. Le garnir de friandises, de paniers de fruits, de biscuits...

Pour que le gâteau ne s'écroule pas sous le poids des friandises, placer sous le premier élément des boîtes de 30 cm de haut.

LES OBJETS DÉCORATIFS

Voici quelques idées pour recréer l'ambiance d'une place de village ou d'une guinguette, un jour de fête.
Réaliser de grandes guirlandes de papier crépon bleu, blanc et rouge, ornées de cocardes, de fleurs, d'accordéons, de drapeaux..., ainsi que des ribambelles de coqs tricolores. Décorer de grands branchages ornés de serpentins, de rubans, de cocardes, etc.

La cocarde tricolore

Matériel : *papier de couleur bleu vif, rouge et blanc, papier crépon de mêmes couleurs ou rubans, colle, agrafeuse.*

Découper deux rectangles de papier bleu de 20×30 cm. Les plisser sur toute la longueur et les plier en deux. Former une rosace et agrafer. Au centre, coller un rond blanc, puis un rouge. Fixer trois rubans : bleu, blanc, rouge.

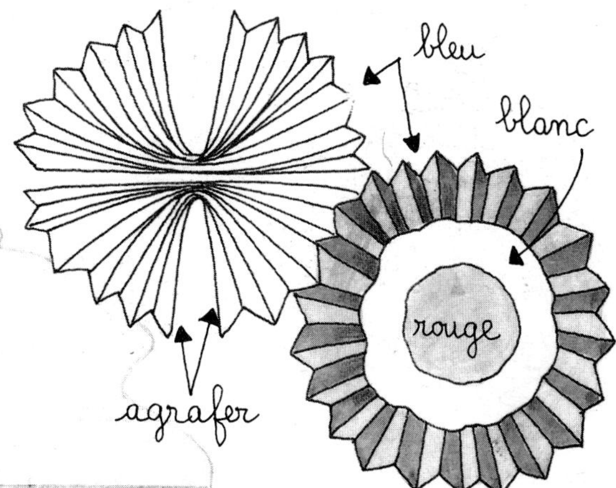

L’accordéon

Matériel : *papier de couleur, feutres.*

Reproduire le patron p. 159 sur le papier de couleur. Marquer les plis à l’ongle. Dessiner des touches de couleur (dessin p. 137).

La ribambelle de coqs

Matériel : *papier affiche de couleur bleu, blanc et rouge, ruban adhésif.*

Le coq gaulois est l’emblème de la France. Découper cinq rectangles de 25×35 cm : deux bleus, deux blancs, un rouge. Les assembler sur l’envers en enfilade avec du ruban adhésif, puis les plier en accordéon. Sur le dessus du pliage, reproduire le coq agrandi selon la méthode de mise aux carreaux (motif page 159). Découper, déplier et accrocher au mur. Pour décorer une table ou une fenêtre, réduire les dimensions.

La guirlande de montgolfières et de fanions

Matériel pour une montgolfière : *carton, petite boîte en carton carrée ou ronde, fil solide, gouache, friandises, petits objets...*
Matériel pour un fanion : *papier fantaisie très coloré, colle, fil solide.*

Pour réaliser la montgolfière, découper un disque de 20 cm de diamètre dans le carton et le décorer sur les deux faces. Suspendre la nacelle (une petite boîte) et la remplir de friandises. En réaliser plusieurs de différentes couleurs et les suspendre.
Les jeunes enfants pourront facilement réaliser des fanions : découper un rectangle de 20×42 cm. Tracer un losange, le découper et le plier en deux. Poser à cheval sur un long fil et coller.

Le sapin de Noël animé

Matériel : *2 feuilles de carton de 100×70 cm, une feuille de bristol fort de 50×65 cm, papier de couleur, couleur en bombe ou gouache acrylique, paillettes. Feuille de carton de 75×35 cm, pour la caisse. Vis à écrou de 3 cm ou rivet, colle, cutter.*

Découper deux sapins (p. 159) identiques dans le carton. Les peindre en vert. Percer un trou sur les deux faces à l'endroit indiqué. Découper au cutter des formes géométriques à l'intérieur des sapins.

Découper un disque de bristol de 25 cm de rayon et percer un trou au centre. Peindre les deux faces de taches de couleurs vives.
Pour réaliser la caisse, suivre le schéma ci-dessous. Une fois montée, décorer la caisse.
Fixer les deux pointes du sapin entre elles avec un trombone. Coller ou agrafer les bases du sapin à l'intérieur de la caisse. Glisser le disque multicolore entre A et B et introduire le rivet ou la vis dans le trou. Décorer de traînées de paillettes dorées, d'étoiles et de boules de Noël. Pour stabiliser le sapin, placer des petits cailloux ou du sable dans la caisse. Faire tourner le disque pour animer le sapin.

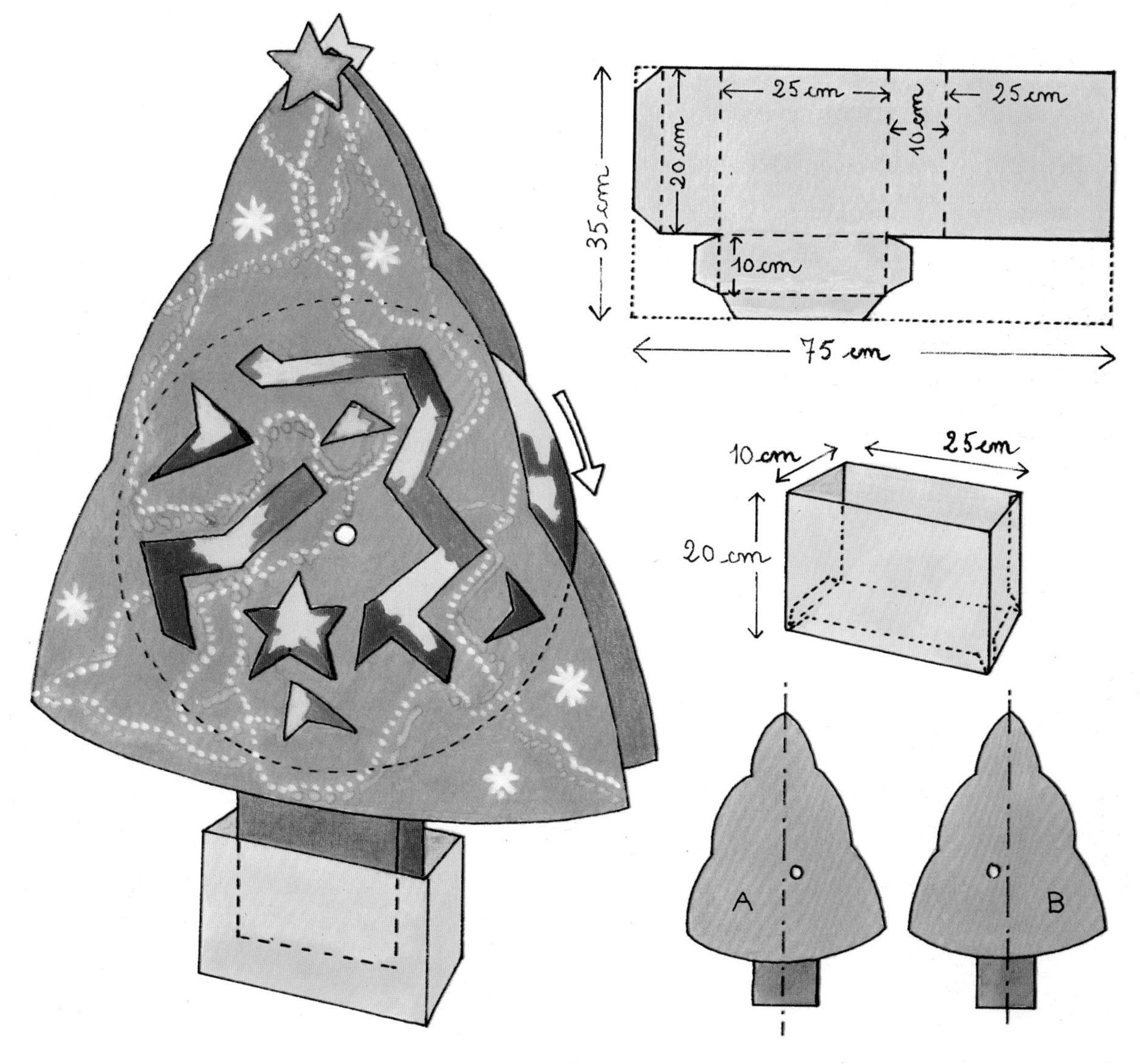

La Tour Eiffel

Matériel : *carton, cutter, gouache acrylique.*

Pour le monde entier, la Tour Eiffel est le symbole de la capitale, l'un des joyaux de la ville-lumière. Reproduire les patrons p. 158 sur le carton. Couper une fente de A à B dans un carton et de C à B dans l'autre. Décorer à la gouache. Construire la tour en glissant CB dans AB, perpendiculairement.
Réalisée en grande dimension, cette Tour Eiffel servira de point de départ à la préparation d'une fête parisienne.

La couronne d'œufs décorés

Matériel : *6 œufs, grosses boules de cotillon, bolduc, gouache, vernis à gouache, fil de fer fin, 40 cm de ruban.*

En France, il est de coutume de décorer des œufs pour célébrer la fête de Pâques.
Evider les œufs. Rincer à l'eau. Laisser sécher. Peindre les œufs à la gouache et les vernir. Les enfiler sur le fil de fer. Intercaler une boule de cotillon entre chaque œuf. Former la couronne et attacher un nœud de couleur. Cette couronne peut également servir comme décoration centrale d'une table.

Les santons de Provence

Matériel : *pâte à modeler durcissante.*

La pâte à modeler durcissante est très simple à travailler. Les coloris se mélangent, et les différents éléments se collent entre eux grâce à l'humidité des doigts. Laissez parler votre imagination pour ces petits personnages traditionnels de la crèche !

LES COSTUMES : HISTOIRE, LÉGENDES

Les Révolutionnaires

Le Sans-culotte : chemise blanche à manches longues, pantalon assez court, rayé, bleu, blanc, rouge, maintenu par une large ceinture bleue drapée autour de la taille, sabots de bois, bonnet rouge ou bonnet phrygien.
Les révolutionnaires de 1789 s'appelaient « sans-culottes » car ils portaient non la « culotte » resserrée au genou, mais le pantalon.
Pour réaliser le bonnet phrygien, symbole antique de la liberté chez les Romains, découper deux triangles de tissu rouge en jersey épais et les coudre l'un sur l'autre. Border d'une bande de tissu bleu. Coudre un petit pompon à la pointe du bonnet et ajouter une cocarde tricolore. On peut le réaliser aussi avec deux triangles de tissu, dont les pointes sont arrondies. Les coudre ensemble. Glisser du coton au fond du bonnet et relever la pointe ; la maintenir par quelques points de couture. Ajouter une cocarde tricolore.

La tricoteuse : corsage blanc, ceinture bleue, jupe large rayée de bleu, de rouge et de blanc ou à motifs tricolores, tablier rouge bordé de dentelle blanche, jupon blanc long, charlotte blanche.
Les « tricoteuses » étaient les femmes qui allaient écouter les débats à la Convention en tricotant pour ne pas perdre leur temps.
Pour réaliser la charlotte, froncer un grand rond de tissu blanc, à 5 cm du bord et coudre une cocarde sur le côté. Coller ou coudre un ruban tout autour pour masquer les fronces.

Le Fou du carnaval

Matériel : *feutrine, bristol, chapeau, pantalon orné d'un ruban latéral, bottes, grelots.*

Pour la collerette, découper deux grandes étoiles en feutrine et les coudre l'une sur l'autre. Coudre un grelot à l'extrémité de chaque pointe.
Adapter sur un vieux chapeau deux formes à trois branches en bristol. Les superposer et les agrafer. Décorer et attacher trois grelots. Entourer le chapeau d'une couronne décorée. Pour le reste du costume, laisser libre cours à votre imagination.

Le Père Ubu

Matériel : *un survêtement ou un pyjama un peu trop grand, serré aux poignets et aux chevilles, papier crépon, ceinture, gouache acrylique, bonnet haut et pointu.*

Le Père Ubu est un personnage du théâtre d'Alfred Jarry (1873-1907), le dramaturge surréaliste, qui lui a consacré une trilogie de l'absurde, *Tout Ubu*.
Sur le devant de la veste et du bonnet, peindre une grande spirale irrégulière. Laisser sécher. Rembourrer le pantalon avec des chiffons. Découper une collerette de papier crépon. Enfiler le costume et le remplir de chiffons ou de papier dans les manches, le dos et surtout le ventre. Placer une ceinture sous les hanches. Rembourrer le bonnet.

Le masque de carnaval

Matériel : *boîte en carton (suffisamment grande pour y passer la tête), bouteilles en plastique, chutes de papier couleur, 2 rouleaux de papier aluminium vides, grelots, gouache acrylique, ficelle, colle, cutter, couteau-scie.*

Peindre le carton. Découper les yeux, le nez et la bouche. Découper des anneaux dans les bouteilles en plastique et les peindre de toutes les couleurs. Les attacher entre eux avec de la ficelle et accrocher une grappe d'anneaux de chaque côté de la boîte pour figurer la chevelure.
Orner le dessus de la boîte de rouleaux de carton, de boîtes rondes et carrées, et de tortillons de papier de couleur. Orner le bas du masque de lanières de papier de couleur et ajouter quelques grelots.

La Tomate

Matériel : *rectangle de tissu rouge vif (longueur : deux à trois fois le tour de hanches - largeur : du cou au dessous des genoux), feutrine verte, cordonnet ou élastique, papier de soie pour le rembourrage.*

Il y a la fête des roses, la fête des lilas. Mais les légumes ne sont pas en reste, puisqu'à Montlhéry, le deuxième dimanche de septembre, c'est la fête des tomates ; ce jour-là, le rouge et le vert sont dans la rue.
Ourler les deux longueurs et coudre ensemble les deux largeurs sur l'envers du tissu. Resserrer en glissant un élastique dans chaque ourlet. Les deux ouvertures doivent être assez souples pour permettre de passer les membres. Couper deux fentes latérales pour faire passer les bras. Découper une collerette de feutrine verte (cf. *Le Fou du carnaval*). Enfiler le costume, passer les bras et rembourrer le corps de papier de soie en quantité. Placer la collerette.

On peut, à partir de ce costume, imaginer des déguisements de pomme, de fraise, de citrouille ou de gros bonbon en papillote !

COSTUMES FOLKLORIQUES

La France est très attachée à ses costumes folkloriques, aussi nombreux sans doute que ses variétés de fromages !
Même s'ils sont rarement portés dans la vie quotidienne, ils ressortent les jours de fête. Les groupes folkloriques sont nombreux, les danses (bourrée, sardane, etc.) et les instruments de musique traditionnels (cabrette, biniou, etc.) n'ont pas été complètement supplantés par les airs modernes.

Chaque province a son costume, avec souvent des variantes par cantons, la Bretagne étant peut-être celle qui montre le plus de variétés. Les costumes féminins se caractérisent surtout par la coiffe et le tablier. Les costumes masculins, plus sobres, montrent gilets, pantalons et chapeaux caractéristiques.
Voici sur ces pages les costumes, simplifiés, de quatre provinces prises aux quatre coins de la France.

LE COSTUME
ALSACIEN
noir
noir
noir
noir
noir
noir
bleu
blanc
noir
rouge
A
A'
B
B'
la coiffe
normande
dentelle
kraft
A(A')
B(B')
LE COSTUME
NORMAND
blanc
châle
"cachemire"
gris
noir
bleu
blanc
noir
fichu
rouge
blanc
bleu
rouge
blanc
rayé
blanc et rouge
LE COSTUME NIÇOIS

LES JEUX

Le corbillon

Jeu de société
Nombre de joueurs : 8 à 10.

Le corbillon n'est pas le petit du corbeau, mais une petite corbeille, dans laquelle le boulanger mettait la quantité de pâte nécessaire pour faire le pain.

Règle du jeu
Le meneur de jeu déclare : « Dans mon corbillon, qu'y met-on ? », et chaque joueur doit trouver une réponse se terminant par *-on* (exemple : mouton, raton, croûton...). Est déclaré vainqueur celui qui a trouvé la dernière réponse. Mais le jeu peut reprendre avec une autre rime.

Les bulles de savon

Nombre de joueurs : illimité
Matériel : *paille, savon en paillettes dans de l'eau ou liquide vaisselle ou shampooing allongé d'eau.*

Une fois que les joueurs sont expérimentés dans l'art de faire des bulles, on peut organiser des concours : la plus belle, la plus grosse, la plus petite, celle qui monte le plus haut...

Le bilboquet

Matériel : *deux boules de polystyrène : une de 10, l'autre de 5 cm de diamètre, morceau de bois de 15 cm de long et de petit diamètre, peinture blanche vinylique, gouache, aiguille à tricoter ou vrille, pâte plastique durcissante, ficelle fine en lin.*

Depuis le XVIe siècle et le roi Henri III, le bilboquet est un jeu d'adresse connu dans le monde entier. Il peut être en bois, en plastique ou en os. Il en existe qui sont de véritables œuvres d'art. Voici comment en réaliser un avec les moyens du bord.
Couper la grosse boule en deux à l'aide d'un cutter et en conserver la plus grande partie. Percer à la base un gros trou et enfiler le manche. Creuser l'intérieur à l'aide d'un cutter. Fixer la ficelle et la boule. Tapisser de pâte durcissante l'intérieur du bilboquet et laisser sécher 24 heures. Peindre le tout en blanc. Décorer à la gouache (croquis p. 157).
Le jeu consiste à lancer la boule (attachée au manche) et à la rattraper dans le réceptable, d'une seule main.

Les chiffres cachés

Jeu de société
Nombre de joueurs : 2 à 4
Matériel : *carton, feutrine, fines baguettes en bois, bristol, 2 dés à jouer, colle.*

Ce jeu était à l'origine pratiqué par les marins de Normandie et de la côte Atlantique.
Découper un rectangle de carton de 48×40 cm. En haut, tracer 12 cases de 4×6 cm, le reste étant occupé par le tapis de feutrine, bordé d'une fine baguette en bois. Numéroter les cases de 1 à 12. Découper 12 rectangles de bristol de 5×3,5 cm qui serviront à cacher les chiffres.

Règle du jeu
Les douze chiffres sont découverts. Le premier joueur jette les deux dés sur le tapis. La somme des deux chiffres, ou les deux chiffres séparés, donne la possibilité au joueur de recouvrir la ou les cases correspondant aux chiffres obtenus.

Exemple : les dés marquent 5 et 6, le joueur peut cacher la case 11 ou les cases 5 et 6. Puis il relance les dés. Quand le total des cases restantes ne dépasse pas 6, il n'utilise plus qu'un seul dé. Lorsque les dés ne lui permettent plus de recouvrir une case, il fait le total des chiffres non cachés et passe sont tour. Le gagnant est celui qui a le plus petit total. Celui qui dépasse 66 est éliminé.

La Galoche normande ou jeu du bouchon

Sur un terrain très sec et plat, on pose un bouchon de liège sur lequel sont empilées des pièces de monnaie constituant la mise des joueurs. En se plaçant à une bonne distance, les joueurs tentent de renverser le bouchon avec un palet en bois, pour gagner la mise.

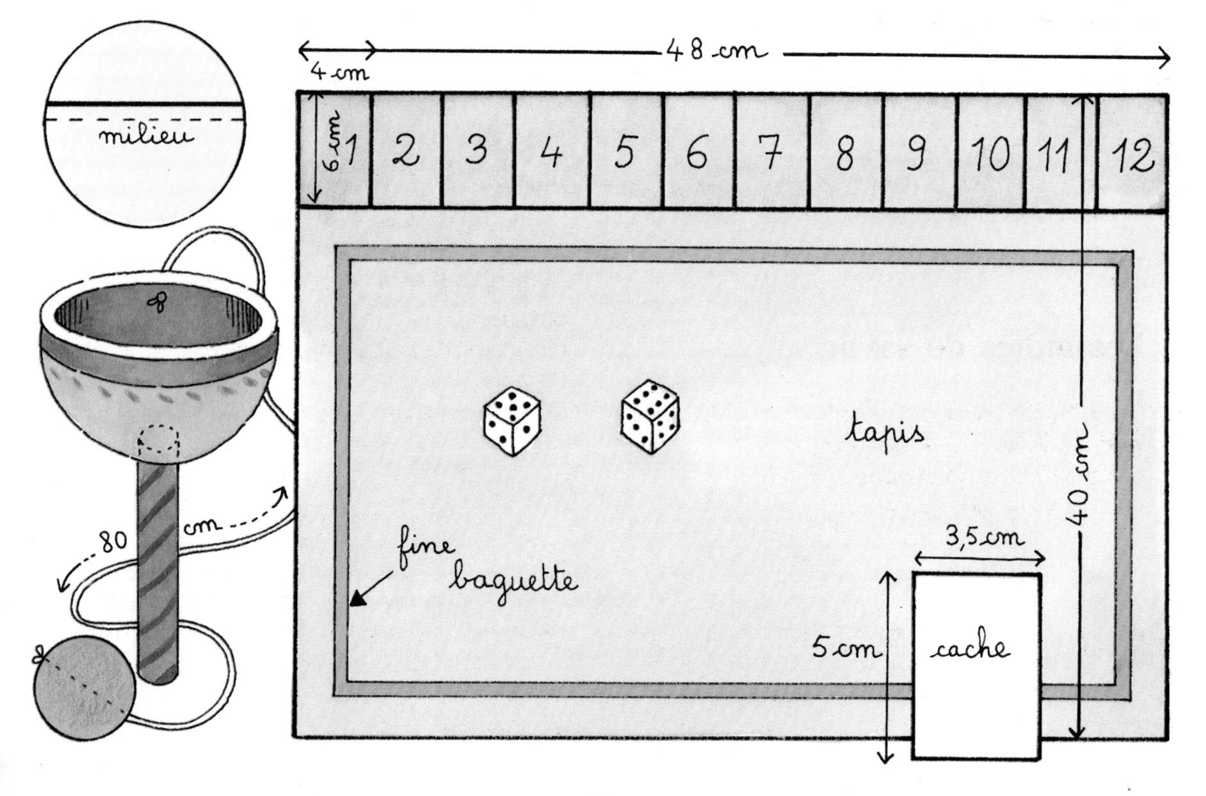

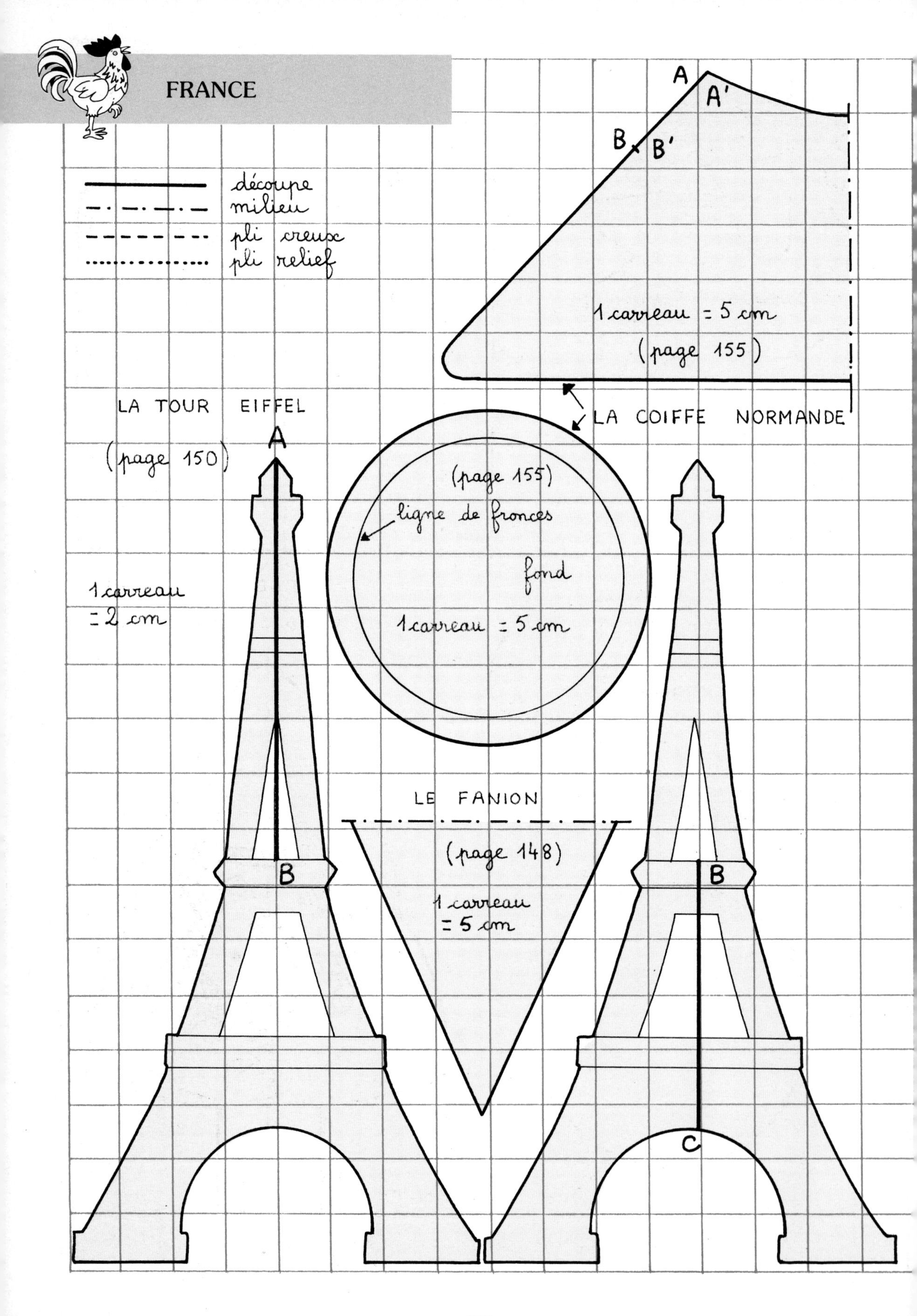

découpe
milieu
pli creux
pli relief
A
A'
B
B'
1 carreau = 5 cm
(page 155)
LA TOUR EIFFEL
(page 150)
A
1 carreau
= 2 cm
B
LA COIFFE NORMANDE
(page 155)
ligne de fronces
fond
1 carreau = 5 cm
LE FANION
(page 148)
1 carreau
= 5 cm
B
C

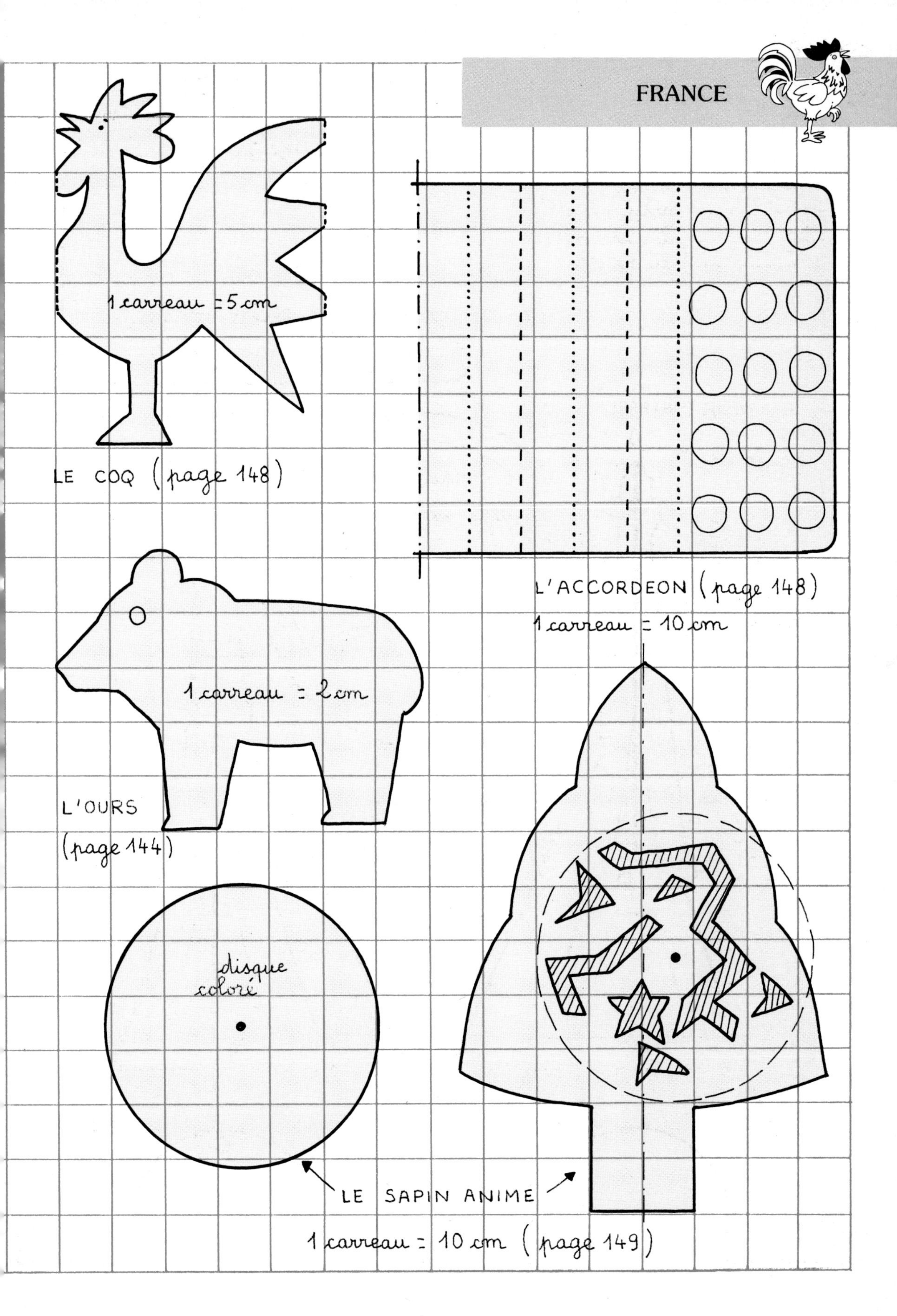
1 carreau = 5 cm
LE COQ (page 148)
L'ACCORDEON (page 148)
1 carreau = 10 cm
1 carreau = 2 cm
L'OURS
(page 144)
disque
coloré
LE SAPIN ANIME
1 carreau = 10 cm (page 149)

Bibliographie

La France. Collection Monde et voyages, Larousse, 1988.

Le Guide familier des fêtes de France. Renaud de la Baume. La Boétie. Deux Coqs d'Or, 1981.

Menus et coutumes des provinces françaises. Colette Guillemard. Christine Bonneton Editeur, Le Puy-en-Velay et Paris, 1985.

Le Caviste 1990. Hubert de Chanville. Préface de Michel Bettane de la *Revue du vin de France.* Editions Gamma, Paris, 1989.

Déguisements pour les petits. Marie-Claude Terrié. Collection Mille-pattes. Editions Fleurus, 1987.

Vive Carnaval ! Christiane Neuville. Collection Manie-Tout. Editions Fleurus, 1985.

Chapeaux de fête. Claude Soleillant. Collection Mille-Pattes. Editions Fleurus, 1988.

Les Secrets du Sucre. Marie-Hélène Martin de Clausonne. Collection Savoir Créer. Editions Fleurus, 1987.

Costumes du temps jadis. Sylvette Pagan. Collection Mille-Pattes. Editions Fleurus, 1989.

Discographie

Collection *Traditions populaires en France* en 4 volumes. Disques : OCORA Harmonia Mundi.

Souvenirs d'Alsace en 6 volumes. Cassettes : MUSIDISC.

Danses de France. Grand bal folk. Disque : 193781 MUSIDISC.

Musées

Musée des Arts et Traditions populaires, route du Mahatma-Gandi, Bois de Boulogne, Paris.
Les musées régionaux sont toujours intéressants pour bien connaître une province.

ITALIE

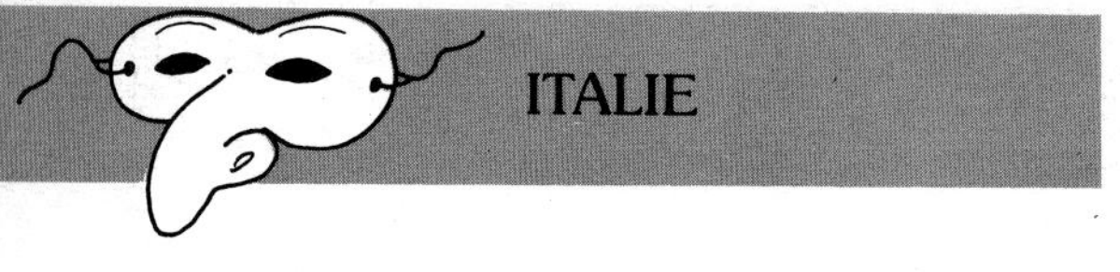

Le pays

Entourée par trois mers (Méditerranée, Tyrrhénienne, Adriatique), coiffée au nord par les Alpes, proche de l'Afrique par la Sicile dont la côte Sud regarde la Tunisie, l'Italie possède des décors naturels aux charmes incontestables : les Monts Apennins descendant jusqu'en Sicile, l'immense plaine du Pô, façonnée par le fleuve et dont le delta, au sud de Venise, est extrêmement mouvant et sauvage, les volcans, les côtes rocheuses de Ligurie...

L'Italie, ou plutôt les Italies, tant cette longue péninsule offre une multitude de paysages et de peuples, s'étend sur 301 200 km². Ses 58 millions d'habitants se partagent entre les campagnes et les villes, toutes aussi importantes les unes que les autres par leurs richesses culturelles et leur rayonnement artistique : Milan, Rome sa capitale, Venise, Vérone, Bologne, Naples... villes aux vestiges étrusques, grecs, romains, byzantins et médiévaux.

Les fêtes traditionnelles

Le 6 janvier - *L'Épiphanie* : en même temps que les Rois mages de la Crèche, les enfants attendent la venue de la vieille fée, la Befana chargée de jouets. A Vittorio Veneto, près de Venise, les pentes des montagnes s'illuminent de feux symbolisant le voyage des Rois mages.

Janvier et février - *Vive Bonhomme Carnaval !* : jusqu'à Mardi Gras, l'Italie est le décor de processions, de fanfares, de feux d'artifice, particulièrement à Venise.
A San Nicola da Crissa, en Calabre, une farce populaire représente la fin de Bonhomme Carnaval, mort d'avoir trop mangé : on y voit un homme recouvert de saucisses et de saucissons.
A Ivrea, dans le Piémont, des clans de quartiers se font la guerre en se lançant des kilos d'oranges à la figure, au grand bonheur des marchands des quatre saisons.

A Vérone, en Vénétie, le Carnaval célèbre la fête du Gnocco. En 1530, Vérone fut attaquée par une troupe étrangère qui la pilla et la laissa privée de vivres. Un riche marchand de la ville distribua du pain, de la semoule et du fromage qui permirent aux habitants de préparer une énorme quantité de gnocchi (boulettes de semoule ou de pommes de terre). Encore aujourd'hui a lieu la « distribution des gnocchi », fête à laquelle participe « il Papà del Gnocco » avec sa grande fourchette sur laquelle est piqué un gnocco.

ITALIE

Le 15 mai - *L'Ascension* : en Sardaigne, à Cagliari, a lieu la Fête-Dieu, avec sa procession de magnifiques costumes régionaux.

Le 21 juin - *La fête de la Saint-Jean* : dans toute l'Italie, c'est une nuit pleine de mystère et de magie. Les sorcières dansent le sabbat !

Le 23 juin - *La fête des Escargots* : un repas rassemble les Romains en famille ou entre amis autour d'un plat d'escargots, pour maintenir la bonne entente, les cornes d'escargots étant symbole de discorde.

Juillet et août - *Le Palio de Sienne* : le 2 juillet et le 16 août, sur la célèbre place de la ville en forme de coquillage, se déroule une course de chevaux. Les cavaliers revêtent pour l'occasion leur traditionnel costume Renaissance.

Troisième semaine de juillet - *Les feux d'artifice de Venise.*

Août - *Le Ferragosto* : la fête du 15 août dure plusieurs jours dans toute l'Italie péninsulaire, en Sicile et en Sardaigne.

Début septembre - *La Madonna di Piedigrotta* : c'est la plus célèbre fête napolitaine. Toute la ville descend dans la rue dans le vacarme des instruments de musique.

Décembre - *Natale* : la fête de Noël, pendant laquelle on s'offre des œufs, symbole de fécondité. Dans le Sud, les bergers descendent des montagnes pour jouer des airs champêtres quelques jours avant la fête. Les crèches de Naples sont très réputées.

Le 31 décembre - *La Saint-Sylvestre* : les Romains jettent par les fenêtres les objets hors d'usage.

DÉCORATION POUR UN REPAS *ALL'ITALIANA*

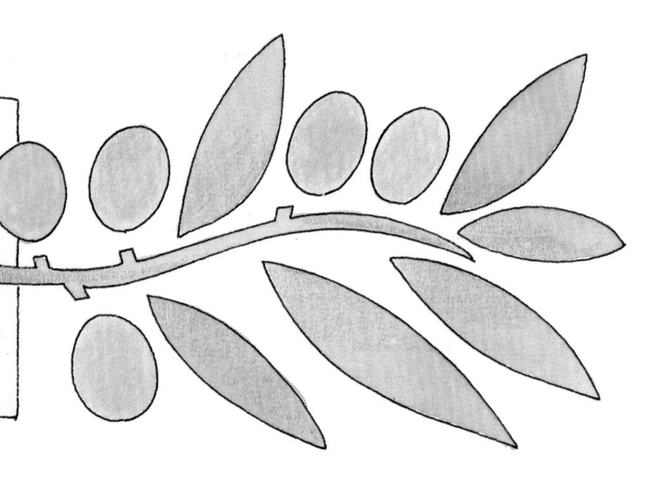

Les guirlandes italiennes

Matériel : *papier, tissu et plastique, brosse à pochoir, cutter, bristol ou Rhodoïd. Pour le papier, de la gouache. Pour le tissu, de la couleur pour tissu diluable à l'eau et fixée au fer chaud. Pour le plastique, de la peinture acrylique ou de la couleur en bombe.*

Décalquer les motifs de cette page, en les agrandissant éventuellement, sur *Rhodoïd* ou bristol. Évider les dessins au cutter. Le procédé du pochoir est expliqué dans l'introduction.

Les portraits d'Arcimboldo

Ingrédients : *fruits, légumes et fleurs.*

Pour décorer un buffet froid, il sera amusant de s'inspirer des célèbres portraits en fruits et légumes du peintre de la Renaissance, Giuseppe Arcimboldo.

Préparer un grand choix de fruits, légumes et fleurs. Composer des portraits satiriques. Les déposer sur la table ou sur un grand plateau, sans les coller. Il est conseillé de laver fruits et légumes au préalable.

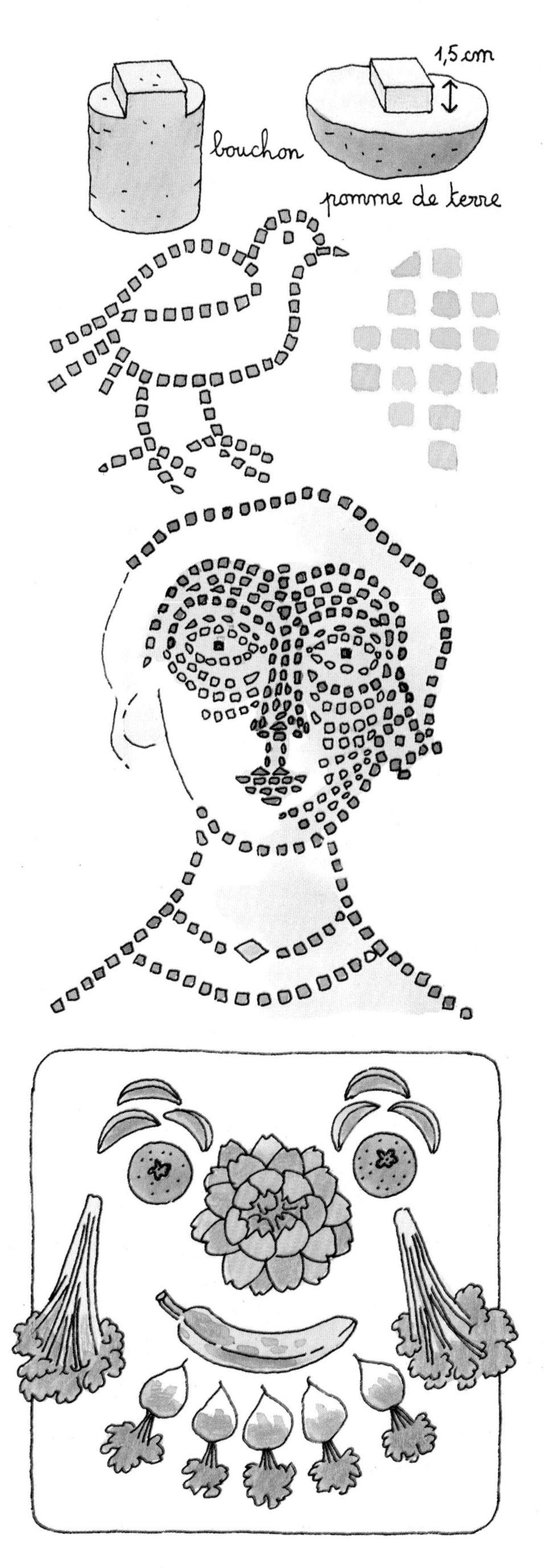

Les mosaïques de Pompei et de Ravenne

Matériel : *grosses pommes de terre ou bouchons, papier à dessin de 50×65 cm, ou bois, ou carton, gouache acrylique de différentes couleurs, couteau ou cutter.*

A Pompei, ensevelie en 79 ap. J.-C. sous la lave et les cendres du Vésuve, comme à Ravenne, cité byzantine sur l'Adriatique, les magnifiques mosaïques attestent de l'art des Romains et des Byzantins du VIe siècle.

On peut s'amuser à réaliser des mosaïques éphémères dans le jardin ou sur le sable d'une plage. Après avoir réuni du gravier, des galets ou des cailloux de différentes couleurs, chacun réalise sur le sol un personnage, un animal ou un paysage. On peut ainsi organiser des concours, comme pour les châteaux de sable.

On peut également faire des « mosaïques peintes » sur papier, bois ou tissu en remplaçant les bouts de verre et les carreaux de marbre des mosaïques traditionnelles par des dessins tamponnés avec une pomme de terre ou un bouchon.

Sur le papier, tracer un grand dessin au crayon. Couper la pomme de terre en deux dans le sens de la longueur et dessiner un carré ou un rectangle. Découper la surface de la pomme de terre de façon à dégager le motif. Faire de même avec un bouchon.

Préparer des petites assiettes remplies de peinture assez épaisse. Appliquer la pomme de terre sur la peinture et tamponner sur le support en suivant toujours les contours du dessin. Remplir l'intérieur en suivant les grandes lignes du motif. Il est important de travailler lentement et de bien harmoniser les couleurs.

La pomme de terre ne se conservant que quelques heures, en prévoir d'avance dans un récipient rempli d'eau froide. Bien éponger avant utilisation.

LA TRADITION CULINAIRE ITALIENNE

Grâce à l'émigration des Italiens, la cuisine italienne, parfumée mais peu épicée, est connue dans le monde entier. Mais elle n'est pas seulement faite de pâtes, de tomates ou de pizzas dont on trouvera facilement des recettes ailleurs.
Sur cette page, voici quelques préparations pour **un buffet froid.**

Le jambon cru aux figues

Pour 5 personnes
Ingrédients : *10 tranches fines de jambon de Parme, 2 citrons, 10 figues fraîches mûres à point.*

Disposer les tranches de jambon sur un grand plat, ainsi que les figues pelées. Ajouter des morceaux de citron. Pour déguster, verser quelques gouttes de citron sur le jambon et l'accompagner d'une figue.

Le thon à la sicilienne

Pour 5 personnes
Ingrédients : *5 tomates, un demi-concombre, fenouil, olives, boîte de thon à l'huile de 250 g, vinaigrette à l'huile d'olive, 5 œufs durs, herbes de Provence.*

Égoutter le thon et le verser émietté dans un grand saladier.
Ajouter les tomates, le fenouil et le concombre coupés en rondelles, puis les olives dénoyautées.
Verser la vinaigrette ; mélanger et décorer avec les œufs durs coupés en deux. Parsemer d'herbes de Provence. Servir frais.

Prévoir également un **plateau de fromages** abondant (voir page 168). Eventuellement les couper en petits dés et mettre à disposition des piques en bois.

Le cocktail aux fruits

Pour 8 personnes
Préparation : 25 minutes
Ingrédients : *1 litre de jus de raisin, 1 litre de jus d'orange, un demi-litre d'eau gazeuse, le jus d'un citron, 2 oranges, 4 pêches fraîches, 2 bananes.*

Éplucher les fruits. Dans un grand saladier en verre, verser les pêches, les bananes et les oranges coupées en petits morceaux. Ajouter le jus de citron et mélanger. Verser le jus de raisin, le jus d'orange et l'eau gazeuse. Mélanger avec une cuiller en bois. Servir très frais à la louche.
Cette recette convient aux enfants. Les adultes pourront remplacer le jus de raisin par du vin rouge et supprimer l'eau gazeuse qui dénature le vin.

Pour d'autres desserts, servir toutes sortes de glaces et de fruits en salade arrosés de Marsala (vin blanc doux).

Le poulet au lard

Pour 5 personnes
Préparation : 10 minutes
Cuisson : 1 heure
Ingrédients : *poulet de 1,5 kg, 3 tranches de lard fumé assez épaisses, verre de vin blanc sec, 3 tomates coupées en rondelles épaisses, gousse d'ail écrasée, huile d'olive, herbes de Provence, sel, poivre.*

Couper le poulet en huit morceaux. Découper le lard en dés de 2 cm de côté.
Faire revenir le poulet et le lard quelques minutes à feu vif, dans une cocotte avec de l'huile d'olive. Réduire le feu et ajouter le vin, l'ail, les herbes et les tomates. Saler et poivrer. Couvrir la cocotte et laisser mijoter une quarantaine de minutes. Retourner les morceaux de poulet de temps en temps.
Servir avec du riz, des légumes ou une salade verte.

Le risotto

Pour 5 personnes
Cuisson : 30 minutes
Ingrédients : *400 g de riz, parmesan râpé, 2 oignons, curry, paprika, ou safran, tablette de bouillon concentré, petite boîte de concentré de tomate, sel, poivre.*

Dans un faitout, faire dorer les oignons avec un peu d'huile. Ajouter riz, épices, sauce tomate et tablette de bouillon émiettée.
Mélanger rapidement. Verser de l'eau chaude sur le riz (le double de son volume), saler, poivrer et ajouter le curry, le paprika ou le safran. Couvrir et laisser cuire vingt-cinq minutes. Lorsque le riz est cuit, ajouter du parmesan râpé. Mélanger doucement. Servir avec de la viande ou du poisson.

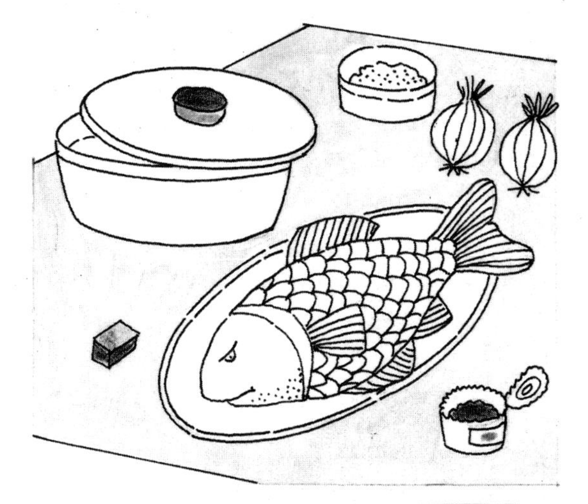

La polenta

Pour 5 personnes
Cuisson : 35 minutes
Ingrédients : *300 g de semoule fine de maïs, 100 g de beurre, 150 g de parmesan râpé, eau, sel.*

Un des plats de base de la cuisine italienne, la polenta est consistante, mais succulente si elle est bien préparée.
Porter à ébullition 1 litre d'eau salée et y verser en pluie la semoule de maïs. Faire cuire vingt-cinq minutes en remuant de temps en temps avec une cuiller de bois.
Beurrer un plat allant au four. Verser un tiers de polenta dans le plat et recouvrir avec un tiers du parmesan râpé et quelques noisettes de beurre. Ajouter un autre tiers de polenta, un tiers du fromage et le beurre. Étendre le restant de polenta, de fromage et de beurre. Faire cuire au four pendant quinze minutes. Servir avec du poulet ou un légume cuit.

Le plateau de fromages

Mozzarella, Gorgonzola, Provolone, Manteche, Ricotta, Parmesan...

Sur un grand plat, préparer un assortiment de fromages italiens, accompagnés de poires mûres, de pommes et de figues fraîches. Le gorgonzola avec une poire juteuse est un véritable délice !

Les beignets au miel

Préparation : 15 minutes
Cuisson : quelques minutes
Ingrédients : *4 œufs, 100 g de sucre en poudre, 3 cuillers à soupe de rhum, 2 cuillers à soupe de cognac, 400 g de farine de froment, 2 cuillers à soupe de farine de maïs bien jaune, un demi-sachet de levure chimique, 50 g de raisins secs, 50 g de sucre glace, miel liquide, huile.*

Battre les quatre œufs entiers avec 100 g de sucre en poudre, le rhum et le cognac. Ajouter petit à petit les deux farines, la levure et les raisins secs. Bien mélanger de façon à obtenir une crème consistante.
Faire chauffer de l'huile dans une poêle à haut rebord ou une friteuse. Avec une cuiller, prendre la quantité nécessaire de pâte pour un beignet et la déposer dans la poêle contenant l'huile bouillante.
Lorsque le beignet prend une belle couleur dorée, le poser sur du papier absorbant et le saupoudrer de sucre glace.
Disposer les beignets chauds dans un grand plat creux chauffé au préalable et verser du miel tiède par-dessus.

Les glaces

Glaciers de tradition, les Italiens nous offrent un choix incomparable de *gelati*, glaces et sorbets.
Voici une recette simple de **fruits glacés** réalisable même par des enfants.
Choisir des agrumes (oranges, pamplemousses, clémentines, citrons). Couper un couvercle dans la partie supérieure et ôter la pulpe des fruits sans crever l'écorce. Mettre les écorces au congélateur quelques heures pour les raffermir et les rafraîchir.
Remplir les fruits de glace à la vanille, au citron, à l'orange ou aux fruits exotiques. Servir en les recouvrant du couvercle.
La pulpe servira dans une salade de fruits ou dans un cocktail de jus de fruits (voir p. 166).

Les boissons

Les vins italiens sont très réputés : Chianti rouge ou blanc, en provenance de Toscane, Valpolicella de Vénétie, Lacrima Christi de Campanie, Montepulciano de Toscane, Marsala blanc de Sicile...

Prévoir également des jus de fruits et du café espresso, serré « stretto », comme disent les Italiens.

COSTUMES DELL'ARTE ET FOLKLORE

Dès l'Antiquité, on trouve quelques masques dans les rites agraires. Au XVIe siècle, ce sont les masques de la Commedia dell'arte qui font leur apparition, d'abord en Toscane, puis dans toute la péninsule. Les personnages évoluent sur un canevas (« canovaccio ») établi à l'avance, mais assez souple.

Chaque ville se targue d'avoir apporté son personnage traditionnel à ce genre théâtral très particulier : Bologne le Dottore Baloardo, Venise Pantaleone, Bergame Arlecchino, et un village près de Naples le célèbre Polichinelle.

Ces véritables « vedettes » conquirent rapidement l'étranger et se produisirent dans toute l'Europe, sur des estrades en plein air, ou à la cour des princes des grands royaumes.

Les acteurs de la Commedia dell'arte sont vêtus d'oripeaux bizarres et extravagants. Ils portent tous un demi-masque au nez semblable à un bec d'oiseau, ainsi que de nombreux postiches — longue barbe pointue, perruque filasse, moustaches en croc — qui en font des personnages très typés, caricaturaux. Ils arborent parfois un chapeau de feutre de forme démesurée et garni à l'arrière d'une plume de faisan. A la ceinture, portée très basse, pend une bourse, objet de toutes les convoitises, accessoire de théâtre et d'illusion.

Arlecchino

Serviteur et portefaix, Arlequin est rusé, tire-au-flanc, ingénu, toujours affamé, mais serviable, et prêt en toute circonstance à alléger les maux d'autrui. Son vêtement est bariolé, masque noir, batte en bois à la ceinture. Il porte parfois un bicorne bordé d'un liseré de couleur ou un chapeau blanc semblable à une casquette souple au bord relevé.

Pulcinella

Personnage gai, vif, railleur et généreux, Polichinelle est aussi crédule et paresseux. Il ne sait tenir sa langue, et laisse filer tous les secrets, devenus « secrets de Polichinelle ». Il est vêtu de blanc, porte un masque noir au bec d'oiseau crochu. Pulcinella n'est pas bossu comme le Polichinelle de la tradition française.

Tartaglia

C'est le type même du notaire à l'avantageuse stature, pédant, bavard et poltron. Il est vêtu d'un ensemble vert à rayures jaunes, sorte de pyjama à gros boutons ronds. Une collerette blanche orne l'encolure et une ceinture de cuir entoure son ventre rebondi.

Scaramuccio

C'est un personnage volontiers fanfaron et ridicule, tenant à la fois du Capitan et d'Arlequin. Il est tout de noir vêtu.

Scapino
Scapin est le type du valet plébéien, rusé, fourbe, intrigant. Il porte un demi-masque noir au nez crochu, une barbe et un feutre noir à large visière orné d'une longue plume de faisan. Son costume est très simple : longue chemise et ceinture portée bas, à laquelle est fixé un sabre en bois.

Pedrolino
Le petit Pierre, « Pierrot », est un personnage mélancolique et sentimental. Il porte une ample tunique blanche et un large pantalon blanc. Sa figure est enfarinée, ses traits sont dessinés en noir et en rose.

Les personnages féminins de la Commedia dell'arte sont peu nombreux : Fracischina, la signora Lucrezia, Mama Lucia et la soubrette Colombina, l'éternelle fiancée d'Arlequin, servante fidèle, pleine de verve, rouée et changeante, à l'instar de ses nombreux surnoms, Carolina, Tonietta, Lucetta...

Le masque au nez crochu

Matériel : *loup noir, papier fort, agrafeuse, colle.*

Reproduire les deux parties du nez A et B sur le papier. Plier les languettes de A et les coller sur B. Agrafer ce nez crochu à la base du loup à l'aide des languettes larges.

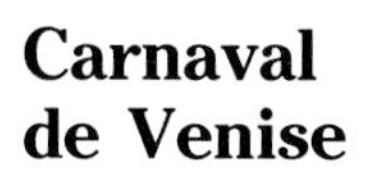

Carnaval de Venise

Au XVIIIe siècle, le Carnaval de Venise s'étendait sur 6 mois ! Tout est permis, mais on se doit de porter masques et vêtements somptueux.

Pour le costume féminin : tissu blanc ou papier crépon pour la collerette, dentelle noire pour la petite cape (100 × 30 cm), tissu gris foncé ou noir pour la grande cape, tissu de couleur pour la jupe et les nœuds, loup noir, feutrine noire, plumes véritables, papier fort de couleur.

Pour la collerette : découper un grand rond de tissu blanc ou de papier crépon. Découper l'encolure et la fendre. Froncer l'encolure.

Pour la petite cape : froncer la dentelle noire sur toute la longueur.

Pour la grande cape : c'est un long rectangle de tissu épais agrémenté d'une bordure de tissu de couleur ou d'un large galon. Froncer l'encolure.

Pour la jupe : fermer un long rectangle de tissu rose, rouge ou orange. Ourler en haut et en bas. Glisser un élastique dans la taille.
Longueur : de la taille aux chevilles.
Largeur : une fois et demi le tour de hanches.
Sur le devant coudre verticalement une série de nœuds de couleur.

Pour le tricorne : former une structure circulaire en papier noir correspondant au tour de tête. Fixer sur le pourtour trois formes arrondies identiques en papier fort recouvert de feutrine noire. Agrafer les pointes deux par deux et décorer d'un panache.

Pour masquer le visage, coudre un volant de dentelle noire sous le loup. Orner l'ensemble de perles, de pierres de couleur et de paillettes.

Pour le costume masculin, prévoir une longue cape noire ou rouge, très ample et descendant à mi-mollet, et un tricorne noir. Le visage est masqué d'un loup noir en satin, au nez très long. Il faut également une chemise blanche décorée d'un jabot de dentelle, un pantalon noir usagé, coupé à 10 cm sous les genoux et dont les bords sont resserrés avec un ruban de couleur, un collant blanc ou noir et des chaussures noires ornées de boucles dorées.

Le costume sarde

C'est le costume que portaient les montagnards sardes de la région de Desulo.

Pour le costume féminin : ample chemisier blanc à manches longues, feutrine noire, ruban de couleur, tissu rouge épais, uni ou rayé, broche, châle rouge ou grand carré de tissu.
Réaliser **le gilet** en feutrine noire. Il est très ajusté et largement décolleté, fermé à l'aide d'une broche à la hauteur de la taille. Préparer des patrons de papier kraft à la taille choisie en s'aidant des croquis ci-dessous. Faire un premier gilet avec un vieux tissu. Bien l'ajuster et s'en servir comme patron du gilet définitif. Découper le dos et les devants. Assembler ces trois morceaux et coudre un galon de couleur. Fixer une broche au bas du gilet.

La jupe est un simple rectangle de tissu rouge froncé à la taille.
Longueur : de la taille aux chevilles.
Largeur : une fois et demi le tour de hanches.
Pour le costume masculin : feutrine pour les jambières et le chapeau, chemise blanche ample à larges manches, pantalon blanc légèrement bouffant, tissu de couleur uni pour la blouse, cordelière.
La blouse est un long rectangle froncé à la taille et maintenu en place par une cordelière.
Les jambières sont de simples rectangles de feutrine enveloppant les jambes. Les attacher à l'arrière avec du *Velcro* ou de longs lacets.
Pour **le chapeau,** fabriquer un long tube fermé avec de la feutrine. Laisser retomber dans le dos, puis ramener sur le dessus et former plusieurs plis plats surplombant le front.

La paysanne siennoise

Chemisier à manches longues, blanc ou de couleur, grand carré de tissu imprimé, tissu rigide couleur pastel pour le tablier, tissu de couleur unie pour la jupe, 4 à 6 m de ruban, capeline.

Pour le fichu, plier en deux le carré de tissu imprimé dans le sens de la diagonale.
La jupe est un long rectangle de tissu de couleur froncé et garni de rubans.
Longueur : de la taille aux chevilles.
Largeur : deux fois et demi le tour de hanches.
Froncer une longueur de tissu pastel pour le tablier. Masquer les fronces par une ceinture.

Le pâtre napolitain

Chemise à manches longues, pantalon sombre, grande ceinture en tissu, tissu épais pour le gilet, feutrine blanche pour les jambières, ruban, chapeau de feutre souple.

Il Pappà del gnocco

Chapeau haut-de-forme, décoré de galons de couleur, coton blanc synthétique pour la perruque et les moustaches, grande veste de couleur vive unie ou multicolore, coussin ou oreiller pour le ventre, pantalon de couleur vive, chaussures noires ornées de boucles dorées, ceinture, grande fourchette en carton.

LES JEUX : LOTO, MASQUES ET CHANSONS

Le Loto

Nombre de joueurs : 6 à 24+1 meneur
Matériel : *bristol fort, 30 bouchons de liège ou du carton, couteau, papier, colle, haricots blancs, sac pour les jetons numérotés.*

Le Loto se joue très fréquemment dans les cafés du Sud de la France. Mais c'est avant tout la loterie nationale italienne, datant du début du XVIe siècle.
Découper 24 rectangles de bristol de 18×6 cm et les diviser en 27 cases. Découper une feuille de papier en 90 cases et les numéroter de 1 à 90. Tirer au sort 15 numéros par carte (vous aurez donc 6 cartes par tirage). Inscrire les numéros tirés suivant le modèle ci-dessous. Veiller à avoir une distribution régulière. Il faut 4 tirages pour remplir les 24 cartes. Chaque numéro se trouve donc sur quatre cartes.
Couper chaque bouchon en trois parties et y inscrire un nombre de 1 à 90. Sous le chiffre 9 et le nombre 89, tracer un trait ou un point pour ne pas les confondre avec 6 et 68.

Règle du jeu
Chaque joueur choisit des planches et les pose devant lui. Un meneur de jeu place les jetons dans un sac, puis en prend un au hasard et l'annonce. Le ou les joueurs qui possèdent ce numéro placent un haricot sur leur planche dans la case correspondante. Le jeu continue jusqu'à ce qu'un joueur annonce « Loto ! », lorsqu'une de ses planches est complète.

	16		35	42		66		89
1	19		38		50		73	
3		24		44	56		75	

2 cm
2 cm
89

La Morra

Jeu de mains...
Nombre de joueurs : 2

La Morra était le jeu favori des Italiens. Il se terminait cependant par de fréquentes bagarres. C'est pourquoi il a été interdit par la loi. L'un des deux joueurs montre ses mains, certains doigts levés, d'autres abaissés. Son adversaire annonce rapidement un chiffre pair de 0 à 10 qui doit être, pour marquer un point, égal à la somme des doigts levés. Le premier qui totalise 5 points a gagné la partie.

Le personnage mystérieux

Jeu d'intérieur
Nombre de joueurs : au moins 5
Matériel : *grand tissu blanc léger, éclairage puissant (pas de bougies), ruban adhésif double face ou punaises.*

Dans l'encadrement d'une porte, tendre de haut en bas une toile blanche fine. Derrière cet écran, disposer une source lumineuse puissante.

Règle du jeu
Les spectateurs s'installent devant l'écran. Un volontaire quitte la pièce et disparaît derrière l'écran. Il a la possibilité de se déguiser rapidement (chapeau à plumes, ventre volumineux, gros nez), puis il se place face à l'écran. Il mime un personnage célèbre, un métier, le titre d'un film connu, une chanson... Les spectateurs, qui voient son ombre sur l'écran, essaient de deviner le titre ou le nom de ce que le joueur vient de mimer devant eux. C'est une variante du classique jeu de mime représenté à l'occasion du Carnaval de Venise.

Le jeu des masques

Nombre de joueurs : 6 à 12
But du jeu : découvrir qui se cache derrière les masques.

Règle du jeu
Un joueur est tiré au sort et va se cacher. Pendant ce temps, les autres s'enveloppent dans de grandes pièces de tissu de même couleur et se masquent de loups noirs ou de masques entiers, tous identiques.
Le joueur caché revient et pose des questions à ses camarades masqués : ceux-ci peuvent répondre en déguisant leur voix. Si le joueur n'a pas découvert qui se cache sous son masque au bout de cinq minutes, il est éliminé. Le joueur passe à une autre personne, et marque un point à chaque personne découverte. A la fin, il note son score, et on passe à un autre joueur. Le gagnant est celui qui a obtenu le meilleur score.

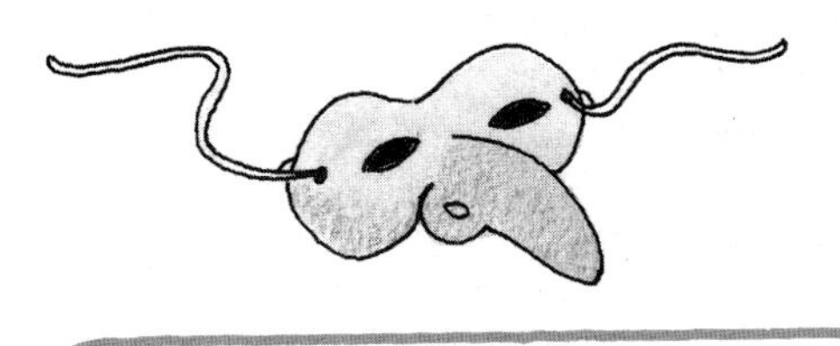

Le jeu des chansons

Nombre de joueurs : au moins 4.

Règle du jeu
Le premier joueur commence à chanter une chanson ou à réciter une comptine, et s'interrompt sur une parole précise. Son voisin devra chanter le morceau d'une autre chanson commençant par cette parole. A son tour, il s'interrompt sur un mot précis, et un autre joueur prend le relais... Celui qui hésite ou se trompe devra exécuter un gage.

Bibliographie

L'Italie. Monde et voyages. Larousse, 1985.

Cuisine italienne. C.I.L. (Compagnie Internationale du Livre), 1986.

Les Cuisines du Soleil. Frédéric Hubert et Jean Curutchet. Les Editions Harriet, Bayonne, 1988.

100 jeux pour toute la famille. Giampaolo Dossena. Collection Idées-Jeux. Editions Fleurus, 1988.

Re Carnevale. Manola Carti et Vittoria Viscardi. Mondadori. Milano, 1985.

Venise. Texte de Emmanuelle Belloc et Arthur Riedacker. Collection Globe-Trotter, Larousse.

Contes populaires italiens présentés par Italo Calvino. Denoël, 1980. (4 volumes).

Masques aux quatre saisons. Dominique de la Porte des Vaux. Collection Manie-tout. Editions Fleurus, 1988.

Discographie

Bella Ciao. Compact disque : HMA 190734. Harmonia Mundi. Cassette HMC 40734.

Matteo Salvatore. Chants de mendiants. Compact disque : HMC 190434. Harmonia Mundi.

Franco Corelli. Chansons napolitaines. dir. : Franco Ferraris. Compact disque : CDC 7478352. EMI/Pathé-Marconi.

Et, bien sûr, les disques de tous les chanteurs italiens dont la renommée a traversé les frontières : Paolo Conte, Milva, Gianna Vanina, Mina, Luciano Pavarotti...

EUROPE DE L'EST
Tchécoslovaquie
Roumanie
Yougoslavie
Hongrie

La Tchécoslovaquie

Vient immédiatement à l'esprit, sa capitale : Prague, la cité d'or aux cent tours... Mais la Tchécoslovaquie, c'est aussi la Bohême, la Moravie et la Slovaquie, terres ancestrales de la paysannerie d'Europe Centrale, et creuset artistique fabuleux. Fierté de 16 millions de Tchèques.

La Roumanie

C'est un pays de culture latine — la langue ressemble assez à l'italien — peuplé de 22 millions d'habitants, sur une superficie de 237 500 km². Sa capitale est Bucarest. Le relief est harmonieusement réparti entre les montagnes, les collines et les plaines. Le delta du Danube est une belle avancée sur la mer Noire, très appréciée des estivants pour la beauté de sa flore et la variété de sa faune conservées dans des réserves naturelles : loups, hérons cendrés, pélicans...
A la campagne, les cycles de la vie et des saisons donnent lieu à des manifestations hautes en couleur : mariages, fête des laboureurs, des vendanges, nuit de la Saint-Sylvestre.

La Yougoslavie

Ce pays est une mosaïque de six régions : Bosnie-Herzégovine, Croatie, Macédoine, Monténégro, Slovénie et Serbie (avec deux régions autonomes, Vojvodine et Kosovo-Metohija). L'ensemble constitue une superficie de 255 800 km², peuplée de 23 millions d'habitants. Belgrade en est la capitale. Folklore, traditions, architecture, chaque communauté a son identité propre, qu'elle soit d'origine turque, albanaise ou hongroise.

Des rites très anciens se retrouvent dans le carnaval d'Ursac, durant lequel sont célébrées les vendanges, avec des cortèges de chars décorés de feuilles de vigne et de grappes de raisin.

La Hongrie

Le plus petit de nos quatre pays (93 000 km²), est un ancien royaume de l'Empire austro-hongrois. Sa capitale, Budapest, attire un nombre croissant de touristes, émerveillés par les deux rives, Buda et Pest, de cette cité traversée par le Danube.
C'est en Hongrie que se trouve l'un des plus grands lacs d'Europe, le Balaton : il s'étend sur 600 km², au grand plaisir des vacanciers allemands ! Ce lac est né, selon la légende, de la chute d'un chevrier qui, en tombant, heurta une pierre d'où jaillit une source qui engloutit le troupeau. Une quarantaine de sortes de poissons le peuplent : poissons-chats, sandres, carpes, brêmes, anguilles...
Pays de grande tradition culinaire, la Hongrie est célèbre pour son paprika, piment rouge séché et réduit en poudre, ses abricots, son goulasch et le vin des coteaux de Tokay. N'oubliez pas de remercier vos hôtes : köszönöm !

Quelques fêtes traditionnelles hongroises

Lundi de Pâques - les jeunes gens arrosent les jeunes filles d'eau de Cologne, « pour qu'elles ne se fânent pas ». En échange, les filles leur offrent de jolis œufs décorés.

Décembre - Saint Nicolas, le Père Fouettard et le Père Noël remplacent depuis le siècle dernier « le poulain doré » qui apportait leurs étrennes aux enfants.

Nuit de Saint-Sylvestre - les Hongrois descendent dans les rues de la capitale et s'amusent sous une pluie de confetti, au son de trompettes stridentes.

Aux transhumances - *le défilé des Busó* : des personnages, terrifiants ou drôles, symbolisent l'expulsion des Turcs au XVIᵉ siècle. Leurs masques représentent des animaux, des visages burinés ou le diable...

La décoration de la table

En Europe Centrale, les murs sont traditionnellement recouverts de longues étoffes brodées, de tapis d'Orient ; le coin-repas se compose de deux longues banquettes disposées à angle droit, habillées de couvertures aux teintes chatoyantes et de coussins. Quelques poteries rustiques décorées de motifs floraux ornent étagères, coffres et tables.

Prévoir de jolis pots rustiques en terre, des plats creux et des assiettes peintes. On peut décorer soi-même les assiettes en carton avec des motifs floraux (voir page 185) peints à la gouache acrylique.

Choisir des tissus aux rayures contrastées, des tapis de feutrine (patron en fin de chapitre) ornés de motifs géométriques cousus, collés ou peints au pochoir. Prévoir aussi des boîtes en bois peintes de fleurs et de feuillages, des coussins d'étoffes colorées à rayures, une nappe blanche décorée de motifs au pochoir et des napperons brodés. Les plus pressés les réaliseront en papier, décorés aux feutres.

Pour un repas en plein air, étendre de grandes étoffes pastel à même le sol. Tout autour, disposer des coussins, un ou deux bancs, quelques chaises et des paniers d'osier remplis de pommes et de biscuits. Un peu à l'écart, dresser une table avec une planche et deux tréteaux, pour disposer des plats froids (salades, canapés, sandwiches, gâteaux).

L'ART CULINAIRE EN EUROPE DE L'EST

La salade à la crème fraîche

Pour 6 à 8 personnes
Préparation : 15 minutes
Ingrédients : *batavia ou tout autre salade croquante, 5 œufs durs coupés en rondelles, jambon blanc coupé en petits morceaux, croûtons frottés à l'ail, champignons de Paris émincés, petit pot de crème fraîche, ciboulette, persil, sel, poivre.*

Dans un grand saladier, mettre les feuilles de salade et les champignons égouttés.
Pour la sauce : verser la crème fraîche dans un bol, saler, poivrer et ajouter une cuiller à café rase de paprika. Mélanger et ajouter du lait si nécessaire.
Verser la crème sur la salade et décorer de croûtons, de ciboulette et de persil.

Canapés au fromage blanc

Ingrédients : *250 g de fromage blanc, pain de seigle, ou pain complet, 2 oignons hachés menu, 1 cuiller à café de paprika, sel, poivre.*
Pour la décoration : *cumin, brins de persil.*

Bien mélanger les ingrédients dans un saladier. Tartiner largement des carrés de pain de seigle. Décorer de quelques grains de cumin et de brins de persil.

Le goulasch hongrois

Pour 5 à 6 personnes
Préparation : 30 minutes
Cuisson : 2 h 30
Ingrédients : *1 kg de viande (500 g de bœuf, 500 g de veau), 1 kg d'oignons, huile, 2 gousses d'ail, herbes de Provence, 3 tomates, 3 cuillers à café de paprika, 600 g de pommes de terre épluchées, sel, poivre.*

Le goulasch est un ragoût de viande, d'oignons et de légumes, épicé de paprika. On le cuisine aussi en Allemagne, en Autriche et en Israël. Les Hongrois prétendent que le poids d'oignons doit être égal au poids de viande !

Faire revenir la viande coupée en cubes de 3 cm de côté dans une grande cocotte, avec de l'huile.
La retirer de l'huile avec une écumoire lorsqu'elle est bien dorée. Rajouter un peu d'huile dans la cocotte, puis les oignons hachés et l'ail. Replonger la viande et ajouter les herbes, les tomates, le paprika, le sel, le poivre et un peu d'eau. Laisser cuire à feu doux pendant deux heures. Remuer de temps en temps. Trente minutes avant la fin de la cuisson, ajouter les pommes de terre. Servir avec du riz blanc ou des pâtes.

Un plat de boulettes yougoslave :
Cevapcici

Pour 6 personnes
Préparation : 15 minutes
Cuisson : 10 à 15 minutes
Ingrédients : *600 g de beefsteak haché, 400 g de chair à saucisse, 3 gousses d'ail hachées menu, bouillon en tablette, 2 cuillers à café de paprika, sel, poivre.*

Dans un grand saladier, mélanger les deux viandes, l'ail, le sel, le poivre et le paprika. Ajouter une tasse de bouillon. Former des petites saucisses bien fermes et les faire dorer à la poêle avec un peu d'huile. Servir avec une ratatouille (tomates, poivrons, courgettes, oignons, piments doux et aubergines).

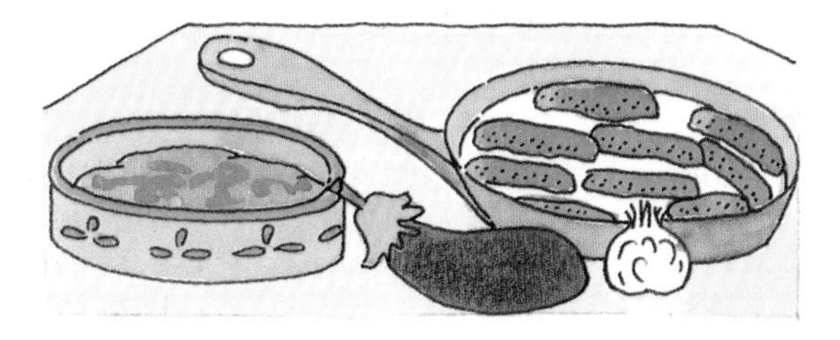

Le Letcho roumain

Pour 6 personnes
Préparation : 20 minutes
Cuisson : 40 minutes
Ingrédients : *4 piments verts doux, 1 piment vert fort, 1 poivron rouge, 5 tomates, 600 g d'oignons, 4 œufs, saucisse fumée, paprika, sel.*

Couper les tomates, le poivron, les oignons en petits morceaux, et la saucisse en rondelles fines. Faire revenir le tout dans une grande poêle avec un peu d'huile. Saler et ajouter le paprika. Cuire à feu doux 40 minutes. Ôter le surplus d'eau avec une cuiller.
Battre les œufs en omelette et les verser sur la préparation. Mélanger et cuire à feu doux quelques minutes.

La purée d'aubergines
(inspirée d'une recette roumaine)

Pour 4 personnes
Préparation : 15 minutes
Cuisson : 30 minutes
Ingrédients : *5 belles aubergines, oignon coupé très fin, sel, poivre, 1 cuiller à café de paprika, un demi-verre d'huile d'olive, le jus d'un demi-citron.*

Laver et couper les aubergines en petits carrés. Dans une poêle beurrée, faire fondre l'oignon et les aubergines à feu doux pendant trente minutes. Ajouter le paprika. Saler et poivrer. Après la cuisson, écraser le tout à la fourchette, ajouter l'huile d'olive, le jus de citron et remuer. Placer quelques heures au réfrigérateur. Servir frais.

Les brochettes

Dans les pays de l'Est, on consomme beaucoup de brochettes de viande et de légumes, relevées de paprika doux. Ces brochettes accompagnent des salades variées bien épicées.

Les crêpes farcies

Pour 5 personnes
Préparation : 10 minutes
Cuisson : en quelques minutes
Ingrédients : *300 g de farine, 2 œufs, 75 cl de lait, sel, 1 cuiller à soupe de rhum, huile, 150 g de noix concassées, confiture d'abricots (ou de fraises ou d'oranges).*

Pour la pâte : verser la farine dans un grand saladier, faire un puits, y ajouter le sel et les deux œufs. Mélanger et verser le lait peu à peu sans cesser de remuer. Ajouter trois cuillers à soupe d'huile et laisser la pâte reposer 3 à 4 heures dans un endroit frais.

Pour la farce : mélanger les noix concassées, la confiture et arroser de rhum.
Faire cuire les crêpes dans une poêle avec un peu d'huile. Étendre la farce sur les crêpes et les plier en quatre. Servir au fur et à mesure de la cuisson des crêpes.

Le gâteau au chocolat

Pour 4 personnes
Préparation : 30 minutes
Sans cuisson
Ingrédients : *200 g de chocolat noir en tablette, 100 g de beurre, 3 jaunes d'œuf, 30 biscuits cuiller, 3 cuillers à soupe de lait, 1 cuiller à soupe de rhum, 100 g de noix ou d'amandes concassées.*

Casser le chocolat noir en morceaux et le faire ramollir à feux doux dans une casserole avec le beurre et un peu de lait. Retirer du feu et ajouter les jaunes. Mélanger. Écraser les biscuits cuiller avec les doigts et les verser sur le chocolat fondu. Ajouter un peu de lait, les noix ou les amandes, et le rhum. Mélanger. Recouvrir l'intérieur d'un moule à cake de papier aluminium huilé et y déposer la pâte. Placer 24 heures au réfrigérateur. Démouler le lendemain ; le gâteau doit être bien ferme.

La salade de fruits

Pour 6 personnes
Préparation : 30 minutes
Ingrédients : *fruits frais coupés en morceaux (pommes, poires, cerises, fraises...) ou 2 boîtes de macédoine de fruits (ôter le sirop), 3 yaourts, sucre, 50 g d'amandes concassées.*

Mélanger fruits et yaourts dans un saladier. Sucrer selon son goût. Ajouter les amandes. Servir très frais avec des biscuits secs.

Les boissons

Disposer sur la table des carafes d'eau, du vin blanc et rouge, de la bière (surtout chez les Tchèques !), du thé et du café.

DÉCORS ET DÉCORATIONS

La ribambelle d'oies

Matériel : *papier blanc léger, papier de couleur, crayon feutre jaune orangé, papier calque, ciseaux.*

L'oie est par excellence l'animal d'Europe Centrale. On la rencontre sur tous les chemins, dans tous les villages, clopinant par petites bandes.

Préparer une bande de papier blanc de 88 cm de long sur 24 cm de large. Tracer quatre cases identiques. Plier en accordéon. Décalquer l'oie (motif ci-dessous agrandi) sur le premier volet du pliage et découper la silhouette en prenant toutes les épaisseurs. Déplier et ajouter quelques traits de feutre pour souligner l'aile et les pattes. Coller les oies sur une bande de papier de couleur.

Le coq

Matériel : *boîte en carton, cubique de préférence, en métal ou en bois, gouache, colle vinylique.*

Voici une idée très simple pour rendre une petite boîte sans esprit aussi décorative qu'utilitaire.

Agrandir le coq (motif en fin de chapitre) et le décalquer sur le carton en double exemplaire. Découper et décorer. Ajouter deux plumes à la queue.

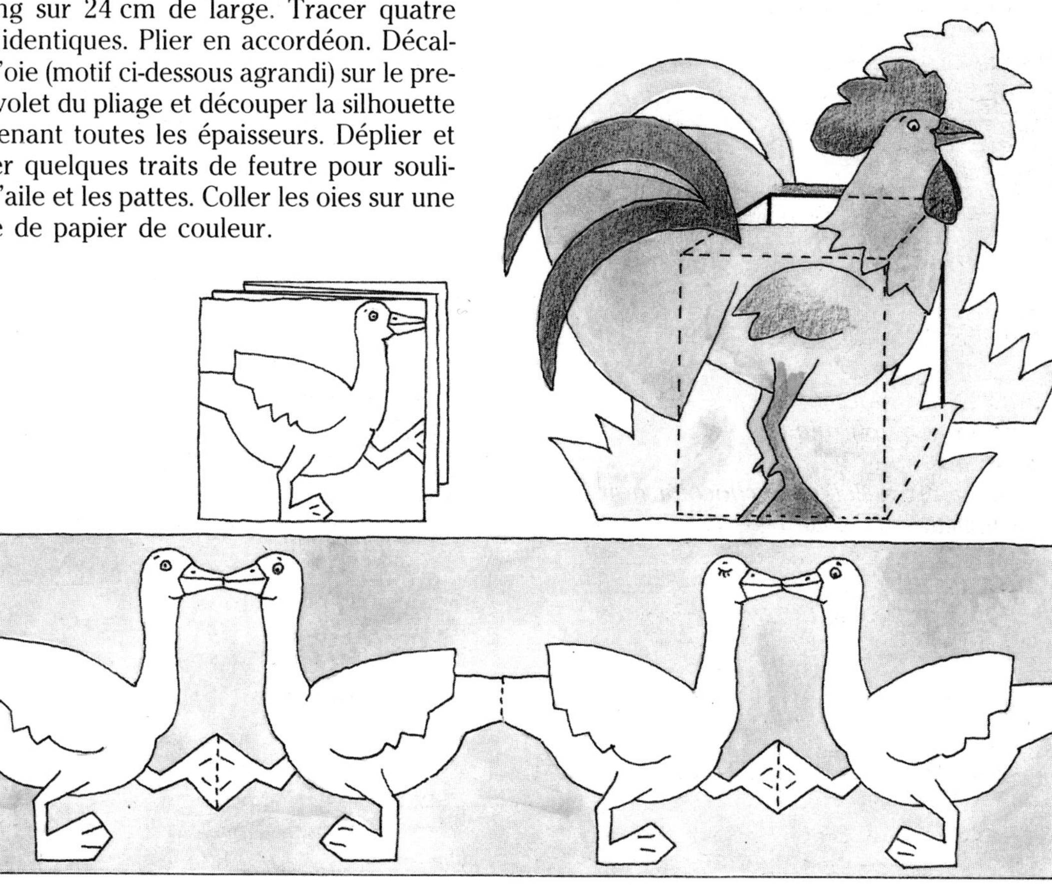

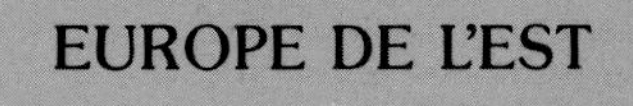

Les œufs teints ou décorés

Œufs teints : *teintures chimiques (magasins d'articles pour travaux manuels), ou teinture naturelle avec du thé, du café fort, des betteraves, des pelures d'oignons ou d'échalote.*
Œufs décorés : *œufs durs ou évidés, œufs en plâtre ou en bois, gouache, feutres, graines, paillettes, brins de laine, galon doré, chutes de dentelle..., colle vinylique.*

Dans presque toutes les civilisations, les œufs, promesse de vie mystérieusement cachée, ont longtemps été le symbole de la régénération. La tradition des œufs décorés est certainement antérieure à la fête de Pâques.

Pour des œufs teints, faire cuire les œufs dans des bains de couleur, en ayant soin qu'ils soient toujours recouverts d'eau (cuisson : 15 à 20 minutes). Une fois secs, les faire briller avec un chiffon et une goutte d'huile.

Pour des œufs décorés, deux solutions : les œufs durs, cuits 12 minutes, et peints, à consommer dans les deux jours ; les œufs évidés, dont la coquille est lavée à l'eau vinaigrée. Recouvrir ensuite les œufs d'une couche de gouache blanche et laisser sécher. Dessiner le motif au crayon, puis colorier. Décorer de collages divers.

On peut réaliser des personnages, des fruits, des animaux... Il suffit d'ajouter quelques éléments, comme sur les dessins ci-contre. Maintenir en équilibre avec une pastille de pâte à modeler.

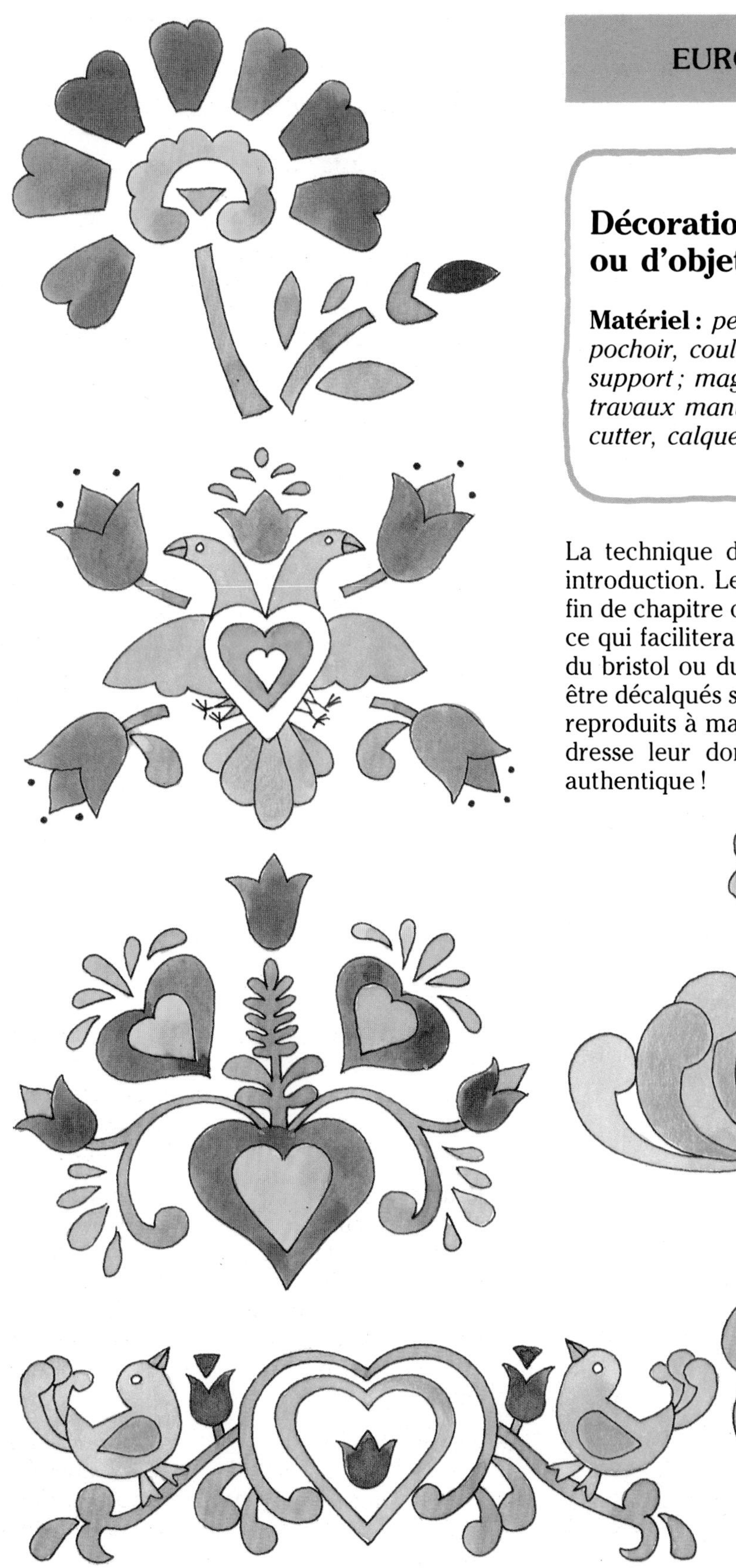

Décoration de tissus ou d'objets

Matériel : *petite éponge ou brosse à pochoir, couleurs (spécifiques à chaque support ; magasins d'articles pour travaux manuels), carton souple, cutter, calque.*

La technique du pochoir est expliquée en introduction. Les motifs de cette page et en fin de chapitre ont des contours très simples, ce qui facilitera leur découpe au cutter dans du bristol ou du Rhodoïd. Ils pourront aussi être décalqués sur le support choisi ou même reproduits à main levée : une certaine maladresse leur donnera même un air « naïf » authentique !

LES COSTUMES TRADITIONNELS

Sous des jupes larges, froncées ou plissées, agrémentées de motifs imprimés et de galons, les Hongroises portent plusieurs jupons blancs ou colorés. Les jeunes filles portent sur la tête un fichu de couleur, noué sur la nuque, et elles se chaussent de bottes ou de ballerines. Certaines coiffes hongroises sont des chefs-d'œuvre inimitables : somptueux diadèmes de fleurs, de perles et de larges rubans richement brodés, retombant dans le dos.

Les autres costumes des pays d'Europe de l'Est ne sont pas en reste : ce ne sont que rubans et broderie !
En voici quelques-uns, simplifiés, pour former des rondes joyeuses.

blanc
gilet noir ou rouge
blanc
COSTUME HONGROIS
noir
blanc
noir brodé
rouge
COSTUME TCHECOSLOVAQUE
COSTUME ROUMAIN
blanc
noir
blanc
blanc
rouge
rouge
blanc
galon noir
galon vert
ruban brodé
noir
noir

LES JEUX: POULES, ŒUFS ET BALLONS

Le jeu de la poule

Jeu de société
Nombre de joueurs: 4 et un meneur pour lancer les dés
Matériel: *feuille de carton de 50×65 cm, papier calque, feutres, bouchons de liège.*

Agrandir le dessin de la poule donné en fin de chapitre et le reproduire sur le carton. A l'intérieur, dessiner un parcours de 45 cases (le départ devant être placé au centre). Découper et coller la queue et les pattes. Colorier aux feutres. Dans huit cases, dessiner deux œufs fêlés jaunes, rouges, bleus et verts. Dans du papier fort, construire un dé aux faces de couleur. Ajouter un dé ordinaire. Fabriquer deux pions par joueur : des œufs de papier de couleur collés sur des rondelles de bouchon (deux pions jaunes, verts, bleus, rouges).

Règle du jeu
Que va pondre la poule? De quelle couleur seront ses œufs? Les joueurs placent leurs deux pions sur la case départ. Le meneur lance le dé qui porte les points et annonce le nombre de points. Il lance ensuite le dé multicolore ; c'est un œuf de la couleur sortie qui avance du nombre de points annoncés. Si le dé tombe sur la face blanche, il faut rejouer. Si le joueur tombe sur une case comportant un œuf fêlé de la couleur de son pion, il doit retourner à la case départ. Attention! Les joueurs doivent faire avancer leurs deux pions sur le parcours. Le gagnant est celui qui atteint l'arrivée avec ses deux œufs : un seul œuf ne suffit pas pour remporter la victoire.

La bataille d'œufs

Jouer avec des œufs est certainement inspiré des rituels des cultes relatifs aux semailles de printemps. Ces traditions restent vivaces non seulement en Europe Centrale, mais aussi en Syrie, en Afghanistan et en Asie Centrale. Plus tard, les œufs décorés de Pâques symbolisèrent la résurrection du Christ.

En Roumanie, il y a quelques années, les œufs durs étaient décorés durant la Semaine Sainte : le dimanche de Pâques, les enfants s'amusaient à entrechoquer leurs œufs en s'aidant du front et du talon. Lorsqu'un œuf était fêlé, il était perdu par le joueur et son adversaire se l'appropriait. A vous de jouer !

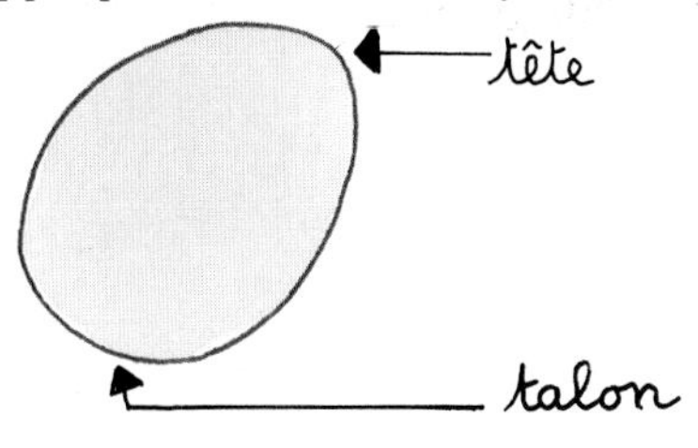

La danse des ballons

Jeu d'intérieur ou de plein air
Nombre pair de joueurs : au moins 10, filles et garçons à égalité
Matériel : *ballons gonflables (4 par fille), fil solide, de la musique tzigane.*

Former des couples, garçon et fille. Gonfler les ballons et les fixer aux chevilles et aux poignets des filles. Chaque cavalier, au son de la musique et tout en dansant, devra défendre les ballons de sa belle et tenter de faire éclater les ballons des autres filles. Le couple gagnant est celui qui aura sauvé le plus grand nombre de ballons à la fin de la musique.

En avant la musique !

Jeu de mémoire
Nombre illimité de joueurs
Matériel : *un lecteur de cassettes et une cassette sur laquelle on aura enregistré les premières mesures de nombreuses chansons connues de tous ; une fiche par personne.*

Pour le bon déroulement du jeu, il est important que le meneur ait bien préparé l'enregistrement, en ménageant des plages de silence entre deux chansons. Tout sera noté soigneusement pour qu'il n'y ait aucune confusion... et donc aucun litige.

Les joueurs se placent en demi-cercle autour du meneur de jeu qui fait entendre les premières mesures d'une chanson. Le premier qui la reconnaît lève le doigt. Si la réponse est exacte, il marque un point pour le chanteur, un point pour le titre de la chanson.

Le jeu continue jusqu'à ce que toutes les chansons aient été reconnues. Le gagnant est bien sûr celui qui a gagné le maximum de points.

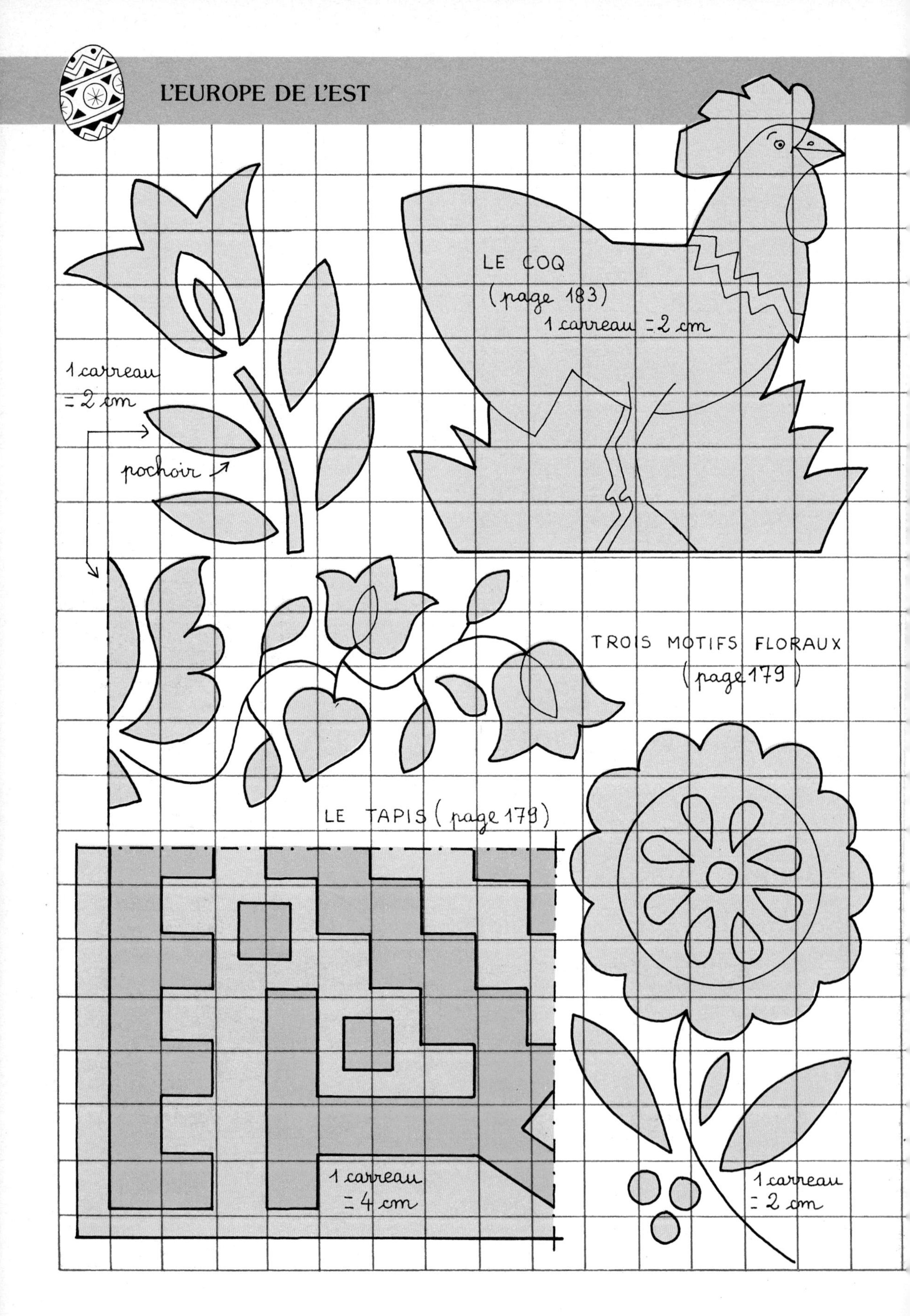

LE COQ
(page 183)
1 carreau = 2 cm
1 carreau
= 2 cm
pochoir
TROIS MOTIFS FLORAUX
(page 179)
LE TAPIS (page 179)
1 carreau
= 4 cm
1 carreau
= 2 cm

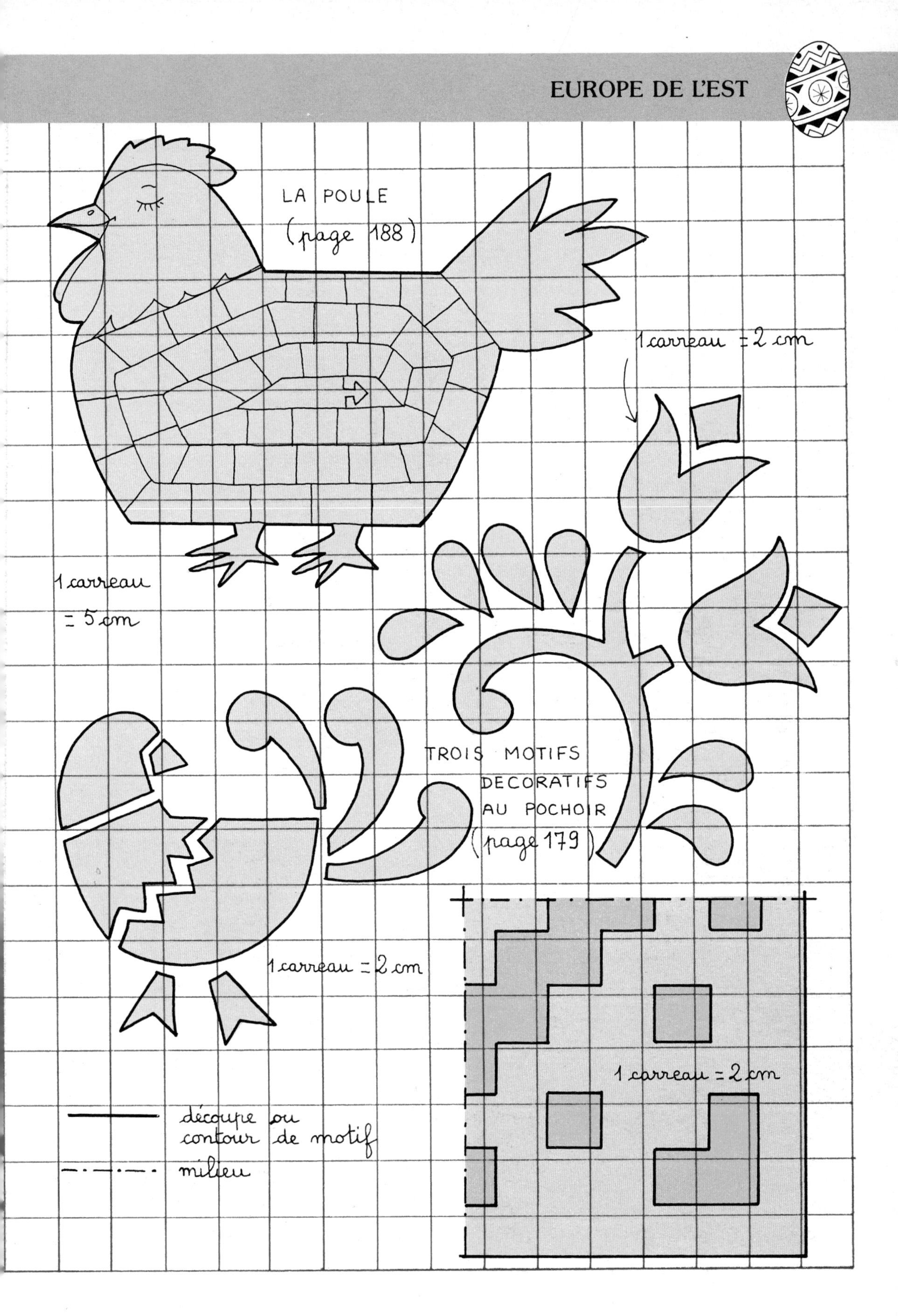
LA POULE
(page 188)
1 carreau = 5 cm
1 carreau = 2 cm
TROIS MOTIFS
DECORATIFS
AU POCHOIR
(page 179)
1 carreau = 2 cm
1 carreau = 2 cm
découpe ou
contour de motif
milieu

Bibliographie

L'Europe de l'Est. Des pays et des hommes. Larousse, 1985.

Contes tziganes. Collection Légendes et contes de tous les pays. Gründ.

Contes de Bohême. Collection Légendes et contes de tous les pays. Gründ.

L'art naïf yougoslave. Neboïsa Tomasevic. Guilde internationale de l'art. Bruxelles, 1975.

Activités aux couleurs de l'Europe centrale. Claude Soleillant et Geneviève Ploquin. Série 105, Editions Fleurus, 1978.

Les œufs peints. Josette Vinas y Roca. Série 112, Editions Fleurus, 1979. 6e édition, 1989.

Les œufs déguisés. Josette Vinas y Roca. Série 112, Editions Fleurus, 1982. 5e édition, 1989.

Œufs décorés, tradition et création. Isolde Kiskalt. Collection Mille-pattes. Editions Fleurus, 1989.

Discographie

Chansons hongroises bien connues. H. KATI et Ensemble Tzigane. Compact disc U C 10211 HUNGAROTON Harmonia Mundi.

Une nuit à Budapest. S. LAKATOS et son ensemble. Cassette : U 410071 HUNGAROTON Harmonia Mundi.

Les bougies du Paradis. Musique de Serbie Orientale. Disque : OCO 558548 OCORA Harmonia Mundi. Cassette : OCO 4558548.

Achevé d'imprimer en Septembre 1989
Nº d'édition 89200 - Dépôt légal à la date de parution
ISBN : 2-215-01272-2 - 1re édition

Impression, Reliure :
Partenaires S.A. France.
Imprimé en France

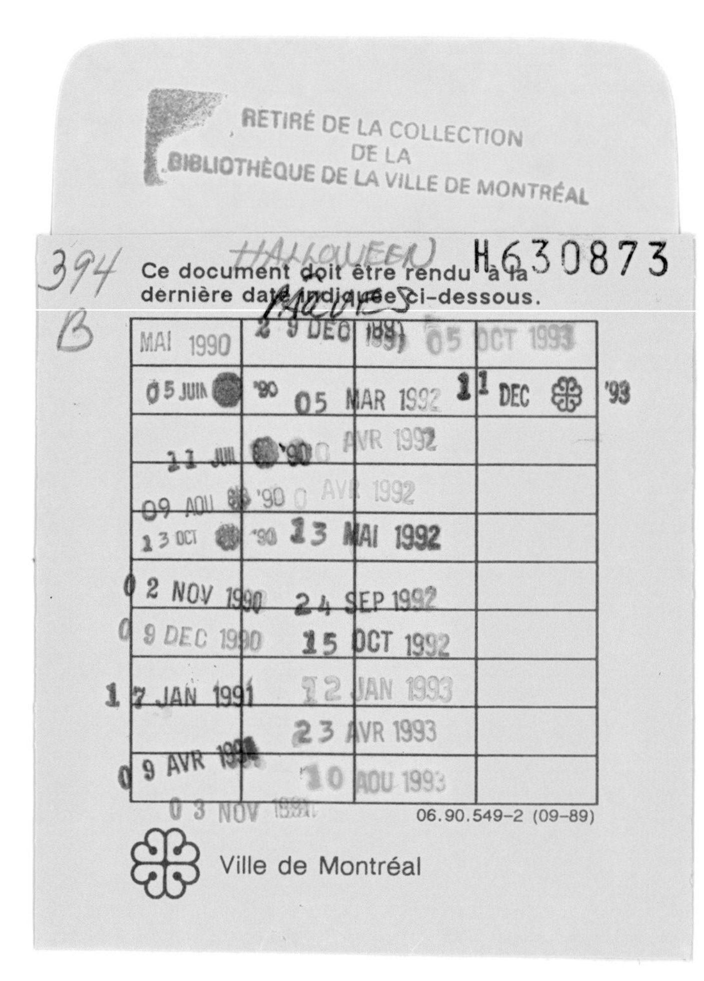